Misteriosa aparición

books4pocket

Linda Howard

Misteriosa aparición

Traducción de Mireia Terés Loriente

EDICIONES URANO

Argentina - Chile - Colombia - España
Estados Unidos - México - Perú - Uruguay - Venezuela

Título original: *Killing Time*
Copyright © 2005 by Linda Howington

© de la traducción: Mireia Terés Loriente
© 2007 by Ediciones Urano, S.A.
Aribau, 142, pral. – 08036 Barcelona
www.edicionesurano.com
www.books4pocket.com

1ª edición en books4pocket octubre 2012

Impreso por Novoprint, S.A.
Energía 53
Sant Andreu de la Barca (Barcelona)

Fotocomposición: books4pocket

ISBN: 978-84-15139-51-5
Depósito legal: B-24.333-2012

Código Bic: FRD
Código Bisac: FIC027020

Impreso en España – *Printed in Spain*

Prólogo

Juzgados del condado de Peke, Kentucky
1 de enero de 1985

Se había reunido una pequeña multitud, de unas cincuenta personas, para ver el entierro de la cápsula del tiempo al lado del mástil de la bandera que había frente a los juzgados del condado. El primer día del año se despertó frío y ventoso, y el plomizo cielo no dejaba de escupir copos de nieve encima de ellos. La mitad de las personas allí reunidas eran las que, por posición, ambición o conexiones, tenían que estar allí: el alcalde y los concejales, el juez titular de la sala, cuatro abogados, los comisionados del condado, unos cuantos empresarios locales, el sheriff, el jefe de policía, el director del instituto y el entrenador del equipo de fútbol americano.

También había algunas mujeres: la señora Edie Proctor, la conserje del instituto, y las esposas de los políticos y los abogados. También había un reportero del periódico local, que tomaba notas y hacía fotografías porque el periódico era tan pequeño que no podía tener en plantilla a un fotógrafo profesional.

Kelvin Davis, el propietario de la ferretería, presenció el acto con su hijo de quince años. Básicamente habían venido porque el juzgado estaba justo enfrente de donde él y su hijo vivían, encima de la ferretería; porque el partido de fútbol americano de Año Nuevo todavía no había empezado y porque no tenían nada mejor que hacer. El chico, Knox, alto y esbelto, encorvó los hombros contra el viento y estudió las caras de todos los presentes. Era terriblemente observador y, a veces, incomodaba un poco a los adultos que lo rodeaban, pero no se metía en líos, ayudaba a Kelvin en la tienda cuando salía de clase, sacaba buenas notas y, por lo general, sus compañeros lo apreciaban. En resumen, Kelvin creía que había tenido mucha suerte con su hijo.

Se habían trasladado a Pekesville desde Lexington hacía nueve años. Kelvin era viudo y pretendía seguir siéndolo. Había querido a su mujer, sí, pero el matrimonio era difícil y no creía que quisiera pasar por eso otra vez. Salía con distintas mujeres de vez en cuando, aunque no con la suficiente regularidad para que alguna de ellas se hiciera ilusiones. Tenía pensado que Knox acabara el instituto y fuera a la universidad, y puede que entonces reconsiderara su postura respecto al matrimonio, pero, por ahora, estaba concentrado en criar a su hijo.

—Trece —dijo de repente Knox, en voz baja. Frunció el ceño y juntó las cejas.

—Trece ¿qué?

—Han puesto trece objetos en la cápsula, pero el periódico decía que pondrían doce. Me pregunto cuál será el otro objeto.

—¿Estás seguro que eran trece?

—Los he contado.

Claro que los había contado. Kelvin suspiró mentalmente; él ni siquiera había dudado del número de objetos.

Knox parecía observarlo y comprobarlo todo dos veces. Si el periódico decía que serían doce objetos, Knox los contaría para ver si era cierto o si, como en este caso, se habían equivocado.

—Me pregunto qué será ese decimotercer objeto —repitió Knox, con el ceño todavía fruncido mientras observaba la cápsula del tiempo. El alcalde la estaba colocando en el agujero que se había cavado el día anterior. De hecho, era una caja metálica cuidadosamente envuelta con plástico impermeable.

Dijo unas palabras, la gente rió y el entrenador de fútbol americano empezó a tirar tierra sobre la caja. Al cabo de un minuto, el agujero estaba lleno de tierra y el entrenador la aplanó con la pala para nivelarla con el suelo. Sobró tierra, claro, pero el hombre no se molestó en amontonarla. El alcalde y uno de los concejales cogieron una pequeña losa de granito en la que se había grabado la fecha del entierro y la misma fecha, pero un siglo después, que era cuando se suponía que tenía que abrirse, y la dejaron caer de golpe encima de la tierra recién removida. Seguramente, habían planeado colocarla más despacio, con la gravedad adecuada para que el fotógrafo inmortalizara el momento, pero evidentemente el peso de la losa los cogió desprevenidos y la dejaron caer al suelo. Cayó un poco hacia un lado. El entrenador se arrodilló en el congelado suelo y se sirvió de ambas manos para colocarla en el sitio correcto.

El fotógrafo del periódico hizo fotos para que el evento pasara a la posteridad.

Temblando, Knox cambiaba el peso de pierna constantemente.

—Voy a preguntar —dijo, de repente, y se alejó de Kelvin para acechar al fotógrafo entre todo el gentío, que ahora empezaba a dispersarse.

Con un suspiro, Kelvin lo siguió. Algunas veces, le parecía que su hijo era más un perro sabueso que un chico, ya que le resultaba imposible olvidarse de algo que tenía en mente.

—¿Qué quieres decir? —escuchó Kelvin que decía el reportero, Max Browning, mientras miraba a Knox con gesto distraído.

—La cápsula del tiempo —le explicó Knox—. El periódico decía que se introducirían doce objetos, pero han sido trece. Quería saber qué era ese otro objeto.

—Han metido doce. Como decía el periódico.

—Los he contado —repitió Knox. No lo dijo enfadado, pero se mantuvo firme.

Max miró a Kelvin.

—Hola —le dijo, y luego se giró hacia Knox y se encogió de hombros—. Lo siento, no puedo ayudarte. No he visto nada extraño.

Knox se giró y concentró toda su atención en la espalda del alcalde, que ya se marchaba. Si Max no podía ayudarlo, iría directamente a la máxima autoridad.

Kelvin agarró a Knox por el cuello de la chaqueta cuando este iba a iniciar la persecución.

—No molestes al alcalde —dijo, en un tono suave—. No es algo trascendental.

—Sólo quiero saberlo.

—Pues entonces, pregúntaselo al entrenador cuando vuelvan a empezar las clases, el lunes que viene.

—Pero ¡aún faltan seis días! —Knox parecía horrorizado por tener que esperar tanto tiempo para descubrir algo que podía saber allí mismo.

—La cápsula del tiempo no se irá a ningún sitio. —Kelvin miró la hora—. El partido está a punto de empezar; vamos a casa. —Ohio State jugaba contra Southern California, y Kelvin animaba a los Buckeyes porque el marido de su hermana pequeña había jugado en el equipo de Southern California hacía diez años y a Kelvin no le caía nada bien ese cabrón, así que siempre iba con quien se enfrentara a los Trojans.

Knox miró a su alrededor y frunció el ceño cuando vio que el alcalde había desaparecido y el entrenador ya estaba en su coche. La señora Proctor, la conserje, estaba hablando con un señor alto que él no conocía, pero no quería acercarse a ella porque parecía seca y falsa, siempre llevaba demasiado maquillaje en la cara, y pensó que seguramente su olor sería igual de falso que su aspecto.

Algo contrariado, siguió a su padre hasta la ferretería.

Jamás llegó a preguntarle al entrenador qué era aquel decimotercer objeto de la cápsula porque, a la mañana siguiente, Howard Easley, el entrenador, apareció colgado de un árbol de su jardín. No se encontró ninguna nota, pero la policía sospechó que se trataba de un suicidio porque se había divorciado hacía un año y, desde entonces, había intentado convencer a su ex mujer para que le diera otra oportunidad. Llevaba allí tantas horas que estaba totalmente congelado, y la nieve se había acumulado encima de su cabeza y sus hombros.

El suicidio del entrenador apartó los pensamientos acerca de la cápsula de la cabeza de Knox. Cuando se enteró del detalle de la nieve acumulada encima de la cabeza del entrenador, fue directamente a la biblioteca para informarse sobre el *rigor mortis* y cuánto tardaba un cuerpo en enfriarse de aquella manera. Había muchas variables, incluyendo si aquella noche había soplado viento que hubiera acelerado el enfriamiento, pero, si había hecho bien los cálculos, el entrenador llevaba allí fuera desde la media noche.

Fascinado, siguió investigando, y primero se quedó boquiabierto por una cosa, luego por otra mientras seguía profundizando en las técnicas de investigación. Pensó que aquello era muy chulo. Le gustaba. Le encantaba solucionar problemas reuniendo pequeñas pruebas. Y entonces decidió que no quería hacerse cargo de la ferretería; lo que quería era ser policía.

Capítulo 1

27 de junio de 2005

—Oye, Knox, ¿quién ha cavado ese agujero junto al mástil de la bandera?

Knox levantó la cabeza del informe que estaba redactando. Como inspector jefe del condado, tenía su propio despacho, aunque era pequeño y estaba lleno de trastos. El ayudante del sheriff, Jason MacFarland, estaba asomado a su puerta con una expresión de ligera curiosidad en su pecoso rostro.

—¿Qué agujero?

—Ya te lo he dicho, hay un agujero junto al mástil de la bandera. Juraría que ayer por la tarde, cuando terminé mi turno, no estaba, pero ahora sí.

—Hummm. —Knox se frotó la mandíbula. Él no había visto nada, pero es que esta madrugada, cuando había llegado a las cuatro y media para poder leerse un montón de documentos de lo más aburridos, había aparcado detrás de los juzgados. No había dormido nada y estaba tan cansado que, seguramente, aunque hubiera pasado justo por encima del dichoso agujero, no lo habría visto.

Como llevaba tres horas sentado a su mesa, decidió que era un buen momento para estirar un poco las piernas. Cogió la taza de café, la llenó cuando pasó junto a la cafetera, y él y MacFarland salieron por la puerta lateral, rodearon el edificio de los juzgados, de ladrillos rojos, y caminaron por la acera sin hacer ruido, ya que llevaban zapatos con suela de goma. El día había amanecido con un cielo azul sin ninguna nube, y la hierba estaba húmeda de rocío. Unas preciosas y coloreadas flores de primavera crecían en unas cuidadas parcelas, pero Knox era incapaz de reconocerlas. Sólo conocía las rosas y los narcisos. Todas las demás quedaban agrupadas bajo la denominación genérica de «flores».

Los juzgados abrían a las ocho, y el aparcamiento en la parte posterior ya empezaba a estar lleno de coches del personal. El departamento del sheriff tenía un ala separada a la derecha del edificio y la cárcel del estado ocupaba los dos últimos pisos del edificio, de cinco plantas. Los prisioneros solían silbar a las empleadas o a las mujeres que acudían a los juzgados, hasta que el condado instaló unos tablones en la base de las ventanas que, aunque dejaban pasar el aire y también la luz, no permitían que los prisioneros vieran el aparcamiento.

El mástil de la bandera estaba en la esquina izquierda de la plaza que había frente a los juzgados; había bancos en el parque frente a la intersección de las dos calles, y también había más parcelas con flores. Hoy no hacía viento, así que la bandera estaba pegada al mástil. Y, junto a la base, había un agujero de casi un metro de diámetro por unos sesenta centímetros de profundidad.

Knox y MacFarland se quedaron en la acera porque desde allí lo veían perfectamente. Alguien había levantado la losa de granito y la había dejado tirada encima del césped. Parecía que la tierra estaba más removida de lo que hubiera sido necesario para cavar un simple agujero.

—Allí estaba la cápsula del tiempo —dijo Knox, y suspiró. Era exactamente la broma típica de los estudiantes de instituto, pero tenía que dedicarle su tiempo igual que a cualquier otro crimen.

—¿Qué cápsula del tiempo? —preguntó MacFarland.

—Enterraron una cápsula hace… veinte años, en 1985. Yo estaba aquí cuando lo hicieron: fue el día de Año Nuevo.

—Y ¿qué había dentro?

—No me acuerdo, pero en aquel momento nada me pareció de un valor importante. No sé, había una copia del periódico, un anuario, música y cosas así. —Se acordó que había una cosa que no había aparecido en la lista del periódico y, mirando en retrospectiva, le seguía intrigando mucho.

—Seguramente habrá sido una panda de críos —dijo MacFarland—. Aunque robar una cápsula del tiempo sería divertido.

—Sí. —Knox observó los alrededores, como de costumbre. No había ninguna huella en el césped, lo que significaba que los vándalos habían actuado hacía varias horas. Se subió a uno de los bancos del parque para tener mejor visión y dijo—: Hummm.

—¿Qué?

—Nada. No hay huellas. —A juzgar por cómo estaba levantada la tierra, debería haber, al menos, una huella parcial en algún sitio. Sin embargo, parecía como si la tierra hubiera salido desde el interior, en lugar de cavarla y sacarla con una pala. El mástil estaba a escasos tres metros del banco, de modo que Knox tenía una visión privilegiada del escenario; era imposible que pasara por alto ninguna huella. Sencillamente, no había ninguna.

MacFarland se colocó a su lado.

—¿No es el colmo? —dijo, después de mirar el suelo durante al menos treinta segundos—. Me pregunto cómo lo habrán conseguido.

—Eso sólo lo sabe Dios. —Aunque él lo descubriría. Como el edificio de los juzgados acogía la cárcel del condado, había una cámara de seguridad en cada esquina, debajo de las cornisas y pintadas del mismo color que la pared para que quedaran camufladas. Quien no supiera que estaban allí no las localizaría.

Todavía tenía que terminar el informe, pero la ausencia de huellas le había picado la curiosidad. Ahora tenía que descubrir cómo se las habían arreglado esos gamberros para cavar un agujero y llevarse la cápsula del tiempo con una farola allí mismo iluminándolos sin que nadie les viera, y sin dejar ninguna huella. Puede que First Avenue, la calle que pasaba por delante de los juzgados, no fuera una calle muy transitada a altas horas de la madrugada, pero siempre había coches de policía yendo y viniendo. Alguien debería haber visto algo y haber informado de ello.

Miró al otro lado de la calle, a la ferretería donde su padre y él habían vivido durante años; cuando Knox se marchó a la universidad, por fin su padre había ido en serio con alguien y, hacía diez años, se había vuelto a casar. A Knox le gustaba Lynnette y se alegraba mucho de que su padre no estuviera solo. Ella no quiso vivir encima de la tienda, así que se compraron una casa en las afueras. Knox estaba convencido de que si Kelvin hubiera vivido allí, nadie habría podido hacer nada sin que él lo viera, puesto que su habitación daba a la plaza.

—Acordona la zona, así evitaremos que alguien tropiece y se caiga dentro.

MacFarland podría haberle dicho que sólo era un agujero y que una cápsula del tiempo desaparecida tampoco tenía mucho valor, desde luego no el suficiente para justificar una investigación, pero se limitó a asentir. Decirle a Knox cuándo se estaba pasando de la raya era responsabilidad del sheriff, no suya; además, Knox suponía un gran entretenimiento para los ayudantes del sheriff, que a veces incluso apostaban dinero acerca de lo lejos que llegaría para resolver un caso.

Volvieron sobre sus pasos hasta el departamento del sheriff, donde se separaron: MacFarland se dispuso a seguir las instrucciones de Knox y este se dirigió hacia la cárcel, desde donde se vigilaban las cámaras de seguridad.

Bueno, «vigilar» era un término suave para describir el control que Tarana Wilson, una mujer de más de metro ochenta y mirada feroz, ejercía sobre su territorio. Tenía los rasgos de la cara muy marcados, la piel como el bronce oscuro y era cinturón marrón en artes marciales. Knox estaba convencido de que, si quería, podía darle una paliza casi sin despeinarse.

Y como un hombre inteligente jamás se dirigía a una reina sin llevarle regalos, Knox cogió una rosquilla rellena de crema de la cocina y sirvió dos cafés, uno para él y otro, en vaso de papel, para ella. Con los obsequios en la mano, subió la escalera.

Tuvo que detenerse e identificarse, y luego accedió a las oficinas del carcelero.

Las celdas estaban en el piso de arriba, y el acceso a esa zona estaba altamente controlado. En los últimos quince años, no había habido ni una fuga. Aunque en el condado de Peke no es que tuvieran a muchos presos peligrosos, puesto que a esos los encerraban en las penitenciarías estatales.

La puerta del despacho de Tarana estaba abierta y la mujer se estaba paseando delante de una hilera de diez monitores en blanco y negro. Casi nunca se sentaba; parecía estar constantemente en movimiento, como si su cuerpo esbelto y musculoso tuviera demasiada energía para quedarse quieta.

—Hola, T —dijo Knox al entrar, ofreciéndole el vaso de café.

Ella miró el vaso con suspicacia, y luego volvió a girarse hacia los monitores.

—¿Qué es eso?

—Café.

—Y ¿por qué me traes café?

—Para estar en tu bando. Me das miedo.

Aquello hizo que la mirada oscura e incisiva de la mujer se dirigiera hacia él.

—Mentiroso.

—Muy bien, lo que pasa es que estoy loco por ti y esta es mi manera de camelarte.

Tarana dibujó una sonrisa. Cogió el vaso y bebió un sorbo de café sin apartar la vista de los monitores.

—Puede que te funcionara si mis hermanas y yo no hubiéramos hecho el juramento de mantenernos alejadas de los chicos blancos.

Él sonrió y le ofreció la rosquilla.

—Esto también es para ti.

—Ahora empiezo a temerme que eso de camelarme vaya en serio, pero tengo que decirte algo: vas a necesitar algo más que una rosquilla.

—Está rellena de crema.

—Ah, entonces quizá tenga que replantearme mi posición. —Cogió la rosquilla y le dio un buen bocado, haciendo que la crema saliera por ambos lados del bollo. Tarana la lamió antes de que cayera al suelo, y todo sin dejar de mirar los monitores.

—Bueno, ¿qué puedo hacer por ti?

—¿Ves el mástil de la bandera? —preguntó él, señalando el monitor que lo enfocaba.

—Sí, ¿qué le pasa?

—Hay un agujero justo enfrente, donde estaba enterrada la cápsula del tiempo.

—¿Estaba?

—Alguien la ha desenterrado esta noche.

—Hijo de puta. ¿Alguien ha robado nuestra cápsula del tiempo? No sabía que teníamos una, pero eso no importa.

—Necesito ver la cinta de anoche.

—Enseguida. Robar la cápsula del tiempo de una ciudad es algo muy feo.

Al cabo de pocos segundos, Knox estaba sentado delante de un monitor, rebobinando la cinta y viéndolo todo marcha atrás. Se vio a él mismo y a MacFarland, después siguió retrocediendo en el tiempo y el amanecer desapareció. Apenas había habido tráfico por la noche, como sospechaba. En cambio, lo que no sospechaba era no ver a nadie acercarse al mástil de la bandera y pasarse allí unos minutos excavando un agujero. No se acercó nadie. Cuando detuvo la cinta, con el ceño fruncido, había rebobinado hasta el atardecer.

—¿Has encontrado al desgraciado que lo ha hecho? —preguntó Tarana sin mirarlo, porque seguía controlando visualmente todos los monitores.

—No. —Knox se acercó a la imagen fija y vio que, a las 20:30, la losa de granito estaba en su sitio y el suelo intacto. El césped estaba perfectamente recortado alrededor del mástil.

—¿Cómo que no?

—Como que no veo a nadie.

—No me digas que alguien cavó un agujero hace una semana y tus chicos no lo han visto hasta hoy.

—Según tu cinta, la cápsula seguía allí ayer por la tarde.

Ella se giró y miró la imagen fija del monitor.

—Si ayer estaba allí, el que lo hizo tiene que estar en esa cinta.

—No he visto a nadie —repitió él, con paciencia, y pasó la cinta deprisa para poder enseñárselo. Cuando la detuvo, se veía el agujero junto al mástil y la losa arrancada. Un gesto de ferocidad hizo que las cejas de Tarana se juntaran.

—Vuélvela a pasar —dijo, colocándose junto a él.

Él obedeció, rebobinó la cinta otra vez y, esta vez, fue parando cuando observó las primeras señales de vandalismo. A las 2:30, el agujero ya estaba en el suelo. Cuando volvió a rebobinar vio que, a la 1:53, el suelo estaba intacto.

—Pásalo a tiempo real —dijo ella, que cogió una silla para sentarse. Lanzó una mirada rápida a los monitores y luego se centró en el que tenía delante.

Knox le dio al *play* y el contador empezó a correr segundo a segundo. Siete minutos después, dijo:

—Mierda, ¿qué ha sido eso?

Un breve destello blanco había bloqueado cualquier otra imagen. Luego desapareció y la cápsula ya no estaba.

Detuvo la cinta, rebobinó y, casi inmediatamente, volvió a apretar el *play*. Había rebobinado tres minutos. Vio lo mismo. El suelo estaba intacto, después se veía el destello blanco y, cuando desaparecía, la cápsula ya no estaba.

—Alguien ha trucado mi cámara —dijo Tarana, con voz de ultratumba.

—No lo creo. —Con el ceño fruncido, Knox rebobinó hasta los momentos cruciales—. Fíjate en el reloj.

Juntos observaron cómo pasaban los segundos. A las 2:00 aparecía el destello. A las 2:01 desaparecía y la cápsula ya no estaba.

—Es imposible —dijo Tarana al tiempo que se levantaba y daba una patada a la silla. Se giró y miró todos los monitores—. Si alguien ha trucado esa cámara, puede hacerlo con todas, y eso no va a pasar.

En silencio, Knox volvió a mirar la escena. Mientras la había pasado hacia delante y hacia atrás, no había visto el destello. Sin embargo, ahí estaba y, cuando desaparecía, la losa aparecía arrancada y el agujero estaba allí.

Rebobinó la cinta. Había empezado a grabar justo veinticuatro horas antes de que él entrara por esa puerta y Tarana detuviera la grabación. No sabía si alguien podía manipular la cámara sin modificar el reloj digital de la grabación, o si era posible hacerlo sin entrar en la sala de los monitores, lo que descartaría a una banda de adolescentes gamberros.

Se frotó la mandíbula. Supuso que podría sentarse con un cronómetro en la mano y comparar los tiempos con los de la cinta, pero tardaría doce horas y se aburriría como una ostra. Había una manera más fácil de llegar al fondo de todo aquello.

Tarana iba de un lado a otro, sacando fuego por las muelas y maldiciendo en voz baja. Knox sintió lástima por la siguiente persona que entrara en su despacho porque, en ausencia de un objetivo concreto, volcaría su ira con el primero que se cruzara en su camino.

—Voy a la ferretería —dijo Knox, echando la silla hacia atrás mientras cogía el vaso de café.

—¿A la ferretería? ¿A qué? No puedes entrar y enseñarme que alguien ha estado jugando con mis cámaras y largarte a comprar cuatro tornillos. ¡Siéntate!

—Mi padre también tiene cámaras de seguridad —dijo él—. Y hay una que está enfocada directamente hacia la puerta.

—¿Y? —respondió ella, aunque luego comprendió lo que Knox quería decir—. Ah, ya veo. Puerta de cristal, gran escaparate, justo al otro lado de la plaza.

Knox le guiñó un ojo mientras salía por la puerta.

Cuando cruzó la calle, se fijó que ya había mucho más tráfico; la gente llegaba a los juzgados a ocuparse de asuntos como matricular el coche, recoger el permiso de conducir, registrar un barco. Ya había algunas tiendas abiertas, entre ellas la ferretería; las demás abrían a las nueve. MacFarland había acordonado un gran perímetro en el escenario del crimen, de unos veinte metros de diámetro alrededor del mástil de la bandera, con lo que bloqueaba la acera y obligaba a la gente a tener que bajar al asfalto.

La campana de la puerta sonó cuando Knox entró y Kelvin levantó la mirada mientras atendía a un cliente.

—Enseguida estoy contigo, hijo —dijo.

—Tranquilo. —Knox levantó la mirada, localizó la cámara de seguridad y siguió con la vista dónde enfocaba. Tal y como se había imaginado, el mástil de la bandera estaba casi enfrente de la puerta de la tienda. Puede que los vándalos hubieran podido manipular la cámara de seguridad de los juzgados, aunque no entendía cómo lo habían hecho, pero esta cámara estaba dentro de la tienda y nadie la había tocado.

El cliente se marchó y Knox se acercó al mostrador.

—Necesito ver la grabación de la cámara de seguridad —le dijo a Kelvin. Señaló con la cabeza hacia la ventana—. Alguien se llevó la cápsula del tiempo anoche y, no sé cómo, consiguió manipular la cámara de los juzgados. Pensé que tu cámara lo habría grabado.

Kelvin miró la cámara e, igual que su hijo, miró hacia donde enfocaba.

—Supongo que sí. Me había preguntado a qué vendría la cinta policial amarilla. Es la cápsula del tiempo que vimos cómo enterraban, ¿verdad?

—La misma. A menos que alguien se la haya llevado y haya enterrado otra en su lugar.

—1985. Southern Cal ganó la Rose Bowl y tuve que soportar las fanfarronerías del capullo de Aaron todo un año.

Cuando Kelvin hablaba de su cuñado, siempre decía «el capullo de Aaron» porque le gustaba cómo sonaba, aunque no le caía nada bien. Metió la mano debajo del mostrador, sacó la cinta y se la dio a su hijo.

—Toma.

—No sé cuándo te la devolveré.

—No te preocupes. Tengo más.

Con la cinta en la mano, Knox volvió a su despacho. Tenía un pequeño combo TV/VCR, lo encendió e introdujo la cinta. Con el mando a distancia en la mano, rebobinó hasta que se acercó a la hora del robo y luego, parando y poniendo en marcha, llegó hasta la 1:59 a.m. La definición no era demasiado buena y el cristal distorsionaba un poco la imagen, pero Knox veía claramente la losa de granito a la derecha de la pantalla, en su sitio. Presionó *play* y observó. Siempre había alguna variación en los relojes, así que no sabía cuánto tiempo tendría que esperar para que empezara la acción.

A las 2:03:17 vio un destello blanco. Knox se incorporó en la silla y se quedó mirando la pantalla. A las 2:03:18, el destello desapareció. Ahora, la losa de granito estaba a un lado y había un agujero en el suelo.

—Hijo de puta —dijo en voz baja—. ¿Qué coño está pasando aquí?

Capítulo 2

Un análisis más detallado de la escena no reveló nada nuevo. La losa de granito estaba girada en el suelo, de modo que las fechas grabadas estaban debajo, pero después de empolvarla, no consiguieron ni una sola huella. Todo aquello era muy extraño.

A estas alturas, Knox no era el único que sentía curiosidad. Tarana estaba furiosa porque, aunque él había intentado explicarle que la cámara de su padre también había grabado un destello y luego nada, seguía convencida de que alguien había manipulado sus cámaras.

MacFarland iba diciéndole a todo el mundo cómo había visto el agujero esa mañana al llegar al trabajo; otros también lo habían visto, pero no le habían dado importancia. Si hubieran visto un cadáver habría sido distinto, pero un agujero en el suelo no parecía demasiado sospechoso.

El condado de Peke era pequeño y no era un semillero de crímenes. Pekesville tenía una población estable de veintitrés mil habitantes, lo suficientemente grande como para permitirse algunas comodidades que una población más pequeña no podría, pero no lo suficientemente grande como para atraer actividad criminal, comunidades satánicas ni nada de eso tan exótico. La oficina del sheriff solía encargarse de asuntos más habituales como la violencia doméstica, robos, conducción bajo los efectos del alcohol, algunas drogas. Últimamente, los laboratorios de alcohol de quemar se habían hecho muy famosos y, como por lo general estaban ubicados en poblaciones remotas, muchos se habían instalado fuera de los límites de la ciudad de Pekesville, por lo que los ayudantes del sheriff se habían convertido, casi de la noche a la mañana, en expertos en el manejo de las situaciones literalmente explosivas.

Pero ¿un agujero en el suelo? ¿Qué se suponía que tenían que hacer con eso?

Cuando el sheriff Calvin Cutler llegó a su oficina y escuchó lo del misterioso agujero, tuvo que ir a verlo con sus propios ojos. Rodeado de ayudantes y dos inspectores, caminó hasta la parte delantera de los juzgados.

—¿No es lo más bajo que habéis visto? —dijo mientras contemplaba la tierra removida en el interior de la zona acordonada—. ¿Quién diantre iba a querer una cápsula del tiempo?

Calvin Cutler no decía palabrotas, algo que era tan poco habitual en un agente de la ley que, a veces, cuando no los escuchaba, sus hombres se referían a él como «Andy». Medía metro noventa, pesaba ciento treinta y cinco kilos y tenía unas manos tan grandes que podía reventar un balón de baloncesto. Había empezado como ayudante del sheriff, había ascendido a ayudante jefe y, cuando el antiguo sheriff se retiró, presentó su candidatura y ya iba por el cuarto mandato. El sheriff Cutler conocía muy bien su trabajo y a Knox no se le ocurría nadie mejor que pudiera ocupar ese cargo.

—Han tenido que ser unos chavales —dijo el sheriff—. Nadie más haría algo tan estúpido.

—Pero ¿cómo lo han hecho? —preguntó Knox.

El sheriff se giró y miró la cámara que había en lo alto de la esquina de los juzgados.

—Sólo un destello, ¿eh?

—Y lo mismo en la cámara de seguridad de la ferretería.

El sheriff Cutler metió las manos en los bolsillos y le sonrió a Knox.

—Supongo que todo esto te estará volviendo loco.

—Siento curiosidad.

—Y eso significa que gastarás dinero del departamento para llegar al fondo de este agujero misterioso, y discúlpame el juego de palabras.

Knox se encogió de hombros. En su lista de prioridades, esta no ocupaba los primeros lugares. No había ninguna víctima y no se habían llevado nada de gran valor. Parecía sólo una muestra más de vandalismo, pero la gran pregunta era: ¿Le importaba a alguien? Además, quien decidía qué se investigaba era el sheriff, no él.

—Sólo en mi tiempo libre, si te parece bien. Es algo intrigante, aunque no importante.

—Eso será si tienes algo de tiempo libre —dijo afablemente el sheriff mientras todos emprendían el camino de vuelta.

—Ya —dijo Knox.

Aunque fuera un condado pequeño, el departamento de policía siempre estaba saturado de trabajo porque sufrían un déficit de personal perpetuo. Él era el inspector jefe pero, dado que sólo había tres inspectores en todo el cuerpo policial, era consciente que no tenía demasiada importancia. Al ser sólo tres, eso significaba que los turnos de ocho horas eran algo de lo que habían oído hablar aunque no estaban seguros de creer en ellos; se podría decir que estaban de guardia las veinticuatro horas del día, siete días a la semana. Normalmente, Knox trabajaba entre setenta y ochenta horas a la semana, aunque en parte era así porque los otros dos inspectores tenían familia y él intentaba dejarles suficiente tiempo para estar en casa. A su modo de ver, aquello no significaba que fuera un líder particularmente bueno; significaba que estaba solo y que trabajaba tanto para no tener que ir a casa excepto para dormir.

Ya habían perdido suficiente tiempo con el robo de una cápsula del tiempo y tenía un montón de papeles en la mesa, aparte de los casos que tenía que investigar. Después de beberse otro café, se puso a trabajar.

Le gustaba trabajar como responsable de hacer cumplir la ley. Le gustaba la camaradería del cuerpo y el trabajo era perfecto para él. ¿En qué otro trabajo le pagarían por hacer preguntas, husmear y resolver enigmas? Bueno, quizás hubiera otros trabajos en los que le pagarían por hacer lo mismo, pero como policía llevaba un arma, y eso superaba a ser, pongamos, un periodista cada día de la semana.

Después de una hora sentado a su mesa, con una cuarta parte de la burocracia terminada, se levantó y se puso una chaqueta de tejido ligero. Llevaba la pistolera encima de una camisa blanca, metida dentro de los vaqueros y zapatillas deportivas un poco gastadas. Teniendo en cuenta el calor que ya empezaba a hacer en aquellos primeros días de verano, habría podido pasar tranquilamente sin la chaqueta, si no fuera por el código de vestimenta del sheriff. A Calvin no le importaba que los inspectores fueran a trabajar en pijama, siempre que llevaran puesta una chaqueta. Sin embargo, como dicho código no obligaba a llevar corbata, Knox lo acataba sin rechistar.

—¿A dónde vas? —le preguntó Helen, la asistente del sheriff Cutler, mientras se inclinaba para dejarle otra pila de diez centímetros de informes sobre la mesa.

—A casa de Jesse Bingham. Alguien entró en su granero anoche, le pinchó las ruedas del tractor y mató a unos cuantos pollos.

—Jamás he conocido a nadie que se mereciera más que él lo de las ruedas, pero siento mucho lo de los animales —dijo Helen, y volvió a su despacho. Jesse Bingham era conocido por su mal humor y presentaba quejas y denuncias casi cada vez que se cruzaba con alguien por la calle.

A Knox también le dolía lo de los pollos. Eran unas aves estúpidas, pero seguro que habían sufrido lo suyo al tener a Jesse como dueño.

Salió del aparcamiento, giró a la izquierda por Fourth Avenue, que llevaba directamente a la autopista. Cuando se detuvo en el semáforo, con el intermitente de la derecha encendido, vio una figura solitaria de pie en el cementerio Brookhaven, al otro lado de la autopista. Apagó el intermitente y, cuando se puso verde, siguió recto hasta la entrada del cementerio.

Aparcó bajo la amplia sombra de un roble centenario, salió del coche y caminó por encima del denso césped hasta la mujer que estaba de pie, con la mano ligeramente apoyada en una lápida de mármol blanca. Sin leerla, Knox ya sabía qué ponía en la inscripción: «Rebecca Lacey, adorada hija de Edward y Ruth Lacey», seguida de las fechas de su nacimiento y su muerte. Si hubiera muerto tres meses más tarde, la inscripción hubiera sido: «Rebecca Davis, adorada esposa de Knox Davis». Rodeó los hombros de la mujer con el brazo y, sin mediar palabra, ella apoyó la cabeza en su hombro. Se quedaron mirando la lápida de la mujer joven a la que ambos habían querido: la hija de ella, la prometida de él.

—Ya han pasado siete años —dijo ella, en voz baja—. A veces, pasan días sin que piense en ella y entonces, cuando me doy cuenta, es casi peor que los días en que parece que la perdí ayer.

—Lo sé —dijo Knox, porque era cierto. La primera vez que se dio cuenta que no había pensado en Rebecca en todo el día, el sentimiento de haberla traicionado fue casi insoportable. Sin embargo, los días habían pasado, y los que estaban vivos tenían que seguir adelante o también acabarían muriéndose; en cualquier caso, la vida y los acontecimientos tenían la gran virtud de acomodarse de modo que el vacío se llenara. Ahora ya era capaz de mirar la tumba sin sentirse como si le clavaran un punzón en el corazón. La recordaba con un afecto lejano, puesto que el amor ya había desaparecido. Seguramente siempre recordaría con amor el tiempo que habían estado juntos, la promesa de felicidad, pero ya hacía siete años que había muerto y él ya no estaba enamorado.

Besó en la frente a la mujer que casi había sido su suegra. Para ella era distinto; Rebecca siempre sería su hija y la naturaleza de ese amor jamás cambiaría. No dependía de las hormonas o de la química para mantenerse vigente, no necesitaba proximidad física. Por otro lado, ella también tenía días en que los recuerdos no le venían a la mente, y puede que fuera la manera que tiene la naturaleza de conseguir que el dolor sea llevadero.

Ruth Lacey era una mujer delgada y con aspecto juvenil de cincuenta y tres años. Tenía muy pocas canas y llevaba el pelo muy corto, un peinado que encajaba muy bien con su delicado rostro. Tuvo a Rebecca a los veintitrés años, una edad que ahora a Knox le parecía ridículamente joven. Ed, su marido, la había engañado prácticamente desde el día que se casaron, pero ella se había mantenido a su lado por razones que sólo ella conocía. Quizá le amargó tanto el matrimonio que no quiso ser libre para poder intentarlo con otra persona, así que se quedó con él por razones puramente prácticas. Quizás hasta quiso a ese hijo de puta. Knox sabía que nadie podía hablar de lo que sucedía en las vidas privadas de los demás o entender el vínculo que mantenía a determinadas personas unidas.

Ruth era una mujer que parecía muy abierta y sociable, pero, en realidad, era muy celosa de su intimidad. Cuando Rebecca murió, mantuvo su dolor para sí misma, excepto cuando hablaba con Knox. En aquellos momentos, se apoyaron el uno en el otro, y ella le dejó ver la dimensión de su pérdida. Se habían ayudado en los momentos más malos y, a medida que fueron pasando los años, y aunque cada vez tenían menos contacto, el vínculo y el afecto que los unían seguían todavía intactos, como si fueran soldados que hubieran luchado codo a codo y no pudieran olvidar esa relación.

En la tumba de Rebecca siempre había flores frescas. Knox había puesto su granito de arena en esa tarea, pero durante aquellos últimos años todo el mérito era de Ruth. Él no había pisado el cementerio en todo el año pasado. Y durante los tres anteriores, sólo había acudido a verla en el aniversario de su muerte.

Y lo gracioso era que, después del funeral de Rebecca, Ruth y él se quedaron prácticamente en el mismo lugar donde estaban ahora y ella le había dicho exactamente cómo irían las cosas: «Durante bastante tiempo —dijo—, vendrás mucho y después, de manera gradual, serás capaz de irla olvidando. Vendrás el día del aniversario de su muerte y quizá también el día de su cumpleaños. O en Navidad. Quizá te olvides y no vengas nunca. La vida es así. No te sientas culpable por ello. Todavía tienes muchos años por delante y no podrás vivirlos si te aferras a algo que ya no podrá ser».

Se agachó y apartó una rama de maleza que se le debía de haber pasado al ojo de lince del cuidador del cementerio, al mismo tiempo que recordaba el funeral y la tumba cubierta de flores. Había muerto en marzo, justo antes de la eclosión de la primavera. Knox había pasado la noche en casa de ella porque, a pesar de estar comprometidos, no se habían ido a vivir juntos y, cuando se levantaron esa mañana, ella le dijo: «Tengo un dolor de cabeza horrible. Voy a tomarme una aspirina». Bajó a la cocina y él se metió en la ducha. Después de afeitarse y vestirse, bajó a la cocina y se la encontró en el suelo, muerta. Llamó a urgencias y empezó a reanimarla, a pesar de saber que era inútil, pero no podía soportar no intentarlo. Cuando llegó la ambulancia, Knox estaba agotado y empapado en sudor, pero no quiso parar porque su corazón no quería aceptar lo que su cerebro ya sabía.

La autopsia reveló que había sufrido un aneurisma masivo en el cerebro. Aunque hubiera estado en el hospital cuando sucedió, nadie hubiera podido reaccionar lo suficientemente rápido como para salvarla. Así que se había ido, a los veintiséis años, dos semanas antes de su fiesta de despedida de soltera, nueve semanas antes de su boda.

Y fue entonces cuando Knox empezó a trabajar tantísimas horas. Y, siete años después, seguía haciéndolo. Quizás había llegado el momento de reducir el horario laboral a… unas sesenta horas semanales o algo así. No había salido con muchas mujeres, porque cuando trabajas todo el día, no tienes tiempo para citas, así que no había tenido ninguna relación con nadie desde la muerte de Rebecca. Ahora tenía treinta y cinco años, y no podía dar marcha atrás en el tiempo.

—¿Qué pasaría si pudiéramos retroceder en el tiempo? —le preguntó Ruth, suavemente, apartándolo de sus pensamientos—. ¿Y si, sabiendo lo que iba a pasar, pudiera volver al día anterior a su muerte y convencerla para que fuera a un hospital?

—No creo en los «Y si…» —dijo, aunque mantuvo un tono amable—. Afrontas lo que viene y sigues adelante.

—¿No te gustaría que las cosas fueran distintas?

—Un millón de veces, y de un millón de formas. Pero no son distintas. Esto es la realidad y, a veces, la realidad es un asco.

—Esta lo es —dijo ella, acariciando la lápida de su hija.

—¿Todavía vienes a menudo?

—No tanto como antes. No he venido en un par de meses y quería traerle flores frescas. No lo hago con la asiduidad del principio y me da mucha rabia no acordarme.

—Como he dicho, sigues adelante. —Le rodeó la cintura con el brazo y la giró, alejándola de la tumba.

—No quiero olvidarla.

—Yo recuerdo más cosas de cuando estaba viva que de cuando murió.

—¿Recuerdas su voz? Yo casi nunca puedo; y entonces, de repente, es como si escuchara un eco y, por un segundo, la recuerdo perfectamente, y luego desaparece. Su rostro lo tengo siempre muy claro, pero la voz es más difícil. —Se quedó mirando los árboles, intentando contener las lágrimas y, por el momento, lo logró—. Tantos años, tantos recuerdos. De bebé, de pequeña, de adolescente, hecha una mujer. La veo en cada etapa, como diapositivas, y desearía haber estado más atenta, haber guardado cada pequeño detalle en la memoria. Pero jamás te imaginas que sobrevivirás a un hijo; siempre crees que te morirás tú primero.

—Hay una escuela de pensamiento que defiende que volvemos para aprender cosas, para experimentar cosas que no hemos experimentado en las vidas previas. —Él no se lo creía, pero entendía perfectamente que pudiera resultar reconfortante.

—Pues debo de haber tenido unas vidas previas geniales —dijo. Soltó una risita—. Y unos maridos estupendos.

Aquel comentario sorprendió a Knox y chasqueó la lengua. Bajó la cabeza y vio que Ruth se estaba mordiendo el labio para no reírse.

—Eres fuerte —le dijo él—. Saldrás adelante.

—Bueno, y ¿a dónde ibas? —le preguntó ella cuando llegaron junto a su coche. No había llorado y, para ella, aunque el dolor todavía cubriera sus delicadas facciones como un velo, aquello ya era un triunfo. Hizo la pregunta para olvidarse totalmente del pasado, no porque tuviera un especial interés en la respuesta.

—Voy a casa de Jesse Bingham. Alguien le ha pinchado las ruedas del tractor y ha matado a varios de sus pollos.

—¿Por qué iba alguien a hacerle daño a esos pobres animales? —preguntó ella, con el ceño fruncido—. Es horrible.

—Sí, siento mucho lo de los pollos.

—Pero lo de las ruedas no, ¿verdad? —Relajó el rostro y rió mientras lo abrazaba.

Knox le abrió la puerta del coche y, casi por deformación profesional, se aseguró de que se abrochara el cinturón.

—Cuídate —le dijo, mientras cerraba la puerta, y ella se despidió con la mano mientras encendía el motor y se alejaba.

Knox volvió a su coche, pensando que ojalá no la hubiera visto. Ruth lo hacía sentirse culpable, como si tuviera que echar de menos a Rebecca tanto como ella. No podía. No quería. Quería encontrar a una persona de la que enamorarse, con quien reír, hacer el amor, casarse y tener hijos, aunque tampoco es que se le presentaran muchas oportunidades, teniendo en cuenta el agujero que se había cavado él mismo.

Se concentró en el trabajo y se dirigió hacia la granja Bingham para ver cómo podía solucionar ese otro caso de vandalismo. A veces, la gente tiene una idea de quién ha podido ser, o los vecinos han visto algo, pero, en el caso de Jesse, todos los que lo conocían lo odiaban y no tenía vecinos.

Era una de aquellas personas que echaban la culpa a los demás de todo lo que le pasaba; si le fallaba el motor de la camioneta, enseguida pensaba que alguien le había echado azúcar en el tanque de la gasolina. Si perdía algo, creía que se lo habían robado y presentaba una denuncia. Pero no podían enviarlo a casa y olvidarse de todo; cada vez que presentaba una denuncia, tenían que investigar el caso porque, si alguna vez él tuviera razón y ellos no hubieran hecho su trabajo, irían todos al paro.

Sin embargo, unas ruedas pinchadas y pollos muertos no eran producto de las alucinaciones persecutorias de Jesse. Las ruedas estarían o no pinchadas, y los pollos o bien yacían muertos o estarían corriendo por el corral. Al menos, habría algo concreto que poder analizar.

La granja Bingham era una propiedad bastante grande, con colinas arboladas y campos llanos. Una de las cualidades de Jesse era que cuidaba muy bien del lugar. Las vallas siempre estaban en perfecto estado, la hierba cortada, la casa esmeradamente pintada y el granero y el cobertizo en buen estado. Y no tenía ayuda; lo hacía todo él solo a pesar de estar cerca de los setenta años. Había estado casado una vez, pero la señora Bingham demostró un gran sentido común al abandonarlo hacía ya más de treinta años e irse a vivir con su hermana a Ohio. Se decía que nunca se habían divorciado, algo que a Knox le parecía bien porque era una buena manera de ahorrarse dinero. Seguro que Jesse no iba a encontrar a nadie más que aceptara casarse con él y la señora Bingham debía de haber quedado tan asqueada del matrimonio que no tendría muchas ganas de volver a intentarlo.

Knox aparcó junto a la camioneta de Jesse y salió del coche. Cuando empezó a subir las escaleras de la casa, se abrió la puerta.

—Tómate tu tiempo —refunfuñó Jesse desde detrás de la mosquitera—. Tengo que hacer más cosas aparte de quedarme sentado y esperar a que te decidas a venir.

—Buenos días a ti también —dijo Knox, con sequedad. Ver a Jesse siempre lo sorprendía. Si había alguien cuyo aspecto no ligaba con su personalidad, ese era Jesse Bingham. Era bajo, algo regordete, con una cara redonda de querubín y ojos azules; sin embargo, cuando abría la boca, jamás ofrecía nada agradable. El efecto era el de un Papá Noel enfadado.

—¿Vas a hacer tu trabajo o te vas a quedar ahí soltando indirectas? —preguntó Jesse.

Knox se armó de paciencia.

—¿Por qué no me enseñas el tractor y los pollos?

Jesse se dirigió con brío hacia el granero y Knox lo siguió. El tractor estaba aparcado debajo del cobertizo, junto al granero e, incluso desde lejos, Knox vio las ruedas planas en el suelo.

—Ahí lo tienes —dijo Jesse, señalando con el dedo—. Esos pequeños desgraciados me han pinchado las seis ruedas.

—¿Crees que han sido unos chicos? —preguntó Knox, mientras pensaba que esa banda de gamberros había estado muy ocupada anoche.

—¿Cómo demonios voy a saberlo? Ese es tu trabajo. Por lo que yo sé, ha sido Matt Reston de la tienda de tractores, porque así tendré que comprarle seis ruedas nuevas.

—Has dicho «pequeños desgraciados».

—Sólo era una forma de hablar, ¿entiendes?

—Claro —dijo Knox, tranquilamente—. Como «gilipollas». Sólo es una forma de hablar.

Jesse le lanzó una mirada sospechosa. Por su experiencia, ante su mal carácter, la mayoría de la gente se marchaba o quería pegarle. Knox Davis siempre mantenía la compostura, aunque de una manera u otra, siempre le dejaba claro cuándo empezaba a estar harto.

Knox estudió el suelo con detenimiento; por desgracia, parecía que todas las huellas del suelo eran de Jesse, algo que dedujo porque eran demasiado pequeñas para ser de otro hombre.

—¿Has estado aquí esta mañana?

—¿De qué otra forma iba a comprobar lo de las seis ruedas?

—Si había alguna huella en el suelo, la has borrado.

—Como si pudierais mirar una huella y saber de quién es. No me trago esa mierda. Hay millones de personas con el mismo número.

Knox sabía perfectamente dónde le gustaría dejar la huella de su zapatilla deportiva. Observó los neumáticos, buscó huellas en las partes metálicas, pero, por lo que veía, cada neumático tenía una raja hecha con un cuchillo, de arriba abajo. Aunque no sabía si, aparte de las ruedas, el culpable había tocado alguna otra parte del tractor. Quizá pudiera encontrar alguna huella que no fuera de Jesse, siempre que éste no hubiera limpiado el tractor esa misma mañana y hubiera borrado cualquier pista, claro. Knox no quería pasar nada por alto, aunque sospechaba que el viejo cascarrabias no se pincharía las ruedas del tractor porque

eso significaría tener que gastarse el dinero en ruedas nuevas. A menos que…

—¿Tienes un seguro para casos como este, Jesse?

—Claro. Sólo un estúpido no contrataría un seguro en
estos tiempos en que la gente finge que se ha caído en tu propiedad para poder denunciarte.

—¿Qué deducible tienes?

—¿A ti qué te importa?

—Simple curiosidad.

Jesse empezó a ponerse colorado.

—¿Crees que lo he hecho yo? ¿Crees que he pinchado
mis propios neumáticos?

—Si el seguro te comprara unos nuevos, y tienes un deducible bajo, sería un modo de ahorrarte dinero. Tendrías
ruedas nuevas por cuánto, ¿cien dólares?

—¡Hablaré con el sheriff! —exclamó Jesse—. ¡Saca tu
culo de mis tierras! Quiero que venga otro…

—Soy yo o nadie —lo interrumpió Knox—. No sé quién
te ha pinchado las ruedas. Mi trabajo es sopesar todas las posibilidades. Y una de ellas es que lo hayas hecho tú.

Caminó hasta la parte trasera del granero, con cuidado
de no pisar por la tierra blanda que había junto a la pared,
donde Jesse cortaba la hierba a ras del suelo. Y entonces lo
vio. Había marcas en la tierra. Las miró más de cerca y vio
lo que parecía una huella encima de otra, como si alguien
hubiera entrado y salido por el mismo lugar. Eran más
grandes que las de Jesse.

—¿Qué me dices de los pollos? ¿También crees que los
he matado yo? ¡Míralos! —Jesse lo había seguido, muy exal-
tado, y prácticamente daba saltos de la rabia.

Knox levantó una mano.

—No borres también estas huellas. Quédate aquí, ¿quieres?

—Has cambiado de opinión, ¿eh? Venir a casa de un hombre y acusarlo de…

—Jesse —dijo tranquilamente Knox, aunque la mirada que le lanzó a Jesse cuando se giró indicaba claramente que ya estaba harto.

Jesse se quedó inmóvil y tuvo que conformarse con poner un gesto hosco.

—Enséñame los pollos.

—Por aquí —murmuró, y guió a Knox. Pasaron otra vez junto al tractor hasta que llegaron a un gallinero en un seto vallado que había detrás de la casa—. Fíjate en eso —dijo, señalando al suelo—. Seis.

En el gallinero, había seis pollos en el suelo. No había sangre, así que Knox supuso que les habían retorcido el pescuezo. La maldad de algunas personas no dejaba de sorprenderlo y disgustarlo.

—¿Escuchaste algo anoche?

—Nada, pero estaba cansado y me costó dormirme, así que puede que cuando sucedió durmiera profundamente. Ha sido una noche extraña. Todos esos destellos no me dejaron dormir, pero no oí ningún trueno. Al final, sobre la medianoche, pararon, y pude dormir. Supongo que todo esto sucedió después.

—¿Destellos? —preguntó Knox, con el ceño fruncido. Él no recordaba haber visto ningún relámpago, y eso que estuvo despierto casi toda la noche.

—Sí, y además se veían muy cerca del suelo. Ya te lo he dicho, ha sido una noche extraña. No eran como relámpagos normales. Eran destellos, como si estallara una bombilla enorme.

«Destellos blancos», pensó Knox. Qué coincidencia. ¿Qué diablos estaba pasando?

Capítulo 3

—Puede que los destellos estén relacionados con todo esto —dijo Knox—. Anoche se produjo otro acto de vandalismo justo cuando apareció uno de estos destellos. ¿De dónde venían, aproximadamente?

—No veo qué relación pueden tener unos destellos con la muerte de mis pollos —refunfuñó Jesse, pero se giró y señaló hacia los bosques que había al otro lado de la carretera—. De allí. La ventana de mi habitación da a ese lado.

—Has dicho que eran bajos. —Knox se giró y miró el terreno: montañoso y con mucha vegetación, como casi toda la parte este de Kentucky—. ¿Cómo de bajos? A la altura de las copas de los árboles o por encima.

—Supongo que justo encima de la copa.

—¿Sabrías decirme a qué distancia?

Jesse era granjero y los granjeros controlaban muy bien las distancias. Seguramente, podría contar un acre casi exacto caminando. El hecho de que los destellos fueran de noche seguro que se lo ponía más difícil, pero tenía la ventaja de conocer cada colina y cada curva de sus tierras como la palma de la mano. Entrecerró los ojos mientras observaba la colina, demasiado interesado en el tema como para quejarse.

—Yo diría que fue a menos de cien metros. No puede ser mucho más lejos porque, si no, llegas a la cima de la montaña y empiezas a bajar por el otro lado.

A Knox le pareció un razonamiento lógico.

—Voy a echar un vistazo —dijo—. ¿Quieres venir?

—Deja que me ponga las botas.

Mientras Jesse entraba en casa para calzarse, Knox abrió el maletero de su coche y sacó sus botas de montaña, que le llegaban casi a las rodillas. La piel gruesa le protegía de las mordeduras de serpiente. Tenía la suerte de no ser alérgico al roble venenoso ni a la hiedra venenosa, pero, por lo que sabía, nadie era inmune al veneno de las serpientes. Se sentó en la escalera del porche para ponerse las botas.

Jesse salió calzado con un par de botas Wellington verdes y juntos cruzaron la carretera y se adentraron en el bosque. Knox pensó que aquello debía de suponer un récord mundial de tiempo que Jesse se había pasado sin refunfuñar; habían pasado, ¿qué, cinco minutos? Miró el reloj para cronometrar cuánto duraba aquella paz.

Bajo la espesa sombra de los árboles, la temperatura era más baja. No era un hombre de montaña, pero reconocía las variedades roja y blanca de roble, el arce y la cicuta. Las azaleas silvestres teñían el suelo de color. El intenso olor a tierra le abría los orificios nasales y casi lo obligaba a respirar hondo.

—Huele bien, ¿eh? —comentó Jesse y, por una vez, su tono fue tranquilo en lugar de estridente. Knox pensó que, por lo visto, el bosque afectaba a la personalidad de Jesse; quizá deberían construir una vivienda allí y encerrarlo.

El terreno empezó a hacer subida y la pendiente cada vez era más acusada. Caminaban entre maleza, soltando la ropa de las zarzas que no los dejaban avanzar; subieron algunas rocas y rodearon otras más grandes. Jesse no dejaba de mirar alrededor, calculando mentalmente la distancia, puesto que la vegetación era demasiado densa para dejarle ver su casa. Ya casi había llegado a la cima de la colina cuando se detuvo.

—Por aquí, más o menos.

Knox se tomó su tiempo y estudió los detalles de aquella zona. Justo a su derecha, la vegetación era menos densa, aunque no podía calificarse de claro en la montaña. En esa zona, los árboles eran más grandes y altos, y había cornos en flor protegidos por las enormes ramas de los árboles. Por lo que veía, no había hojas rotas o marcadas de alguna manera, de modo que, fueran lo que fueran esos destellos, no habían estado lo suficientemente cerca para provocar daños o no fueron acompañados de descarga eléctrica.

La tierra, sin embargo… algo la había removido, por decirlo de alguna manera. No encontró huellas, pero había zonas de vegetación en descomposición y removidas, con la parte oscura y húmeda hacia arriba.

—Alguien ha estado aquí —le dijo a Jesse, señalando la tierra del bosque.

—Ya veo.

—Aunque han eliminado las huellas. Me pregunto qué estarían haciendo aquí arriba. —Knox giró sobre sí mismo, buscando algún hueco en la vegetación que permitiera ver… algo—. Desde aquí no se ve nada. Supongo que se podría haber provocado alguna especie de destello pero ¿por qué? —Husmeó el aire, pero sólo olió el mismo aroma intenso a vegetación. Nadie había quemado nada en las últimas horas o, si no, el olor a chamuscado todavía flotaría en el aire.

—Esto podría haberlo hecho un animal —dijo Jesse, se-ñalando la tierra removida—. Dos ciervos peleando con las cornamentas, o un zorro que hubiera cazado un conejo. Aun-que no veo sangre. Y tampoco veo qué sentido tiene todo esto, aparte de hacerme perder el tiempo.

Knox miró el reloj: trece minutos, un nuevo récord del mundo para Jesse Bingham.

—Tienes razón —dijo, dando media vuelta y empren-diendo el camino de vuelta—. Sólo sentía curiosidad por esos destellos.

—Ya te lo he dicho, debió de ser una tormenta eléctrica.

—Si no escuchaste ningún trueno, no. Y pasó encima de tu casa. —Cualquier tipo de relámpago provocaba un trueno. Además, el destello que había cegado las cámaras de seguri-dad de los juzgados no era de un relámpago.

—Entonces, puede que hubiera truenos y no me acuerde.

—Eso no es lo que has dicho. Has dicho que no oíste nin-gún trueno.

—Me estoy haciendo mayor. Ya no tengo tan buen oído como antes.

Con la paciencia agotada, Knox se giró y le clavó un dedo en el pecho a Jesse.

—Deja de tomarme el pelo. Ya.

Jesse lo miró pero, antes que pudiera decidir si apretaba un poco más las tuercas, escucharon una voz que salía de la radio de Knox.

«Código 27 —dijo la voz—. Código 27; en el 2.490 de West Brockton; 10-76.»

Knox ya estaba corriendo colina abajo. «Código 27» sig-nificaba «homicidio/víctima mortal», y «10-76» significaba que necesitaban la presencia de un inspector. Cogió la radio del cinturón y apretó las teclas para enviarle a la central su código y el tiempo aproximado que tardaría en llegar al escenario.

—¡Eh! —exclamó Jesse, pero Knox no aminoró la marcha ni le hizo ningún caso.

Conocía perfectamente las carreteras del condado, incluso las secundarias. West Brockton empezaba en Pekesville con el nombre de Brockton, pero cuando cruzaba la autopista se convertía en West Brockton. Era una calle casi exclusivamente residencial, en una zona de clase media-alta, aunque cuanto más te alejabas del centro, más separadas estaban las casas entre sí. Si no recordaba mal, el 2.490 debía de estar a kilómetro y medio fuera de los límites de la ciudad.

Llegó al coche mucho más deprisa de lo que había tardado en subir la colina. Cogió la sirena azul del asiento del copiloto, la pegó al techo del coche y encendió el motor; apretó a fondo el acelerador y dejó la marca de los neumáticos en el suelo cuando salió hacia la carretera.

Reconoció la casa en cuanto la vio, y no sólo por los muchos coches de policía y ambulancias que había en la calle. Conocía a las personas que vivían allí o, al menos, las había conocido. No tenía ni idea de cuántos cuerpos encontraría en el interior.

Nadie había aparcado en la entrada o en el jardín, al menos, hasta ahora. Tenía a sus hombres bien enseñados: dejad que un inspector y Boyd Ray, el forense, echen una ojeada para ver si hay alguna prueba antes de pisarla, borrarla o destrozarla con el coche; no es que tuvieran un departamento forense muy grande, pero, al menos, tenían que darle la oportunidad a Boyd de trabajar un poco.

Cuando salió del coche, una de las ayudantes del sheriff, Carly Holcomb, se le acercó. La expresión de su rostro pecoso era la más seria que jamás le había visto.

—Es la casa de Taylor Allen —dijo Knox. Taylor era abogado y, a juzgar por los contactos que había tenido con él, creía que era de los decentes, dentro de la decencia que se les supone a los abogados. Estaba en la cincuentena, se había divorciado hacía un par de años y enseguida había conseguido una esposa-trofeo de veintinueve años.

Carly asintió.

—Está dentro —dijo, mientras intentaba seguir el paso de Knox, que se dirigía hacia la casa—. Esta mañana, cuando no ha ido a trabajar, su secretaria lo ha llamado, pero nadie le ha cogido el teléfono. Después lo ha llamado al móvil, y cuando tampoco ha obtenido respuesta, ha llamado a la señora Allen que, casualmente, está en Louisville visitando a unos amigos. La señora Allen ha dicho que había hablado con su marido a primera hora de la mañana y que no le había dicho nada de si tenía que ir a ningún sitio antes de ir a trabajar. A la secretaria le dio miedo que le hubiera dado un ataque al corazón, así que llamó a la policía y yo vine a verificar si se encontraba bien.

—¿Lo encontraste tú? —preguntó Knox, muy seco.

—Sí, señor. Primero miré en el garaje, y su coche todavía estaba allí. Llamé a la puerta, pero no me contestó nadie. —Sacó su bloc de notas y le echó un vistazo—. Esto fue a las 09:18. La puerta principal estaba cerrada. Intenté entrar por la puerta trasera o por las correderas del jardín, pero todas estaban cerradas.

—¿Cómo has entrado?

—No he entrado, señor. He vuelto a la parte delantera y he mirado por la ventana. Lo he visto tendido en el suelo del salón, boca abajo.

—¿Un ataque al corazón?

—No, señor. Tiene una lanza clavada en la espalda.

—¿Una lanza? —repitió Knox, muy sorprendido y preguntándose si lo había entendido bien.

—Sí, señor. Calculo que tendrá una longitud aproximada de un metro y medio.

Subieron la escalera de la entrada juntos. La casa era una de esas de nueva construcción que estaban hechas para parecer antiguas, con un amplio porche en dos lados de la casa. La madera estaba pintada de blanco y las contraventanas a ambos lados de los altos ventanales eran de color azul oscuro. El porche estaba pintado de un color gris y, cuando Knox bajó la vista, vio un par de huellas en los tablones. Las señaló y Carly dijo:

—Yo me encargo.

No había más huellas. Aunque claro, casi nadie entraba por la puerta principal. Seguro que normalmente Taylor y su mujer entraban y salían por el garaje; y como estaban en las afueras de la ciudad, el cartero no les llevaba el correo a casa, sino que lo dejaba en un buzón que había junto a la carretera.

Carly lo guió hasta las ventanas de la izquierda. Las cortinas estaban medio corridas, así que Knox se colocó a un lado y miró hacia el interior de la casa. El porche ofrecía sombra y las luces de la casa estaban encendidas; no tuvo que acercar la cara al cristal para ver lo que había dentro. Un hombre yacía boca abajo encima de la moqueta del salón, con la cabeza girada hacia la ventana y, ¡Dios santo!, realmente tenía una lanza clavada en la espalda. Un lanza de verdad.

Taylor Allen tenía los ojos abiertos y fijos en un punto, y de la boca le había ido saliendo sangre que se le había encharcado alrededor de la cabeza. Además, tenía el cuerpo torcido de esa manera tan imposible que sólo se consigue con la muerte.

Knox había visto gente que había muerto de un disparo de pistola, rifle y escopeta; atropellada por un coche, una camioneta, un tractor, una moto o por un camión con remolque. Había visto gente a la que habían acuchillado y destripado con una amplia variedad de elementos cortantes, desde una navaja hasta una sierra eléctrica. En cambio, lo de la lanza era la primera vez que lo veía.

—No hay mucha gente que utilice lanzas, hoy en día —dijo, pensativo.

De repente, Carly empezó a toser y se giró mientras se tapaba la boca con la mano.

—¿Te encuentras bien? —preguntó él, sin prestarle demasiada atención mientras estudiaba el salón—. Si vas a vomitar, aléjate de aquí.

—Sí, señor —dijo ella, con una voz ahogada—. Quiero decir, que estoy bien. Sólo tenía algo en la garganta.

Casi de forma automática, Knox se metió la mano en el bolsillo y encontró un caramelo para la tos que había llevado encima todo el invierno y que jamás se acordaba de tirar cuando vaciaba los bolsillos; se lo dio a Carly. Ella tosió un poco más cuando lo aceptó, aunque el ruido parecía ahogado cada vez que intentaba controlarlo.

En el interior de la casa todo parecía estar en su sitio. Era como si a Taylor Allen lo hubiera sorprendido un intruso experto en el manejo de la lanza; un intruso que todavía podía estar allí, aunque era poco probable. Las puertas cerradas con llave no necesariamente significaban algo; había muchas puertas que se cerraban automáticamente al salir si antes habías girado una palanca o apretado un botón.

Boyd Ray llegó al escenario con la caja con todo su material.

—¿Qué tenemos? —dijo, mientras subía la escalera del porche.

—Un escenario limpio —respondió Knox, apartándose de la ventana—. No ha entrado nadie.

El rostro rojizo y sudoroso de Boyd se iluminó.

—¿No me digas? Aleluya. Pues a ver qué encuentro.

Los forenses casi nunca se encontraban con un escenario intacto; normalmente, ya lo habían contaminado los agentes que habían respondido a la llamada de la central, o familiares, o incluso vecinos bienintencionados.

Darle tiempo a Boyd para que reuniera pruebas no haría que Taylor Allen estuviera más muerto. Knox se colocó al otro lado de la calle y dejó que Boyd hiciera su trabajo.

Reunir pruebas era una tarea concienzuda. Se empolvaban las superficies lisas para ver si había huellas, se hacían fotografías, se utilizaban pinzas para recoger del jardín pequeños trozos de papel, tela u otro material. Boyd rodeó la casa varias veces, buscando huellas, marcas de neumáticos en la entrada, cualquier cosa que pudiera fotografiar, recoger o preservar. El calor se fue intensificando con el paso de las horas. El este de Kentucky normalmente era más fresco que el resto del estado, por el terreno montañoso, pero hoy debían de haber llegado, como mínimo, a los treinta y dos o treinte y tres grados.

Por fin, Boyd les indicó que había terminado con el exterior, al mismo tiempo que llevaba algunos de sus materiales a la camioneta. Knox y uno de sus inspectores, Roger Dee Franklin, intentaron abrir las puertas sin romperlas, pero no lo consiguieron. Las puertas correderas de detrás estaban bloqueadas con una barra de hierro. Al final, frustrado, Knox dijo que trajeran el pesado mazo que utilizaban para tirar las puertas abajo. Escogió la puerta trasera, puesto que era la que se encontraba más lejos del escenario del crimen, y dejó que los chicos hicieran su trabajo. Cuando la puerta quedó reducida a varios trozos de madera colgando hacia ambos lados del marco, él, Roger Dee y Boyd entraron en la casa.

En primer lugar, Knox se fijó que la puerta estaba cerrada con un robusto pestillo.

Y se encontró con lo mismo en la puerta principal. Aquí, el pestillo era todavía más grande. Las puertas correderas eran distintas, porque era imposible fijar la barra de seguridad desde el exterior.

Sin embargo, la casa estaba vacía. Una eficaz búsqueda reveló que la única persona que había allí dentro, aparte de ellos tres, era la víctima.

—¿Cómo es posible? —murmuró para sí mismo Roger Dee—. Todas las puertas están cerradas y aquí no hay nadie más. No me digáis que el señor Allen se clavó la lanza él solo.

—El garaje —dijo Knox—. Seguro que el mando a distancia no está en el coche. Asegúrate que Boyd busque huellas en el coche. —Era la única manera lógica en la que el asesino habría podido salir; por la puerta del garaje, de modo que la casa quedara totalmente cerrada. Era un método excelente para retrasar la investigación.

Roger Dee se marchó y volvió enseguida.

—No veo ningún mando a distancia, pero el coche es uno de estos nuevos con el mando incorporado. Seguramente, no tenía uno de mano.

—Apuesto a que sí. Su mujer nos lo dirá. Casi nadie se molesta en programar los mandos incorporados si puede tener uno tan sólo alargando el brazo. Por cierto, ¿alguien se ha puesto en contacto con la señora Allen?

—Un par de amigos la traen a casa.

—Posiblemente no se ha dado cuenta que no podrá quedarse aquí. Asegúrate que intercepten el coche y que la lleven a un motel. —Siempre que se producía un asesinato, y en ausencia de pruebas claras que sugirieran lo contrario, Knox automáticamente sospechaba de la pareja. Y, aunque no se imaginaba a la esposa trofeo con la lanza, cosas más raras habían pasado. Hasta que no verificara su coartada, la señora Allen era sospechosa.

Se paseó por la casa, por si veía algo extraño. En el fregadero había una taza de café, junto con un bol de cereales y una cuchara. Desayuno para uno, lo que indicaba que Taylor Allen estaba solo o simplemente había desayunado solo. Knox miró en la basura y encontró la caja de una cena para microondas precocinada, junto con una bolsa de plástico donde todavía había unos trozos de brócoli. Encima de todo, vio el envoltorio de una chocolatina.

Arriba, sólo se había dormido en un lado de la cama. Estaba hecha, pero de una manera muy particular: la colcha a medida, estaba colocada por encima de las almohadas, pero la tela estaba estirada y lisa en un lado, y arrugada en el otro. Knox conocía perfectamente esa manera de hacer la cama, porque él también la usaba. En el baño sólo había un cepillo de dientes, aunque el vaso tenía dos agujeros. Un lavabo todavía estaba mojado, mientras que el otro estaba totalmente seco.

Todo indicaba que Taylor Allen estaba solo en casa. Sin embargo, alguien más había estado allí, seguramente alguien que él conocía. Le había abierto la puerta y le había dejado entrar. Y entonces, cuando se había dado la vuelta, ese asesino lo había… No, porque, ¿cómo iba a esconder una lanza de metro y medio? El señor Allen la habría visto. La única forma de que una lanza no fuera vista como una amenaza era que alguien que coleccionaba lanzas hubiera traído un modelo especial para enseñárselo al señor Allen que, por algún motivo, debía de estar interesado en ella.

Así de pronto, a Knox no se le ocurría ni un solo coleccionista de lanzas en todo el condado de Peke.

Capítulo 4

Knox se agachó a un lado del salón, sin tocar nada, mientras Boyd se iba acercando poco a poco al cuerpo, succionando fibras y pelos de la moqueta con un aspirador de mano. Después, se pondría a trabajar con el cuerpo y en las pistas que encontrara en él. El asta de madera de la lanza podía ser casero, pero parecía tan bien limado y uniforme que Knox pensó que también podría ser el mango de una escoba. La punta de metal, en cambio, solamente se podía hacer en casa si el asesino tenía una máquina de metalistería.

Roger Dee se agachó junto a él.

—¿En qué piensas?

—En lanzas —contestó Knox—. Y en logística.

—¿Cómo qué?

—No soy un experto en lanzas, pero me parece que sólo se pueden utilizar de dos formas: se pueden clavar o se pueden lanzar. En ambos casos, es casi imposible que el ángulo de entrada sea totalmente recto. Puede quedar inclinado hacia arriba o hacia abajo. La autopsia nos revelará los detalles, pero a mí me parece que está un poco inclinada hacia abajo.

—Clavada desde arriba. Así podemos hacernos una idea de la altura del asesino.

—A menos que la lanzaran. Porque, en ese caso, dibujaría un arco, ¿no? —Knox simuló el movimiento de lanzar una lanza y se imaginó la trayectoria del objeto—. Un lanzamiento lateral iría primero hacia fuera y luego entraría, en lugar de ir de arriba abajo. Si el asesino fuera diestro, la lanza quedaría clavada de derecha a izquierda y, si fuera zurdo, al revés.

—Correcto. —Roger Dee apretó los labios mientras observaba el cuerpo boca abajo, encima del pequeño charco de sangre fría y oscura—. No ha sangrado demasiado, así que debió de morir casi al instante.

—A juzgar por la ubicación de la lanza, diría que le ha atravesado el corazón. —¿Se había caído al suelo inmediatamente o se había girado hacia el atacante y luego caído al suelo? Y, ¿le habían clavado la lanza o se la habían lanzado?

Knox reflexionó sobre la logística de una lanza que, a diferencia de una bala, exigía una línea de visión clara para lanzarla y dar en el blanco. Así como cierto manejo de la lanza; eso o tener mucha suerte.

—Por lógica, se la clavaron. La elección del arma es un tanto extraña, pero el método es bastante normal. Sin embargo, supongamos que la lanzaron. ¿Dónde habría podido estar el asesino, para poder tener una línea de visión clara?

Roger Dee señaló hacia el recibidor que había al otro lado de la gran entrada del salón.

—Tuvo que estar allí.

—A menos que el señor Allen se girara y luego cayera, en cuyo caso nuestro hombre tendría que haber estado delante de esta ventana. —Knox señaló hacia la ventana lateral—. Teniendo en cuenta el tamaño de la habitación y el largo de la lanza, seguro que no habría querido acercarse más. Tenemos dos posibilidades y debemos concentrarnos por igual en las dos.

—¿Y si el señor Allen sólo consiguió girar un cuarto de vuelta?

—En mi opinión —dijo Boyd Ray desde su posición junto al cuerpo—, si sólo hubiera girado cuarenta y cinco grados, no estaría tan plano en el suelo. Habría quedado en una posición más extraña, porque habría caído de lado. Por lo que veo, parece que cayó boca abajo.

Sus hombres no estaban acostumbrados a investigar homicidios, pero hacían lo correcto, pensó Knox.

Hicieron lo habitual: verificaron el contestador, le dieron al botón de remarcado del teléfono para ver qué número había marcado por última vez, así como la última llamada que había recibido. En el primer caso, la última llamada que había realizado había sido a su despacho y la última que había recibido era de un número de Louisville, que seguramente era la llamada de la que la señora Allen había informado a la secretaria de su marido.

—Si fuera suspicaz —dijo Knox—, me preguntaría si la señora Allen hizo esa llamada para asegurarse de que su marido estaba en casa esta mañana.

Roger Dee gruñó. Era evidente que la pareja era siempre la primera sospechosa, al menos al principio. Cuanto más cercano estás a alguien, más posibilidades hay de que quieras matar a esa persona, o ella a ti.

—¿Crees que contrató a alguien para que lo hiciera?

—Puesto que dudo mucho que la Universidad de Kentucky ofrezca el lanzamiento de lanza como asignatura optativa, diría que ella no fue la autora material. —Había escuchado que la señora Allen tenía dos especialidades en la universidad: ligar y mirarse en todos los espejos. Nunca la había conocido, así que no tenía ninguna opinión personal sobre ella. Las entrevistas le servirían para determinar si estaba desencantada del matrimonio y de su marido, si tenía algún contacto o conocimiento sobre lanzadores de lanzas y si llevaba una doble vida y visitaba otros colchones.

Mientras tanto, la mayor pista que tenían era la propia lanza. Algo tan esotérico como un fabricante de lanzas tenía que llamar la atención, y esa lanza tenían que haberla hecho en algún sitio. Analizarían la cabeza metálica, estudiarían el tipo de madera y, al final, descubrirían de dónde había salido. Quizá la habían robado de alguna colección. Quizás el asesino había usado un arma de su propia colección; algo estúpido, pero posible. En cualquier caso, la mayoría de asesinos no destacaba por ser unos lumbreras. Todos cometían errores. Incluso los más listos, los que convertían matar en un juego, acababan metiendo la pata.

En este caso, recurrir a un arma tan poco frecuente había sido el primer error, porque le había dado a Knox algo por lo que empezar.

A la noche siguiente, una mujer llegó a un motel de la autopista, justo a las afueras de Pekesville. Era atractiva, con el pelo y los ojos oscuros, y una expresión amable que invitaba a hablar con ella. Pauline Scalia aceptó la invitación y descubrió que la nueva huésped era de Nueva York, que se quedaría en la ciudad al menos un par de días, y que tenía una risa fácil. Pagó con una tarjeta de crédito a nombre de Nikita T. Stover, y tanto el nombre del carné de conducir como la foto coincidían.

Cuando la recepcionista le dio la llave, Nikita Stover se metió en el coche y se dirigió hasta el bloque 17, cogió una pequeña maleta y entró en su habitación. Media hora después, las luces de la habitación se apagaron, lo que indicaba que la señorita Stover se había acostado.

Al día siguiente, Nikita se vistió intentando controlar la ansiedad. Los nervios le aceleraban el corazón y notaba el pulso del corazón por todo el cuerpo. Estaba aquí, ¡por fin estaba aquí! Después de tantos años estudiando, entrenándose y preparándose tanto mental como físicamente, por fin tenía una misión. ¡Y menuda misión le habían dado!

No es que los jefes le hubieran hecho ningún favor; era la tercera agente a la que se le asignaba el caso. Al primero, Houseman, lo habían asesinado en servicio. El segundo, McElroy, había fracasado estrepitosamente. Nikita era muy consciente del peligro al que se enfrentaba, tanto personal como profesionalmente, pero, a pesar de todo, seguía sintiendo el subidón de adrenalina por todo el cuerpo. Le encantaban los retos y estaba más preparada que nunca para la misión.

Estuvo un poco torpe al intentar abrocharse la camisa, respiró hondo para calmar el temblor de los dedos y terminó con los demás botones. Se miró en el espejo con ojo crítico. Todo estaba en orden: camisa blanca, pantalones de pinzas negros, pistolera en la cintura, a la izquierda. Llevaba unos zapatos negros con tacones de cinco centímetros, un reloj muy sencillo con la correa de piel negra y unos pequeños aros dorados en las orejas. Se puso la chaqueta negra y miró que la pistola quedara escondida. Con el ceño fruncido, arregló la tela para disimular el bulto del arma. Ahora; ya estaba lista.

Tenía un plan y estaba preparada para ponerlo en marcha. McElroy había fallado al intentar ir por su cuenta y no aprovechar los activos que tenía a mano. Había ido a lo *cowboy*, que era lo más seguro a la hora de proteger el secretismo de la misión, pero también era el camino que exponía a más riesgos personales y que más había dificultado su investigación. ¿Era necesariamente mejor siempre lo más seguro? Al proteger a una directiva, había fracasado en la parte más importante de la misión. Y ella no quería fracasar.

Vio en el espejo que aquellos pensamientos habían dibujado una sonrisa en su rostro. Le encantaban esas expresiones: «ir por su cuenta, ir a lo *cowboy*». Eran muy descriptivas culturalmente, mientras que su vocabulario era mucho más técnico y menos colorido. Había estudiado el dialecto tan a conciencia que ahora incluso pensaba en esos términos, que estaba muy bien; así tenía menos posibilidades de sufrir un desliz y meter la pata. El acento había sido un problema menos, puesto que no pretendía hacerse pasar por una local.

Cogió la cámara y el bolso negro, salió de la habitación del motel y, automáticamente, verificó que la puerta estaba bien cerrada. El calor del verano de Kentucky la agobiaba y pensó que ojalá no tuviera que llevar chaqueta, pero era importante ofrecer una imagen profesional.

Tenía el coche de alquiler aparcado justo enfrente de la habitación. Vio que no lo había dejado muy bien centrado en la plaza y se quedó un poco decepcionada ante su poca habilidad. El entrenamiento era importante, pero no podía sustituir a la experiencia real. Conducir en un curso de aprendizaje no era lo mismo que ponerse al volante de un coche extraño en territorio desconocido y de noche. Al menos, no había chocado contra nada, ni se había perdido. Habría sido un inicio de misión humillante.

Abrió las puertas con un pequeño mando a distancia y se sentó al volante. Siempre cuidadosa, se tomó unos segundos para repasar todos los mandos y volver a familiarizarse con todos esos pedales, palancas y botones; después giró la llave en el contacto y sonrió cuando el motor rugió. Se quedó un rato intentando seleccionar una emisora de radio, apretando los botones del frontal, aunque no encontró nada. Sin embargo, la noche anterior había descubierto que el botón «Buscar» seleccionaba por sí solo las distintas emisoras de la frecuencia. Sonreía a cada emisora musical que encontraba, pero apretaba el botón para seguir buscando hasta que localizó lo que parecía ser una tertulia local. Tenía que saber qué estaba pasando en la ciudad.

Había estudiado los planos de la ciudad y de los alrededores hasta haber memorizado cada calle, aunque guardaba un plano a mano mientras iba avanzando entre señales de tráfico y «Stops». Localizar la casa que quería no fue nada difícil y se sintió muy orgullosa de sí misma. Hasta ahora, todo perfecto.

De hecho, la casa estaba justo en los límites de la ciudad, donde las viviendas ya estaban más separadas entre sí y empezaban a aparecer prados. Aparcó delante de la casa y se quedó sentada un rato, analizando el escenario. Bonito. Unos preciosos árboles altos y un paisaje en plena eclosión, con una hierba verde y una casa que parecía lujosa pero sin ninguna opulencia. Era blanca, con las contraventanas azul oscuro y un bonito porche que ocupaba todo el lado derecho de la casa. Había cuatro escaleras que subían hasta el porche y la entrada de la casa.

Unos arbustos de color verde intenso, cubiertos por una multitud de flores rosas, crecían pegados a la pared de la casa y ocultaban el enladrillado. Nikita no estaba muy al día en horticultura, pero le pareció que aquellos arbustos eran azaleas. Quizás. Estaban perfectamente podados y el césped, recién cortado. La sombra de dos robles gigantes (los robles sí que los reconocía) protegía el jardín delantero y parte de la casa. La cinta policial amarilla estaba atada a ambos árboles, bloqueando la entrada, y rodeaba toda la casa formando un estridente perímetro.

Se colgó el bolso del hombro, salió del coche, cámara en mano, e hizo varias fotografías para tener algo que le refrescara la memoria cuando estuviera redactando los informes o barajando varias teorías. Pasó por debajo de la cinta amarilla y avanzó por el camino pavimentado, tomando fotografías a su paso. No esperaba descubrir nada que la llevara hasta el asesino, nada que otro experimentado agente no hubiera visto, pero estaba tomando medidas y distancias mentalmente. Lentamente, rodeó la casa, observando cada puerta y ventana, el estado de los arbustos debajo de las ventanas, la distancia desde el alféizar hasta el suelo. Puede que esos datos le fueran útiles, o puede que no. Ya sabía cómo había pasado, pero no sabía quién lo había hecho. O dónde estaba ese quién.

En la parte trasera, había una portezuela a ras de suelo que daba acceso al pequeño espacio que había debajo de la casa. Estudió detenidamente el suelo para comprobar que no hubiera huellas y luego se agachó frente a la puerta; había un pomo, pero no quería tocarlo y estropear cualquier prueba que pudieran encontrar los policías locales. En lugar de eso, metió los dedos entre la puerta y la pared hasta que consiguió abrir el fino contrachapado hacia fuera, aunque, al hacerlo, se dio cuenta que el extremo inferior rozó en el suelo y dejó marcado el arco descrito por la puerta. Cogió una linterna del bolso y dirigió la luz directamente hacia el interior. Todo parecía intacto; no había marcas de que la hubieran forzado ni huellas en el suelo.

La ausencia de huellas la tranquilizó y le indicó que iba por el buen camino. Guardó la linterna en el bolso y volvió a cerrar la puerta.

—¿Qué coño hace usted en mi escenario del crimen?

La profunda voz, que vino directamente de sus espaldas, le tensó los nervios igual que un relámpago. Dio un respingo, pero consiguió reprimir el grito que le había subido por la garganta.

—Menos mal que no tengo problemas de corazón —dijo, mientras se incorporaba y se giraba hacia el propietario de la voz.

—Responda a la pregunta —dijo él, con una expresión dura y unos ojos azules y fríos.

Era un tipo de espaldas anchas y alto, casi un palmo más alto que ella, y eso que ella medía metro setenta. Llevaba vaqueros, unas botas viejas y una chaqueta azul encima de un polo blanco. Tenía el pelo castaño y lo llevaba un poco largo, algo que se salía de lo reglamentario dentro del cuerpo policial. Quizá no había tenido tiempo de ir a cortárselo, o quizás era la forma de reivindicar el rebelde que llevaba dentro.

Ante el silencio de ella, él se llevó la mano a la cintura, un gesto deliberado que dejó al descubierto la placa, colgada del cinturón, así como la enorme arma que llevaba en el arnés, al costado.

—Si es una periodista —dijo, puesto que se había percatado de la cámara—, se ha metido en un buen lío.

En un gesto igual de deliberado, Nikita se abrió la chaqueta y le enseñó su arma; luego abrió una cartera que llevaba en el bolsillo y le enseñó su placa.

—Nikita Stover, FBI —dijo, y le ofreció la mano.

Él arqueó las cejas y su expresión de enfado se exageró todavía más.

—La última vez que lo verifiqué, el asesinato no era jurisprudencia de los federales. ¿Qué está haciendo aquí?

Ella se encogió de hombros y bajó la mano. Las cosas irían mejor si ese hombre se mostraba colaborador, puesto que era obvio que estaba al mando de la investigación; había dicho que era «su» escenario del crimen. Aquella era la parte difícil; Nikita esperaba que su documentación fuera lo suficientemente veraz para que no la investigara.

—Sigo una pista —dijo ella, y suspiró—. Se han producido una serie de ataques contra abogados y jueces, y creemos que todos son obra de la misma persona. El año pasado, mataron a un juez federal en Wichita, ¿recuerda? Estamos realizando un seguimiento de todos los crímenes que pudieran tener una conexión con el caso, por remota que sea, porque, hasta ahora, no hemos tenido demasiada suerte. —Miró hacia la casa—. El señor Allen era abogado, así que aquí estoy. No pretendo interponerme en su investigación; esperaba que pudiera ayudarme.

Esos inmensos hombros se relajaron un poco, aunque sus ojos seguían igual de fríos.

—Entonces, ¿por qué no se ha puesto en contacto conmigo?

—Es lo que iba a hacer ahora, pero antes quería ver la casa. No tenía intención de entrar y he ido con mucho cuidado de no borrar posibles pruebas. —Suspiró profundamente para sus adentros, sonrió y le ofreció la mano—. Intentémoslo otra vez. Soy Nikita Stover, del FBI.

Esta vez, él le estrechó la mano. Tenía la palma rugosa y muy cálida.

—Knox Davis, inspector jefe del condado.

Un crujido atravesó el aire matinal y de la pared que quedaba justo detrás de ella saltaron pedazos de yeso. El jardín trasero no ofrecía ningún rincón para esconderse, así que ambos se movieron de manera simultánea, corriendo hacia el otro lado de la casa. Él la empujó hacia delante, lo que la hizo ir tambaleándose. Cuando recuperó el equilibrio, se colocó con la espalda pegada a la pared y con el arma en la mano, aunque no recordaba haber desenfundado.

Él también tenía su automática en la mano, apuntando hacia arriba mientras se asomaba en movimientos rápidos por la esquina.

—No veo nada —dijo, y sonrió al mirarla. Los ojos azules le brillaban—. Bienvenida al condado de Peke.

—¿Le hace gracia? —gruñó ella.

—Hombre, es interesante —dijo, arrastrando levemente las palabras, como si no pudiera emocionarse demasiado por algo tan mundano como que le disparen a uno—. Evidentemente, hay alguien que no la quiere aquí, lo que me lleva a preguntarme cómo sabía esa persona que usted estaría aquí en este momento. —Mientras hablaba, no dejaba de asomarse rápidamente por la esquina y sacó una radio que llevaba colgada del cinturón. Después de encenderla, dijo—: Código 28, 10-00, el 2.490 de West Brockton. —La miró—. La caballería llegará en un minuto.

—Ya me imagino.

—¿Quién sabía que estaría aquí?

—Nadie. Nadie sabía que vendría ni cuándo vendría. —Sintió un escalofrío por la espalda, porque las implicaciones de ese hecho eran tan desastrosas como pudiera imaginarse.

—Pues alguien lo sabía. Esa bala iba dirigida a usted.

No podía negarlo. Teniendo en cuenta el ángulo, ella era el objetivo o el francotirador tenía muy mala puntería. Descartando la teoría de la mala puntería, se vio obligada a admitir una conclusión muy desagradable: uno de los suyos estaba intentando matarla.

Capítulo 5

El inspector Davis seguía pegado a la pared de la casa, y parecía que iba a quedarse allí hasta que «la caballería», como él había dicho, llegara.

—¿No vamos a ir tras él? —preguntó Nikita, frustrada, dándole un golpecito con el hombro para animarlo. Tenía que saber quién le había disparado y si la misión se había visto comprometida desde el principio. ¿Era por esto que McElroy había fracasado y Houseman había muerto?

—Debo de haberme dejado el sombrero blanco en casa —respondió él, sin mirarla.

—Bueno, no lleva sombrero —dijo ella, muy furiosa porque ahora ese hombre se había puesto a decir cosas sin sentido en lugar de hacer algo—. No llueve.

Él la miró, con una expresión de incredulidad y perplejidad en la cara.

—Quiero decir que no me he puesto el sombrero de héroe. Ya sabe, el bueno siempre lleva el sombrero blanco. El vaquero bueno, ¿le suena?

—Vale —«Vaya». Debería haberlo entendido, sobre todo porque no hacía demasiado que había estado pensando en el vocabulario típico de los vaqueros. Hizo una mueca para sus adentros por el inusual error y empezó a sonrojarse—. En tal caso, puede quedarse aquí. Yo iré tras él.

Empezó a moverse y él estiró el brazo, volviéndola a pegar contra la pared.

—Ni hablar. No he visto ningún movimiento o el humo del disparo, así que no podemos localizarlo. Ahí fuera, hay miles de escondites para un francotirador y mucho campo abierto donde sería un blanco muy fácil. Se queda aquí.

—Soy una agente federal… —empezó a decir, dispuesta a hacer valer su mayor rango. Se sirvió de las dos manos para apartar el brazo que tenía pegado a las clavículas, demasiado cerca de la garganta. Sin embargo, el esfuerzo fue inútil; no podía con él, a menos que quisiera recurrir a un método mucho más violento.

—Lo sé, pero no pienso pasarme horas rellenando formularios y explicando cómo acabó con una bala en el cuerpo. El papeleo del condado ya es suficientemente agotador; con los federales, dentro de una semana todavía estaría redactando informes. Se quedará donde está.

Nikita apretó los labios mientras analizaba la situación, mirándolo con los ojos marrones entrecerrados. Tenía que estar de su lado, pero también tenía que descubrir quién la había disparado y, obviamente, no podía hacer ambas cosas a la vez.

Además, el inspector la había retenido tanto tiempo que quien fuera que le hubiera disparado ya se habría marchado y, aunque no le hiciera caso y fuera tras el francotirador, seguramente no encontraría nada.

—Está bien —dijo ella, al final—. Además, seguramente ha esperado tanto que ya no lo cogerá.

—Perfecto. Écheme la culpa a mí cuando redacte su informe. —No parecía en absoluto preocupado de que lo hiciera, como si no hubiera nada que ella o el FBI pudieran hacerle en el aspecto profesional que le provocara preocupación alguna.

Ella se encogió de hombros; bueno, todo lo que pudo, porque estaba pegada a la pared de la casa.

—No. No tiene sentido lloriquear y poner excusas. De todos modos, todo recaerá sobre mí.

Él le lanzó una mirada inquisitiva mientras apartaba el brazo, y luego volvió a vigilar cualquier movimiento por el otro lado.

—Vaya al porche. Si el francotirador se ha movido y ha cambiado su ángulo, aquí estamos totalmente expuestos.

Nikita miró a su alrededor y vio que los angulosos escalones que subían hasta el porche estaban a escasos metros detrás de ella. Lo que el inspector decía tenía sentido, así que avanzó con movimientos ágiles hasta las escaleras, las subió y se colocó en la parte delantera de la casa. Él iba detrás de ella, mirando hacia las seis mientras vigilaba la parte delantera.

Knox dijo:

—Cualquiera que haya estudiado un poco de logística sabe que avanzar por ese campo abierto hubiera sido una sentencia de muerte.

Estaba intentado tranquilizarla, y ella se mostró un poco emocionada por su preocupación.

—Sí, bueno, las MAE no siempre son expertas en logística.

Se produjo una breve pausa.

—¿Las «MAE»?

Ahora fue el turno de Nikita de lanzarle una mirada de incertidumbre. Había usado un acrónimo muy habitual, uno que existía desde hacía tiempo.

—Las Máximas Autoridades Establecidas —le explicó, con recelo—. Topografía de Internet.

—Ah. Bueno, Internet no es lo mío; los chicos que se ocupan de casos juveniles sí que están a la última.

La vida de Nikita estaba tan ligada a los ordenadores que no se imaginaba que alguien no fuera totalmente experto en ellos; sin embargo, en cierto modo le envidiaba la libertad que suponía no depender de ellos. Y entonces se le ocurrió que, mientras estuviera en esta misión, sería básicamente tan libre como él. No podían controlarla y no podía contactar con sus superiores a menos que regresara físicamente a la base. Al principio, esa ausencia de vínculo la había descolocado, pero hacía unos minutos, cuando alguien le había disparado, su visión había cambiado por completo.

Como nadie podía controlarla, la única manera en que el francotirador podía saber dónde estaba era siguiéndola. Pero ¿por qué no le había disparado antes, mientras estaba sola? ¿O mientras iba hacia el coche desde la habitación del motel? ¿Por qué aquí, y por qué ahora?

El sonido de las lejanas sirenas interrumpió sus pensamientos, aunque sabía que luego volvería a ellos, repasando una y otra vez los hechos y las posibilidades hasta que todo tuviera sentido.

La caballería se personó en la casa del señor Allen en forma de seis coches patrulla, haciendo chirriar los neumáticos al frenar, seguidos por una enorme camioneta blindada que parecía más un tanque. Las puertas de la camioneta se abrieron y salió una brigada de hombres vestidos de azul marino y armados hasta los dientes.

—¿Los servicios especiales? —preguntó ella, alucinada—. Dijo la caballería, no la división de armas pesadas.

—Por aquí no hay mucha acción, así que supongo que necesitan practicar —dijo como si nada—. Además, me adoran.

Ella resopló pero no respondió, puesto que enseguida quedaron rodeados por los agentes, todos con las armas listas y lanzándole una serie de cacofónicas órdenes. Nikita se dio cuenta, un poco tarde, que todas las armas la apuntaban a ella y se apresuró a decir:

—Agente federal —mientras levantaba lentamente el arma y, con la otra mano, abría la cartera para enseñar su placa.

Los agentes bajaron las armas de inmediato, pero no se disculparon. Aunque ella tampoco lo esperaba. Si hubiera sido más rápida, habría anticipado esa reacción. Los agentes habían hecho exactamente lo que se suponía que debían hacer.

—Es la agente Stover —dijo Davis—. Estábamos en la parte trasera de la casa cuando alguien le ha disparado desde los árboles que hay detrás del jardín.

—¿Estás seguro que el disparo iba dirigido a ella? —preguntó uno de los agentes.

—Bastante seguro, teniendo en cuenta el ángulo. Si no, ese tío es un francotirador penoso.

Davis se alejó unos metros con los agentes, hablando con ellos en voz baja. Nikita se quedó en el porche, excluida de la acción aunque decidida a que eso no la molestara. Era la extranjera; esa gente trabajaba codo con codo cada día. Sin embargo, lo que estaba en juego era su vida y no sólo quería participar sino que, además, tenía que ir medio paso por delante de ellos.

Hasta que la zona fuera segura, sería una estupidez abandonar su posición, así que se vio obligada a quedarse en el porche. Se alejó unos metros en busca de su propio rincón de privacidad, sacó un pequeño teléfono móvil del bolso y marcó una serie de números. Escogió los números al azar y ninguno de ellos la conectaba con nadie, porque no tenía modo alguno de informar a sus superiores de la situación. Si sus sospechas eran ciertas, seguramente uno de ellos estaba intentando sabotear la misión de modo que, aunque pudiera, no contactaría con ellos.

Sin embargo, se preguntó: ¿por qué motivo iba alguien a querer sabotearla? Si solucionaba el problema, todos salían ganado. Es lo que no tenía sentido, pero, claro, había muchas cosas sobre este caso que no habían tenido sentido desde el principio.

Una sensación de pánico se apoderó de ella y Nikita intentó controlarla. ¿Qué pasaba si estaba realmente sola, sin ninguna posibilidad de pedir ayuda? Alguien había cometido un error táctico al fallar ese disparo y ahora ella jugaba con ventaja, porque ya estaba sobre aviso.

Sacó una libreta electrónica del bolso, la apoyó sobre la baranda del porche y empezó a anotar cosas directamente en la pantalla del aparato. Poner las cosas por escrito siempre le ayudaba a ver la situación en conjunto y, además, tenía que hacer algo para no quedarse ahí de pie.

Punto uno: había escogido el motel al azar, así que la debían de haber seguido desde que llegó.

Punto dos: en tal caso, ¿por qué no le habían disparado cuando había llegado, en lugar de esperar hasta hoy? ¿O en lugar de entrar en la habitación del motel y asesinarla? Anoche no estaba prevenida, y ahora ya sí.

Punto tres: en Pekesville no había tantos moteles. Por lo tanto, ¿habría sido muy difícil localizarla? Quizá no la habían seguido desde su llegada, sino que el asesino había recorrido todos los moteles, había encontrado su coche de alquiler y la había seguido hasta un lugar más aislado.

—¿Qué garabatea ahí? —preguntó una voz conocida mientras el inspector Davis se acercaba a ella y echaba un vistazo a sus notas. Alargó el brazo, le quitó la libreta electrónica y la examinó, girándola de lado a lado.

—Una especie de argot personal que he desarrollado para evitar que los cotillas como usted lean por encima del hombro lo que escribo —dijo muy tranquila, aunque dibujó una sonrisa. Le guiñó un ojo—. ¿Ha visto a algún cotilla por aquí cerca?

—Culpable —respondió él, aunque no lo parecía—. Es un aparato muy moderno. Supongo que los federales tienen presupuesto de sobras para ir comprando juguetitos como este para su gente.

—Supongo —dijo ella.

Knox apoyó el hombro en una columna.

—¿Tiene alguna idea de quién podría querer verla muerta? Aunque existe la remota posibilidad de que estuviera en el lugar equivocado en el momento incorrecto y fuera un disparo fortuito, alguien que disparara sin un campo de visión claro. No es temporada de caza, pero la gente no siempre sigue las normas, ¿verdad?

La zona le parecía totalmente rural, a pesar de estar justo en las afueras de la ciudad. Además, a veces algunas cosas sucedían sin ningún motivo; sólo sucedían.

—Me gusta la idea de que se haya tratado de un accidente, pero no puedo permitirme creérmela —dijo, muy seca—. Otro agente acabó muerto mientras trabajaba en este caso; creímos que había reducido el cerco al asesino, pero ahora debo plantearme la posibilidad de que alguien saboteara la misión.

—¿Quiere decir que alguien de su oficina está colaborando con el asesino para eliminar a los jueces y abogados que ellos creen que trabajan para el lado oscuro?

—Hay muchos por ahí —dijo ella, en tono neutro. ¿«El lado oscuro»? Fue un comentario tan extraño que le hizo gracia—. ¿Qué me dice del abogado que vivía aquí? ¿De qué clase era?

—Era bastante buen tipo, para ser abogado. No llevaba demasiados casos criminales, aunque sí que se había encargado de algunos crímenes menores. Básicamente, se encargaba de disputas sobre la propiedad, divorcios, testamentos, cosas así. No era un tipo que yo catalogaría de alguien que llamara la atención.

—O sea, que eso elimina la teoría del «lado oscuro».

—Existe otro punto de vista. Puede que el asesinato del señor Allen no esté relacionado con sus casos. Sin embargo, puede que quien quiera que lo hiciera estuviera merodeando por aquí, vigilando la casa por algún motivo, y cuando la vio metiendo la nariz por aquí, le disparó.

Esa teoría era un poco más factible que la de «los accidentes pasan». Los asesinos suelen quedarse, por alguna razón, alrededor del escenario del crimen; puede que porque la mayoría de ellos no son demasiado inteligentes. Excepto...

—Entonces, ¿por qué no le ha disparado a usted? Es un objetivo más grande.

—Eso es cierto —admitió él—. Pero, hasta que no determinemos qué ha pasado, será mejor que se marche de la ciudad y no le diga a nadie adónde va. He visto que hablaba por teléfono. ¿Ha informado del incidente?

—No. Sólo verificaba un archivo digital.

—¿No dejará un rastro?

—Si alguien sabe dónde buscar, sí.

—O si alguien accede al registro de llamadas de su móvil. Mire, sé que es una federal y que ustedes tienen muchos más recursos que nosotros, pero si alguien intenta matarla, eso significa que el asesinato del señor Allen está, efectivamente, relacionado con el homicidio de Wichita, y que alguien de su oficina está metido de lleno en el ajo; así que lo mejor que puede hacer es desaparecer. Las otras posibilidades son remotas y no puede permitirse correr ese riesgo.

—Pero tampoco puedo permitirme marcharme sin saber quién está detrás de esto.

—Quiere decir que se queda —dijo Knox, más como una afirmación que como una pregunta.

—Si no me echa de la ciudad, sí.

—Muy bien. En tal caso, veré si puedo conseguir que sea difícil de encontrar mientras esté aquí.

Que aceptara su decisión de aquella forma tan rápida la cogió un poco desprevenida y sintió una agradable sensación en la boca del estómago. Lo miró con los ojos entrecerrados.

—¿Por qué se muestra tan complaciente? Sé que a las fuerzas locales no les hace ninguna gracia que el FBI se entrometa en sus casos.

—Ah, pero yo soy así —dijo él, sonriendo—. Me encantan los misterios.

Capítulo 6

El equipo de servicios especiales y los agentes peinaron la zona boscosa que había detrás de la casa del señor Allen y encontraron el punto donde, con toda probabilidad, se había colocado el francotirador, puesto que hallaron algunas hojas rotas y una rama lo suficientemente baja como para apoyar el rifle, pero de él, ni rastro. Habían determinado el ángulo mediante la sencilla técnica de clavar un lápiz en el agujero de la bala en la pared; como la bala había recorrido una línea recta de una distancia relativamente corta, el lápiz era la mejor manera de determinar el ángulo exacto del impacto y señalar con precisión hacia la posición del francotirador.

Nikita se colocó en ese mismo punto, con Knox Davis a su lado, y estudió la geometría de donde Knox y ella habían estado cuando le dispararon. Desde ese ángulo, Knox estaba a la izquierda y ella a la derecha, frente a él. La bala había pasado por detrás de ella y había impactado en la pared. Si Knox hubiera sido el objetivo, el disparo se había desviado casi un metro; dando por sentado que el francotirador tenía cierto nivel de competencia con el rifle, quedaba claro que la había estado apuntando a ella.

—Mierda —dijo, en voz baja.

Knox arqueó las cejas.

—Mierda, ¿el qué?

—Deseaba que el objetivo fuera usted.

—Vaya, gracias.

—Ya sabe a qué me refiero. Si alguien hubiera querido dispararle, todo estaría mucho más claro. Usted vive aquí. Quizá se ha ganado algún enemigo por el camino. Puede que quien mató al señor Allen quisiera eliminar también al inspector.

Y, en lugar de eso, Nikita había perdido la última esperanza de que no hubieran saboteado la misión. Estaba auténtica y completamente sola, incapaz de recurrir a nadie porque no sabía en quién podía confiar. Ni siquiera podía regresar al cuartel general, sabiendo lo que sabía y siendo objetivo de una amenaza; seguramente, acabarían con ella antes de que pudiera transmitir esa información crucial.

. —He estado pensando en la situación —dijo él mientras la tomaba del brazo y la guiaba hasta la casa. La agarró con suavidad, de forma que ella dio unos pasos antes de darse cuenta de lo que estaba pasando. Todavía no había terminado de analizar la posición del asesino; de hecho, esperaba que le dieran un poco de privacidad para que pudiera buscar algún rastro de ADN, pero ahora no podía volver sobre sus pasos sin despertar el interés del inspector Davis, lo que significaría que no tendría ese momento de privacidad que necesitaba.

Se dio cuenta de que aquel hombre era muy bueno. Aquella actitud humilde cogía a la gente desprevenida. Puede que, incluso a estas alturas, no lo tuviera calado si no hubiera visto la mirada gélida de sus ojos cuando la descubrió husmeando en «su» escenario del crimen, o si no la hubiera retenido pegada a la pared de la casa con el brazo, impidiéndole actuar. Lo necesitaba, pero tenía que ir con pies de plomo con él.

—¿Me está escuchando? —preguntó Knox, irritado.

—¿El qué? No ha dicho nada desde eso de «He estado pensando en la situación».

—Parecía como si estuviera en otro mundo —le explicó él.

¿Pensaba que estaba sedada? Sin embargo, entendía la esencia de lo que le estaba diciendo, así que le respondió:

—Estaba pensando.

—¿Puede pensar y escuchar al mismo tiempo?

—Claro. Las mujeres son un milagro multitarea de la naturaleza.

Él chasqueó la lengua mientras le hacía rodear un tronco que había en el suelo, aunque habría podido pasar por encima tranquilamente. Nikita había leído que los hombres sureños eran relativamente protectores, de modo que aceptó sin rechistar la innecesaria ayuda.

—Puede quedarse en mi casa —propuso él y levantó la mano cuando ella abrió la boca para rechazar la oferta inmediatamente—. Primero escúcheme. Yo me iré a la pensión de Starling y diré a la gente que me están revisando la instalación eléctrica de casa. Ningún vecino irá a verificarlo ni se extrañará al ver una luz encendida porque, normalmente, aparco en el garaje. Además, no estoy mucho en casa, así que no me supone ninguna molestia…

—Excepto por el coste de la pensión. —¿Cómo se suponía que tenía que tomárselo? No podía devolverle el dinero;

de hecho, no sabía si tendría acceso a algún fondo. Tendría que bastarle el dinero en efectivo que llevaba encima.

Él agitó una mano en el aire.

—No se preocupe por eso. Puede pagármelo más adelante.

La propuesta, a pesar de ser aparentemente amable, no la convencía. ¿Por qué iba a ofrecerle su casa cuando acababan de conocerse y, además, con unas condiciones casi perfectas? No es que fueran amigos. Y, por su experiencia, sabía que los agentes de la ley solían ser mucho más cínicos y desconfiados que los demás ciudadanos normales y corrientes.

La respuesta le provocó un nudo en el estómago. Él desconfiaba... de ella. Quería tenerla en un lugar donde pudiera vigilarla mientras pudiera verificar su historia; quizás incluso ya había hecho la llamada para iniciar todo el proceso.

Como si nada, ella se soltó de su mano mientras rodeaba un árbol; luego, lo esperó y siguió caminando. Quería seguir caminando a su lado para que él no sospechara tanto pero ahora, al menos, ya tenía el brazo libre por si tenía que recurrir a una acción más drástica.

Tenía una intensa lucha interior mientras intentaba decidir cuál sería la mejor manera de tratar con él. Era un hombre crucial para la misión; su plan, desde el principio, había sido acercarse al jefe de la investigación local, pero, al descubrirla husmeando por los alrededores de la casa, sabía que había empezado con mal pie. Además, el hecho de que le dispararan no lo había acabado de convencer de que fuera de los buenos.

—No sé qué hacer —confesó ella, al final—. Es que... bueno, es mi primer caso y, tal como han salido las cosas hasta ahora, si meto la pata me pasaré el resto de mi carrera en la recepción de un edificio oficial.

La expresión de los ojos de Knox, en lugar de suavizarse, se endureció.

—¿Le han asignado un caso como este a una principiante?

—Únicamente para el trabajo de campo —respondió ella, mirándolo a la cara—. Nadie creyó que tuviera ningún problema.

—Entonces, ¿por qué la han enviado aquí? ¿Y por qué han intentado matarla, puesto que ahora ya han sacado el gato de la chistera?

«¿Gato?» Rápidamente Nikita estudió el contexto de la frase y se decantó por el significado más probable.

—No lo sé —dijo, al final—. No lo entiendo. Solamente he estado haciendo labores de investigación básicas, recogiendo datos y enviándolos a Quantico para que los especialistas los analicen. —Eso, al menos, era cierto... hasta ahora.

—Ha debido de ver algo, interrogado a alguien o descubierto una pieza clave del rompecabezas.

—Pues no sé qué será y seguro que no es algo que los agentes locales no hubieran descubierto en el primer análisis del escenario. —Meneó la cabeza y luego añadió—: Volviendo a nuestra conversación anterior, me sentiría muy incómoda quedándome en su casa...

—¿Incluso si yo no estuviera?

—Sí —dijo, con firmeza—. Me parece una imposición...

—A mí no. Como le he dicho, no estoy mucho en casa. Trabajo muchas horas y mi casa es, básicamente, un lugar donde ir a dormir.

—¿No está casado?

—No. —Hizo una mueca extraña, aunque fue tan rápida que Nikita no pudo llegar a interpretarla—. Los otros inspectores sí, así que les dejo quedarse en casa todo lo que puedo.

Era un gesto muy amable por su parte, pensó Nikita. En general, parecía un tipo muy agradable. Desconfiado, pero agradable.

Llegaron al escenario y ella se detuvo para echar un vistazo a la bonita casa y el precioso paisaje. Los árboles estaban en todo su esplendor, con flores de colores por todas partes. Había algunos lugares en la tierra en los que el asesinato encajaba, como si formara parte de los alrededores, pero aquí no.

—¿Han recuperado la bala? —preguntó ella, señalando el agujero en la pared—. Será interesante ver si el análisis de balística encaja.

—¿Encaja con qué?

Ella arqueó las cejas y lo miró extrañada.

—Con la que ha matado al señor Allen, claro.

—Ah sí, esa.

Nikita pensó que aquella respuesta era una prueba más de que Davis desconfiaba de ella. Ya sabía que a Taylor Allen no le habían disparado, pero ese detalle no lo habían dicho en las noticias. Le había abierto la puerta a Knox Davis para que compartiera información, pero él no le había dicho nada de la lanza.

Estaba desanimada, hacía calor y quería descansar a la sombra. Volvió al porche y se sentó en una de las sillas de mimbre blancas. El cojín de rayas blancas y verdes la acogió y la envolvió con calidez. Aquella casa estaba cuidada con mimo y orgullo, pensó mientras sacaba la libreta electrónica y empezaba a anotar más cosas.

—Supongo que están investigando a la señora Allen —dijo, ausente, cuando su alargada sombra atrajo al inspector hasta la barandilla, justo delante de ella, con las piernas cruzadas a la altura de los tobillos.

—Tiene una coartada firme. Estaba con unos amigos. Todavía estoy investigando si podría haberse tratado de un asesinato por encargo.

—¿Un seguro de vida cuantioso?

—Lo suficiente.

—¿Novio?

—No que hayamos podido saber.

Ella apretó los labios.

—¿Novia, quizá? De él, no de ella. Aunque también sería una posibilidad, claro.

—Tampoco nada. Parecían estar felizmente casados.

—No tanto si la mujer contrató a alguien para que lo matara.

—Eso sólo es una de las muchas posibilidades que estoy barajando. Aunque acaba de establecer una relación entre muchas de ellas.

—No ha sido de forma deliberada. —Ella levantó la cabeza y lo miró, percibiendo la tranquila inteligencia en su delgado rostro. Antepasados celtas, pensó, al recordar que en esta parte del país se habían establecido, antes de la revolución, los escoceses-irlandeses y, en estos dos siglos y medio, no habían desaparecido nunca. Esa cara delgada, angulosa y con los pómulos altos era exactamente la misma que todavía podía verse en cientos de retratos antiguos bien conservados.

—¿De dónde es? —preguntó él, de repente—. No consigo situar su acento.

Ella, divertida, pensó que sería increíble si pudiera hacerlo.

—Soy originaria de Florida, aunque fui a la universidad en Washington State y he trabajado en varios estados. —Y volvía a ser la verdad y, en este caso, toda la verdad.

—Menuda mezcla.

—Sí —asintió ella—. ¿Y usted? —Él había sido el primero en hacer una pregunta personal, así que ella se sintió con total libertad de devolvérsela.

—He vivido aquí desde que era muy pequeño. Nací en Lexington, pero nos mudamos aquí cuando mi madre murió.

—Lo siento —dijo ella, con una empatía instantánea—. Es un golpe muy duro para un niño.

—Sí, bastante. Tenía seis años.

—¿Su padre se volvió a casar?

—No hasta que fui un hombre hecho y derecho y volé solo.

—¿Dónde?

—Concretamente, a la universidad, pero la expresión significa cuando tuve la edad suficiente para marcharme de casa —dijo él, con un tono neutro, aunque le clavó la mirada.

Los coloquialismos la estaban volviendo loca, y era frustrante porque lo que más había estudiado había sido el vocabulario y era donde se sentía más segura. McElroy también lo había hecho, pero él había corrido menos riesgos porque su interacción con los agentes locales había sido inexistente, puesto que había intentado entrometerse lo menos posible. Quizá fuera mejor así, pero ahora ya era demasiado tarde para preocuparse por eso.

—¿Por qué no me acompaña a la oficina? —le preguntó él—. Podemos revisar juntos el informe del caso Allen.

El instinto no se llevaba bien con la dedicación. Sospechaba que Davis quería tenerla cerca hasta que obtuviera alguna respuesta en su solicitud de investigar a la agente Stover, algo que haría, si es que no lo había hecho ya, pero, al mismo tiempo, Nikita necesitaba ver ese informe. Decidió arriesgarse y confiar en que podría solucionar cualquier problema que surgiera.

—Claro —dijo—. ¿Podríamos pararnos a comer algo por el camino? No he desayunado.

Knox pensó que si aquella chica era del FBI, él se comería la placa. La ropa era la correcta: conservadora, no demasiado cara. Había cogido el arma de la forma reglamentaria y era rápida y brillante. A muchos polis no les gustaba trabajar con los federales, pero, todos los que él había conocido, eran inteligentes. Algunos eran unos capullos, sí, pero unos capullos inteligentes.

Quizá no se la creía porque no era lo suficientemente estirada. Tenía una cara abierta y simpática y una sonrisa fácil, que te invitaba a sonreírle, y estaba increíblemente relajada durante toda la investigación. Jamás había conocido a ningún federal que se relajara ante nada.

Y luego estaba el tema de la comunicación. En varias ocasiones, había tenido la sensación de que hablaban de dos cosas completamente distintas, pero se había fijado en que los malentendidos habían venido a raíz de usar jerga o frases hechas, y ella se lo tomaba al pie de la letra. Cada parte del país tiene su propia versión del dialecto popular, pero «sombrero blanco» no era particularmente propio del sur. Era como si no fuera estadounidense, sino alguien que había estudiado a conciencia el inglés estándar como segunda lengua. Aquella posibilidad fue lo que hizo saltar todas sus alarmas.

Podía ser de cualquier sitio; no tenía ningún rasgo físico que revelara su procedencia. Tenía el pelo oscuro y brillante que le formaba una pequeña flecha hacia abajo en el centro de la frente, los ojos marrones y grandes, la boca grande y carnosa, e incluso aquellos dientes tan blancos y perfectos típicos de los estadounidenses. Los aparatos, el flúor, la nutrición adecuada y las visitas regulares al dentista producían dientes como esos. Llevaba un maquillaje muy sutil y, de la raya del medio del pelo, le caían mechones más claros.

No era de oriente medio, ni eslava, pensó Knox. Tenía la piel ligeramente tostada, lo que podría indicar cierta herencia italiana o española, pero era de la rama alta y esbelta de la familia.

Todo se reducía a que Knox no podía saber nada de ella, y eso lo incomodaba.

Nikita se sentó al otro lado de la mesa, frente a él, muy cerca de la mesa para poder dejar la comida encima. Knox se fijó que, antes de clavarle el primer bocado a la hamburguesa, parecía algo dubitativa, como si no supiera qué sabor tendría. Luego empezó a masticar con más ganas, pero hasta que él no cogió una patata frita y la mojó en el ketchup que había vertido encima del envoltorio de la hamburguesa, ella no hizo lo mismo, imitándolo.

«Jamás se ha comido una hamburguesa con patatas fritas.» Ese pensamiento resonó en su cabeza con la intensidad de una declaración oficial. Intentó pensar en algún sitio del planeta, aparte de los países del tercer mundo, donde no hubiera llegado McDonald's. ¿Cómo era posible que jamás se hubiera comido una hamburguesa, a menos que la hubieran criado como una auténtica vegetariana estricta y ayer hubiera caído del tren verde, por decirlo de alguna manera?

—¿De dónde ha dicho que era?

—De Florida. Sarasota. —Cogió otra patata, la mojó en el ketchup y luego se la llevó a la boca. Después el vaso y, guiando la pajita hasta la boca, bebió un buen sorbo de Coca-Cola, de la azucarada, no de la *light* que consumían casi todas las mujeres que conocía—. Mmm, ¡qué buena! —dijo.

Mientras comía, Nikita iba mirando alrededor del pequeño despacho de Knox como si fuera un museo, y lo que veía la fascinaba. Knox se preguntó qué le interesaba más: los montones de papeles, la mesa vieja y destartalada, la silla que crujía o las rayas en el cristal de la ventana.

Le sonó el teléfono y contestó:

—Davis, sí. —Sujetó el teléfono entre la cara y el codo y echó la silla hacia atrás para abrir un archivador. Encontró el documento y lo sacó—. Ya lo tengo.

Mientras hablaba, la agente Stover, o quien quiera que fuera, se levantó y se entretuvo paseándose por el despacho. No podía ir muy lejos, puesto que sólo podía dar unos pasos en cada dirección, pero se dedicó a tocar los objetos con un dedo, suavemente. Knox la vio acariciar de aquella manera tan delicada su taza de café, que estaba manchada y ya tenía diez años, y cómo luego se colocaba frente a un cartel de los delincuentes más buscados.

Estaba en forma, pensó él, aunque era lógico si era una agente recién salida de la academia. Le miró el culo, bien definido por los pantalones, y entonces se sintió como un idiota y apartó la vista. Un segundo después, decidió ser un idiota y volvió a mirar; al fin y al cabo, era un culo realmente bonito.

Llegó una voz desde el otro lado de la línea y se vio obligado a volver a centrarse en el informe que tenía en las manos, pero sin dejar de estar atento a dónde estaba y qué hacía la mujer que tenía en el despacho. Y no le costó, teniendo en cuenta el reducido tamaño de la habitación.

Ella regresó a la mesa para coger el refresco. Knox la observó cerrar sus labios alrededor de la pajita de plástico, un gesto que, de repente, le pareció tan brutalmente carnal que tuvo que apartar la vista. Vale, era un idiota y además un pervertido. Tener una reacción física hacia una mujer que sospechaba que se estaba haciendo pasar por una agente del FBI era muy poco profesional, y no le gustaba.

Al final, terminó la conversación y colgó el teléfono, y luego dejó el informe otra vez en el archivador. Se reclinó en la silla y dijo:

—¿Por qué no me dice de dónde es, realmente?

Para su sorpresa, ella le lanzó una mirada divertida.

—Sabía que no me creería. Soy una auténtica agente del FBI. —Levantó la solapa del bolso, cogió la placa y se la dio, y luego hizo lo mismo con su identificación—. Una auténtica y genuina agente del gobierno federal. Supongo que ya le habrá pedido a alguien que verifique mi identidad. ¿Tengo que quedarme aquí hasta que obtenga esa información?

—Si no le importa —dijo él, muy educado mientras observaba la placa y la identificación. Parecían auténticas, pero un buen falsificador podía hacer verdaderas obras de arte. Tenía que ir con cuidado; si realmente era una agente federal, no quería cometer el error de quitarle el arma y detenerla, lo que provocaría un gran revuelo y tendría que dar infinitas explicaciones. Por otro lado, no podía dejarla ir sin más; tenía que verificar su identidad o sería un policía poco profesional. Al final, le devolvió la placa y la identificación y ella las colocó en sus respectivos sitios.

—¿Quiere ver también mi carné de conducir? —preguntó ella—. ¿O mi tarjeta de crédito?

—Si no le importa —repitió él, y ella se rió cuando abrió la cartera y sacó los dos documentos y los dejó encima de la mesa.

Knox analizó el carné de conducir con el sello holográfico, buscó detenidamente rastros de falsificación, y luego comparó la firma con la de la parte posterior de la tarjeta.

Coincidían, claro. Empezaba a sentirse un estúpido y ella, no sólo estaba relajada, sino que incluso se lo estaba pasando de fábula.

—Bien —dijo él mientras le devolvía sus cosas—. Ahora ya no siento que tenga que quitarle el arma.

—Intentar quitarme el arma —lo corrigió ella—. Llega un punto en que dejo de ser una buena ciudadana y me convierto en una agente furiosa.

—En tal caso, no haga nada que me ponga nervioso y nos llevaremos bien.

Ella cogió otra patata.

—Si quisiera dispararle, podría haberlo hecho esta mañana, cuando éramos las dos únicas personas en el escenario del crimen y tenía la pistola desenfundada.

—Es cierto —asintió él—. ¿Tiene alguna otra idea de cómo puede estar relacionado el asesinato de Taylor Allen con sus otros casos y por qué alguien de los suyos iba a confesarle su posición a un francotirador que puede o no ser el asesino?

—A primera vista, no veo ninguna relación entre el señor Allen y los demás casos. Y en cuanto a la persona que me quiere muerta, no lo entiendo. Si se supone que he encontrado algo que puede amenazar a esa persona de mi oficina, no sé qué es, y matarme sólo implicaría que alguien con más experiencia se encargaría del caso. Según mi opinión, matarme no sería rentable.

—Se lo ha tomado todo con mucha calma —apuntó él.

—¿Qué otra opción tengo? Supongo que podría ponerme histérica y llorar en su hombro, pero ¿qué conseguiría, aparte de enrojecer mi nariz?

Tampoco se había alterado cuando le habían disparado, recordó Knox. Le gustaba esa seguridad. Había muchas cosas de ella que le gustaban, incluyendo esa amable sonrisa. Sólo quería que llegara la maldita verificación para no sentirse culpable porque esa chica le gustara. Hasta entonces, ya había bajado la guardia lo máximo permitido sin cruzar la raya de la no profesionalidad.

El teléfono volvió a sonar y Knox descolgó. Se quedó escuchando y dijo: «Gracias», colgó y, muy despacio, desenfundó el arma y apuntó a la agente Stover.

—Con dos dedos, saque su arma, déjela encima de la mesa y retroceda —dijo, con una voz muy fría—. Queda detenida por hacerse pasar por una agente federal.

Capítulo 7

A Nikita le dio un vuelco el corazón y la adrenalina empezó a correrle por las venas. Ya estaba; esperaba no tener que llegar a esta situación, pero era realista y se había preparado. Tenía que resultar más convincente que jamás en su vida o acabaría hirviendo. No, no era así. Era otro término culinario pero… cociendo, asándose… ¡ah, sí! Acabaría quemándose.

Aquel ridículo pensamiento la calmó un poco. Sin protestar, se abrió la chaqueta y, con un gesto poco natural, sacó la pistola con el pulgar y el índice de la mano izquierda. La dejó encima de la mesa, con el cañón apuntando hacia un lado. La enorme mano de Knox cogió el arma y la alejó de ella.

—Tiene derecho a guardar silencio —empezó a recitar mientras la levantaba y le ponía las esposas, primero en la muñeca derecha, y luego en la izquierda. El frío acero la sorprendió y le apretaban tanto que era como si le hubieran unido los huesos de ambos brazos. No se molestó en escuchar cómo le leía sus derechos; se los sabía de memoria.

—Por favor, vacíe el contenido de mi bolso en la mesa —dijo ella, tranquilamente, mirándolo a los ojos. Todavía estaba cerca de ella, cogiéndola del brazo; tan cerca que Nikita podía notar su temperatura corporal. A los policías les enseñaban a servirse de sus cuerpos para someter y controlar, sujetar, para realizar los agonizantes movimientos que paralizaban con su propio dolor a un sospechoso que se resistía. Ella no hizo ni un solo movimiento de resistencia; de hecho, se inclinó hacia él, tanto que su pelo acarició el hombro del inspector—. Por favor.

La mirada de Knox era implacable y lejana, con el rostro inexpresivo, sin rastro de la afabilidad anterior.

—¿Por qué?

—Llevo varias cosas de las que me gustaría hablarle. Si cree que voy a intentar huir, áteme a la silla o a la mesa. Le prometo que no voy a hacer nada, pero quizás esté nervioso.

—¿Nervioso? —preguntó él, sorprendido e intrigado—. ¿Por qué iba a estarlo?

—Porque me han enseñado técnicas que usted desconoce. —Quizás estaba dando resultado, porque parecía ligeramente interesado.

—Si de verdad fuera una agente del FBI, puede que la creyera.

—Soy una agente del FBI pero no… ahora.

—Puede que convenza a un juez de que sufre enajenación mental, pero yo no me lo trago. En la agencia federal no consta ninguna Nikita Stover como agente, ni antigua agente ni nada.

—Yo no he dicho «antigua». Por favor, vacíe el bolso sobre la mesa. Se lo explicaré todo.

Por un segundo, Nikita creyó que se negaría, pero al final la curiosidad pudo con él. Sin embargo, Knox no se arriesgó; la hizo sentarse y le esposó un tobillo a la pata de la silla.

Las esposas en las manos eran muy incómodas, porque le hacían arquear la espalda hacia atrás. Los prisioneros experimentados no intentaban mantener rectos los hombros; dejaban caer uno para que las esposas se deslizaran hacia el otro lado, lo que aliviaba la presión en ambos hombros. Lo intentó y estuvo a punto de suspirar cuando el dolor desapareció al instante.

Knox cogió su bolso y vació el contenido encima de la mesa. Al cabo de un segundo, frunció el ceño ante la multitud de objetos.

—¿Qué es todo esto?

—Primero, mire en mi cartera. En el compartimiento de la cremallera hay una tarjeta. Sáquela y échele un vistazo.

Knox abrió la cremallera y sacó una tarjeta. Era más gruesa de lo habitual, como si hubieran juntado tres tarjetas profesionales, y estaba hecha de un material ligero y translúcido que era virtualmente indestructible. No podía quemarse, y lo sabía porque ella misma lo había probado cuando se lo habían dicho. Y tenían razón.

En el extremo izquierdo, grabado con láser, había un escudo dorado con un águila encima, una imagen parecida aunque no igual a la que ya le había enseñado anteriormente. En el escudo ponía: «Departamento de Justicia» abajo y, arriba: «Federal Bureau of Investigation». Aquello era igual, aunque la forma del escudo era distinta, un poco más redondeada, y el águila parecía más feroz. En el extremo derecho, había una fotografía holográfica tridimensional de Nikita y, debajo, un número de serie.

—Muy bonito —dijo él, sujetando la tarjeta y moviéndola de modo que el holograma brillara—. ¿Qué se supone que debe demostrar esto? ¿Que conoce a alguien que sabe hacer fotos en tres dimensiones?

—Intente romperla —dijo ella—. Adelante, haga lo que quiera. Córtela. Derrítala. Tírele ácido por encima. Ya verá qué pasa.

—Lástima que hoy no lleve ácido encima —dijo, pero sacó unas tijeras del cajón de la mesa e intentó cortarla. Volvió a intentarlo, con una expresión de total concentración—. Es más gruesa que una tarjeta normal —dijo, apretando las tijeras con todas sus fuerzas.

El roblón de las tijeras se salió y las dos hojas cayeron sueltas en sus manos.

—¡Joder! —exclamó él, sorprendido, y analizó la tarjeta con mayor interés—. ¿De qué está hecha?

—Si se lo dijera, tendría que matarlo —respondió ella, recurriendo a la vieja broma. Cuando Knox no se rió, ella se encogió de hombros—. No lo sé. Se llama polidi-no sé qué; jamás he sido capaz de aprenderme el nombre. El nombre comercial es Ondite, por motivos que desconozco. La NASA lo desarrolló para los astronautas hará unos ciento veinte años, más o menos.

La mirada de Knox volvió a ser fría y distante.

—Deje de tomarme el pelo, señora. Si esta locura es toda la explicación que puede darme, me está haciendo perder el tiempo.

—¿Porque la NASA no existía hace ciento veinte años? No, es cierto, si contamos desde la actualidad. Intente quemar la tarjeta —le sugirió, creyendo que necesitaba que estuviera más intrigado antes de explicarle lo de la NASA.

—Tranquila, la creo —respondió él y lanzó la tarjeta encima de la mesa.

Lo estaba perdiendo. La clave estaba en despertarle tanto la curiosidad que lo obligara a escucharla. Parecía decidido a encerrarla en una celda, así que Nikita se apresuró a decir:

—¿Ve la caja plateada? Ábrala.

—¿Por qué no se ahorra energías y...?

De repente, a Nikita se le agotó la paciencia. Tenía que convencerlo y no tenía demasiado tiempo para hacerlo.

—¡Por el amor de Dios! —dijo, exasperada—. Vengo del futuro. Del año 2207, para ser exactos. Soy la agente federal Nikita Stover, y me han enviado para atrapar a un asesino de mi época que ha viajado en el tiempo para matar, de forma sistemática a... No se cree ni una palabra de lo que estoy diciendo, ¿verdad?

—Me toma el pelo, ¿no? —preguntó él, retóricamente. Tenía los brazos cruzados y parecía que estuviera esperando que Nikita se relajara.

—La caja plateada es un escáner de ADN. Esperaba poder hacer una lectura en el bosque detrás de la casa del señor Allen, pero usted no se despegó de mí ni un segundo. Adelante, ábrala. Entiendo que es lo bastante inteligente para reconocer tecnología que ahora no existe.

Seguramente, provocarlo no era una táctica muy prudente, pero haría cualquier cosa para evitar ir a la cárcel. Allí no sería de utilidad y, si alguien descubría donde estaba, estaría en una situación muy vulnerable ante otro ataque.

—Si todavía no existe, ¿cómo puedo tenerla en la mano? —preguntó él, mientras cogía la caja y la colocaba frente a ella, como si nunca la hubiera visto.

—Yo no he dicho «todavía», he dicho «ahora». Hay una diferencia abismal.

—Pues a mí no me lo parece. Tengo la caja en la mano «ahora».

—De acuerdo, los viajes en el tiempo y la sintaxis no encajan —soltó ella—. ¿Quiere entrar en una discusión sobre los tiempos pasados futuros? El escáner existe en su ahora de forma temporal, pero cuando me marche me lo llevaré y entonces no existirá, todavía.

Volvió a ver un brillo de curiosidad en sus ojos cuando mencionó los tiempos pasados futuros, algo que Nikita había aburrido hasta la saciedad en el colegio. Los viajes en el tiempo podían complicar mucho el lenguaje, puesto que posibilitaba que una persona tuviera la intención de hacer algo y que, al mismo tiempo, ya lo hubiera hecho. Pero no quería discutir sobre el lenguaje con él; quería que mirara el escáner.

—La tapa forma parte del escáner —dijo, señalando con la cabeza el aparato—. Se dobla hacia el otro lado por completo y se conecta con la base. A menos que esté todo conectado, no funciona.

—La tapa no tiene agujeros para conectarse —señaló él, volviéndole a enseñar la caja.

Nikita puso los ojos en blanco.

—Ya los habrá. Están cerrados hasta el contacto inicial, para evitar que se ensucien o entre polvo. ¿Quiere abrirla de una vez?

Knox hizo una mueca divertida ante el tono irritado de Nikita.

—Se está poniendo un poco agresiva, señorita Stover. Recuerde quién está esposado y quién no.

Ella entrecerró los ojos.

—Sólo porque le he dejado que me esposara, para mostrarle mi buena disposición.

—Eso dice usted. —Knox había estado jugueteado con el escáner todo el rato y ahora lo abrió y dobló la tapa hacia el otro lado, siempre muy cerca de la cara para poder ver cualquier conexión escondida. Cuando las dos superficies entraron en contacto, se escuchó un suave «clic» al haberse establecido la conexión. De inmediato, la función de análisis se puso en marcha y en la pantalla aparecieron una serie de luces de colores.

Intentó volver a cerrar la tapa, pero una vez conectada no podía moverse hasta que se apagaba el aparato.

—¿Está imantada? —preguntó, con el ceño fruncido.

—No. Ya le he explicado cómo funciona. Apriete la tecla triangular de la parte superior y se apagará.

Knox observó la superficie del escáner, apretó la tecla y, cuando la tapa volvió a su sitio, las luces se apagaron.

En silencio, volvió a doblar la tapa para que encajara con la parte inferior. Volvió a escucharse el «clic» y las luces se encendieron.

—Un aparato muy curioso —dijo, al final—. ¿Qué se supone que hace, aparte de impresionar a los usuarios?

—Ya se lo he dicho, es un escáner de ADN. Reconoce y procesa muestras de ADN. Si está en las bases de datos, como yo, el escáner le dará mi nombre, dirección, detenciones y condenas previas, dónde trabajo, dónde vivo, mi composición genética.

—¿Cómo funciona?

—Es lo suficientemente sensible como para recoger células cutáneas que los humanos dejan por donde pasan e identificar al propietario. Como estoy sentada frente a usted, no tendrá que esforzarse mucho. Para que funcione, sólo tiene que presionarlo contra mi piel o mi ropa y apretar el botón redondo verde.

—Pero usted podría haber programado en este cacharro la información que hubiera querido. —Sonriendo, lo presionó contra su propia mano y apretó el botón verde.

Las luces bailaron un poco y la información apareció en la pantalla de cinco por siete centímetros. Los escáneres utilizaban sólo una dimensión, en lugar de tres, porque así el sistema era menos complicado, y más barato, para el trabajo de campo. Era la misma tecnología de vídeo que él tenía al alcance; en dos siglos no había variado. Cuando algo funcionaba, como la rueda, duraba, mientras que otras tecnologías caían en el olvido.

—«Sujeto desconocido» —leyó—. «Composición genética compatible con la de las zonas norte de Europa, concretamente las antiguas tribus celtas y, en menor medida, con la tribu cherokee de Norteamérica. El sujeto tiene los ojos azules y el pelo castaño. Se necesitan datos adicionales para proceder a la identificación.»

Knox se quedó mirando la pequeña pantalla un buen rato, con una expresión indefinida.

—¿Cómo lo borro?

—Escanee otra cosa o cierre la tapa. La información ha quedado guardada, a menos que apriete el botón de borrar, que es el naranja que está junto al verde.

Knox borró sus datos del escáner y, sin decir nada, lo presionó contra la mejilla de Nikita y apretó el botón verde.

—«Stover» —leyó—. «Nikita Tzuria. Treinta años, sesenta y siete pulgadas o 1,7179 metros de altura, peso actual desconocido.» —Knox hizo una pausa, la miró de arriba abajo y dijo—: Yo diría que unos cincuenta y nueve o sesenta kilos, dependiendo de lo trabajados que tenga los músculos.

Nikita no pudo evitar sonreír, puesto que en la última revisión pesaba cincuenta y nueve y medio. Se la había hecho hacía más de un año, pero como la ropa todavía le iba, supuso que debía de pesar más o menos lo mismo.

Knox siguió leyendo.

—«El sujeto hace seis años que trabaja para el Departamento de Justicia de Estados Unidos, en investigación, concretamente en el FBI. El sujeto vive en Des Moines, Iowa. La composición genética, en orden de influencia es: norteuropea, sureuropea, china, oriente medio, eslava y azteca.» —Knox la miró—. Menuda mezcla.

—¿Qué puedo decir? —Levantó un hombro porque, con las manos esposadas a la espalda, era el único gesto que podía hacer—. Mis antepasados viajaron mucho.

—Oriente Medio. —La miró fijamente—. ¿De qué parte, exactamente?

—De Israel. Tzuria, mi segundo nombre, es hebreo. No sé qué significa.

—Su nombre es ruso.

—Culpa de mi madre. Ella se llama Nicolette y pensó que Nikita quedaba bien con el suyo. Pero supongo que encaja, ya que tengo ascendencia eslava.

—Y ¿qué me dice de la parte china?

—Sería mi… no sé cuántos tataras. Seis o siete, creo.

—¿Tataras?

—Generaciones. Sería mi tatara-tatara-tatara-etcétera-abuelo. Data de la revolución china.

—Entiendo.

Puede que lo entendiera, y puede que no. La estaba mirando como si tuviera dos cabezas.

—Y ¿la azteca?

—Esa no puedo explicarla. Como es la última de la lista, la influencia genética es tan pequeña que, estadísticamente, carece de importancia.

Knox se rascó la mandíbula.

—Tengo que admitir que todo esto es muy interesante pero, ¿cómo se supone que va a convencerme que esta historia que me está contando es remotamente verdad?

—Creo que debería escanear más ADN; la silla o la chaqueta, así verá dónde está el ADN. O vaya fuera y escanee a alguien que yo no conozca, y así verá que no he podido introducir sus datos en el escáner.

—Me dirá que el sujeto es desconocido, como antes. Y en cuanto a la composición genética, ¿cómo iba a saber si el escáner dice la verdad? No sé de dónde provienen los antepasados de todo el mundo.

—Pero puede que ellos sí. Escoja a la persona más extraña que vea. Adelante. Lo esperaré aquí.

Knox volvió a dibujar una sonrisa.

—Eso espero —dijo, y salió del despacho con el escáner. Al menos, cerró la puerta al salir, y así nadie podría ver que la tenía esposada a la silla. Mientras esperaba, Nikita intentó relajar los músculos moviéndose hacia delante y hacia atrás, relajando un grupo de músculos mientras pasaba toda la tensión a otro grupo.

Al cabo de unos veinte minutos, Knox volvió y dejó el escáner en la mesa. Se sentó en su silla y observó a Nikita.

—De acuerdo, admito que, de algún modo, ha descubierto una tecnología que no había visto jamás, pero eso es todo. Creo que el FBI, el de verdad, estará más que interesado en este aparato. ¿Qué más tiene?

No estaba convencido, pero estaba interesado. Nikita estaba empezando a calarlo. Le llamaba la atención cualquier cosa que lo intrigara; cuando tenía delante un misterio no podía evitar intentar resolverlo. Muy a su pesar, quería escuchar lo que Nikita tenía que decirle; quería ver qué más aparatos tenía y qué podían hacer.

Ella se quedó pensando, intentando decidir qué lo impresionaría más. Al final dijo:

—¿Ve ese tubo pequeño rojo?

Él rebuscó entre sus cosas y cogió un tubo rojo delgado, de unos siete centímetros de largo y el diámetro de un bolígrafo.

—¿Esto?

—Sí. Es el Reskin. Cicatriza al momento cualquier corte o abrasión. ¿Tiene un cuchillo?

Knox arqueó las cejas.

—¿Quiere cortarme?

—No. Jamás le pediría que se sometiera a tal sacrificio —dijo, muy seria—. Quiero que usted me corte a mí.

Él se rió pese a la seriedad de su voz, hizo una pausa y dijo:

—¿Lo dice en serio?

—Por supuesto.

Él sonrió y meneó la cabeza.

—Existen leyes que prohíben que un agente de la ley utilice un cuchillo contra un prisionero, a menos que dicho prisionero recurra a la violencia contra el agente u otras personas. Si la corto, aunque sea un milímetro, dentro de una hora ya habrá presentado cargos contra mí. Buen intento.

—Está bien, pues córtese usted. No me importa. Pero corte a alguien.

Ahora Knox ya se rió abiertamente, como si estuviera disfrutando de lo lindo con aquella conversación.

—No voy a cortarla a usted, ni a mí, ni a nadie. Y punto. Pruebe otra cosa.

—Cobarde —murmuró ella entre dientes—. Déme el cuchillo y ya me cortaré yo. A pesar de estar esposada, no debería resultarme difícil. Puede decirle a quien quiera que saqué una navaja del bolsillo. Mis huella estarán en el arma y usted estará a salvo. ¿Contento?

—No dejaré que se corte —dijo él, con suavidad—. Olvídelo.

—No puedo creerme que sea tan testarudo. ¿Acaso algo de lo que le he enseñado no ha funcionado? ¿Por qué no confía un poco en mí?

—¿Porque no soy idiota? —sugirió él.

—Será un idiota si no lo hace. Un idiota homogenizado e intransigente.

—¿Homogenizado?

Parecía que se estaba divirtiendo; le brillaban los ojos y sus labios seguían curvándose antes de que se controlara y los pusiera planos.

—Es una forma delicada de llamarlo endogámico. ¿Sólo tiene dos influencias genéticas? Es casi un milagro que su cerebro funcione.

—A mí me funciona todo —le aseguró, sonriendo.

Ella suspiró y cerró los ojos, exasperada. Ahora empezaba con las insinuaciones sexuales… creía. Había tantas diferencias sexuales que no estaba segura. Si eran insinuaciones, Nikita supuso que los hombres eran hombres independientemente del siglo en que vivieran.

—Está bien, de acuerdo —dijo él, cediendo de repente. Nikita abrió los ojos y vio cómo Knox metía la mano en el bolsillo y sacaba una navaja que, cuando la abrió, reveló una hoja de unos diez centímetros. Vio cómo se clavaba la punta en la yema del dedo pulgar e, inmediatamente, empezó a sangrar.

—Abra el Reskin —le indicó ella—. Y aplíquelo sobre el corte. Bueno, antes limpie la sangre y luego aplíquelo.

—Será mejor que funcione —dijo Knox, al tiempo que cogía una servilleta limpia de la comida y la apretaba contra el corte—. Si me está tomando el pelo, me voy a poner de muy mal humor —la amenazó.

Ella lo ignoró y vio cómo sujetaba el tubo con la mano izquierda y desenroscaba el tapón, revelando así un pequeño pincel bañado en líquido opalescente.

—No hace falta mucho líquido. Una capa fina bastará.

—Eso espero —dijo Knox. Apartó la servilleta y se aplicó el Reskin sobre el corte—. ¡Au! —Dio un respingo—. ¡Joder! ¡No me ha dicho que esta cosa escocía!

Nikita se rió; no pudo evitarlo.

—Mírese el dedo.

Knox bajó la mirada y su expresión cambió de un modo que ella no podía describir: no era sorpresa, ni incredulidad, sino una especie de insensibilidad. Lentamente, Knox tapó el Reskin, dejó el tubo en la mesa y se tocó los restos del líquido que tenía en el dedo.

Se quedó callado durante tanto rato que Nikita estaba tan tensa que tenía ganas de gritar, pero se contuvo y esperó a que él decidiera qué iba a hacer. Puede que negara lo que sus ojos estaban viendo. A veces, la gente podía ser muy ilógica, así que tenía que estar preparada para todo.

Al final, Knox se levantó y rodeó la mesa hasta colocarse junto a ella, se agachó y le quitó las esposas de la pierna. Luego, le cogió las manos y también le quitó las esposas.

Dejó los dos juegos de esposas en la mesa, se sentó y dijo:

—Muy bien, empiece a hablar. Explíquemelo todo.

—¿Todo? ¿De cuánto tiempo dispone?

—Usted hable. Ya le diré cuando haya oído bastante.

Capítulo 8

Ahora que ya había captado por completo su atención, no sabía por dónde empezar. Se estaba acariciando las muñecas, pero de pronto paró y extendió las manos.

—¿Qué quiere saber? Dígame algo.

—Ha dicho que había venido persiguiendo a un asesino. No es que me trague todo esto del viaje en el tiempo, pero yo también persigo a un asesino, así que la escucharé.

Ella se quedó callada un minuto, mientras intentaba organizar sus pensamientos.

—Vamos a necesitar un gráfico.

Knox acercó el caballete con hojas de papel grandes y se lo puso delante.

—Dibújelo.

«Dibújelo.» Ella acarició el papel. Si él supiera lo poco que había utilizado un lápiz y un papel en su vida, se echaría a reír. Sólo los conocía por los estudios que había hecho sobre esta época. En su tiempo, el papel de verdad era un bien inestimable, y se guardaba para archivar información crucial o para dar clases sobre el pasado a un grupo muy reducido de investigadores. La humanidad había aprendido mucho y podía hacer muchas cosas, pero todavía no habían aprendido a guardar información digital durante más de una generación.

Nikita pensó que quizá podría llevarse algo de papel cuando regresara al futuro. Eso la ayudaría a conseguir una situación económica holgada.

—¿Quiere un bolígrafo? —preguntó él, al final, mientras sacaba uno de su chaqueta y se lo ofrecía.

En primer lugar, dibujó un línea horizontal en medio del papel y, luego, pequeñas líneas verticales que lo dividían en secciones. Empezando por el lunes, encima de cada raya vertical escribió un día de la semana: L, M, Mi, J, V, S, D.

Entonces dibujó una flecha entre el lunes y el martes.

—Alguien viajó en el tiempo el lunes a primera hora, pero no sabemos quién. Esa persona sabía cómo burlar la seguridad del Laboratorio de Tránsito y viajar en el tiempo. Sabemos cuándo él...

—¿Él?

—Para ahorrarnos formalismos, diré «él» en lugar de «él o ella», pero podría ser perfectamente una mujer. En cualquier caso, gracias a las coordenadas informáticas, sabemos cuándo y dónde transitó. Al principio, tenía que introducirse el peso de la persona que transitaba, para que el ordenador lo comprobara, pero era un método bastante peligroso porque, ¿qué pasaba si dicha persona ganaba aunque sólo fuera un kilo en el otro tiempo? No podía volver. Así que se mejoró el sistema y ahora el peso no importa, sólo cuentan los vínculos.

—¿Vínculos?

Era experto en preguntas de una palabra, pensó ella.

—En realidad, son vínculos físicos que llevamos en las muñecas y los tobillos y que están programados tanto para venir aquí como para volver a nuestro tiempo.

—Y ¿los suyos dónde están?

—Enterrados en un lugar seguro, donde nadie pueda encontrarlos. Si los pierdo, no podré volver a menos que envíen a un equipo SAR con vínculos de repuesto.

—Cuando decimos SAR, nosotros nos referimos a un equipo de Salvamento y Rescate.

—Y nosotros también. Son una brigada de comandos que reciben un entrenamiento especial, porque nadie sabe en qué condiciones tendrán que actuar. Normalmente, sólo se envía un equipo SAR para reducir la posibilidad de llamar la atención.

Knox apoyó la barbilla en la mano y le sonrió.

—Si se lo está inventando, debo admitir que es muy buena. Menuda imaginación. Continúe.

Ella lo miró a los ojos muy seria.

—Si creyera que todo esto es mentira, no perdería el tiempo escuchándome, y lo sabe. Y no sólo eso; si esto fuera un interrogatorio no estaríamos en su despacho, sino en una sala especial donde esta conversación quedaría grabada. Quizá no quiera creerme, pero no tiene explicación para mi equipo, ¿a que no?

—La estoy escuchando. No me pida más.

Ella necesitaba mucho más que eso, pero por el momento dejó ahí el tema y volvió al gráfico que estaba dibujando.

—Alguien dejó un mensaje en el ordenador del Laboratorio de Tránsito, una especie de «cogedme si podéis». —Hizo una pausa—. Debe entender que, por el motivo que sea, hay varios grupos que están en contra de los viajes en el tiempo. Algunos lo ven como algo moral, como si no debiéramos alterar lo que Dios dispuso, y cosas así. Para otro es algo más práctico, como «no cambiéis la historia porque podéis desatar todo el mal».

—En teoría, nadie puede cambiar la historia.

—Bueno, a pequeña escala, eso no es cierto. Pongamos que alguien de mi tiempo descubre el número ganador de la lotería. Podría viajar al pasado, comprar ese número y, de esta forma, se repartiría el premio con el otro o los otros ganadores. Sólo cambiaría la cantidad de dinero que cada uno ganaría, y quizá se produciría una minúscula oscilación económica, pero nada más.

—Y el ganador se llevaría el dinero al futuro.

—Sí, pero esa divisa sólo tendría valor para los coleccionistas, así que, en realidad, más que dinero se llevaría un artículo especializado.

—Y ¿qué hay de cambiar la historia a gran escala?

—Los viajes en el tiempo están muy controlados; no se permite que los haga cualquiera, a causa de los posibles peligros. ¿Qué pasaría si, pongamos por ejemplo, alguien viajara al pasado y matara a Hitler antes de la segunda guerra mundial? ¿Qué repercusiones tendría ese acto? Sin esa guerra, que estimuló las economías que habían quedado devastadas después de la gran depresión, ¿cómo habría sido la vida durante el siguiente siglo?

—Quiere decir que Estados Unidos no sería una súperpotencia.

—Nadie lo sabe, y ahí radica el peligro de intentar cambiar la historia a gran escala. Si Estados Unidos no se hubiera catapultado hasta la situación de súperpotencia, ¿se habría producido la carrera espacial? ¿Se habrían inventado los ordenadores, sin la necesidad de evolucionar con motivo de los viajes espaciales? Sin la gran economía, ¿se habrían creado los programas alimenticios para los países del tercer mundo y, al mismo tiempo, se habrían hecho grandes avances médicos? Bueno, ya ve todas las posibles implicaciones. La teoría preponderante no es que no pueda cambiar la historia, es que no debe hacerse, porque nadie sabe qué sucederá.

—De modo que no deberían cambiarse ni siquiera las cosas malas.

—Exacto. Todo, lo bueno y lo malo, ha construido el camino que la humanidad ha seguido.

Knox se reclinó en la silla y la miró con los ojos entrecerrados.

—Han sucedido muchas calamidades. Cualquiera diría que si se pudieran evitar algunas el mundo sería un lugar mejor.

—¿Quiere decir si la gente pudiera vivir en lugar de morir? —Cuando él asintió, ella dijo—: ¿Puede garantizar que si una persona de las que murió hubiera vivido, no habría provocado o cometido una calamidad peor de la que sucedió en realidad?

—Nadie puede garantizarlo.

—Exacto. Y, al no saberlo, el Consejo del Tránsito Temporal decidió no cambiar nada.

—Y este viajero en el tiempo renegado que persigue no estuvo de acuerdo con esa decisión. Aunque, ¿por qué iba a dejar un mensaje? Si quieres conseguir algo a escondidas, no dejas constancia de ello en un mensaje.

—Porque, de todos modos, es imposible viajar en el tiempo sin que nadie se dé cuenta. Los ordenadores controlan todos los viajes; cuándo se originó y cuándo terminó. Así que supongo que este tipo decidió provocarnos un poco, quizás incluso desencadenar una acción preparada a toda prisa. Que es, exactamente, lo que sucedió —reconoció ella, con amargura.

—¿La enviaron a toda prisa? Menuda faena.

—El primer agente que enviaron acabó muerto —respondió ella con frialdad, porque no le gustaba aquel sarcasmo. Dibujó otra flecha encima de la primera—. El viajero no autorizado lo estaba esperando cuando transitó. Nos devolvió el cadáver.

—¿El primer agente? ¿Cuántos ha habido?

—Yo soy la tercera. A Houseman lo mataron. Después enviaron a McElroy, que llegó media hora más tarde, pero no pudo averiguar nada y lo hicieron regresar. —Dibujó una tercera flecha que marcaba la llegada de McElroy y luego otra para su propia llegada a la noche siguiente.

—Todas estas idas y venidas —dijo, arrastrando las palabras—, seguro que alguien debió de notar algo fuera de lo normal. —En cuanto dijo aquellas palabras, se quedó inmóvil y dejó la mirada perdida mientras repasaba unos pensamientos—. Quédese aquí —ordenó, mientras se levantaba y se dirigía hacia la puerta—. Quiero que vea una cosa.

Volvió en menos de cinco minutos, con un rectángulo negro en la mano. Encendió la pantalla de televisión que había justo encima del archivador e introdujo el rectángulo en una máquina negra. «Vídeo», le susurró la memoria. Era un lector de datos primitivo, que los traducía en vídeo y audio.

En la pantalla apareció una imagen y Knox le dijo:

—Mire esto. —Se puso a apretar un botón del mando a distancia para avanzar deprisa la cinta. La detuvo con otro botón y empezó a pasarla hacia delante fotograma a fotograma. Nikita reconoció el edificio de los juzgados, donde ahora misma estaba retenida, pero no pasaba nada. Dedujo, por las sombras y los ángulos oscuros, que la cinta se había grabado de noche.

Y entonces, un destello blanco invadió la pantalla.

Nikita se incorporó y miró la imagen fijamente. El siguiente fotograma era igual que antes aunque, por lo visto, ahora había un agujero en el suelo, cuando antes no había ninguno.

—¿Sabe algo acerca de ese destello? —inquirió él.

—Es lo que ocurre cuando alguien llega o se marcha —dijo ella, sorprendida—. Pero... Pero los informes no mostraban a nadie transitando en esta ubicación. ¿De cuándo es la cinta?

—Del lunes por la mañana —respondió él, señalando en el gráfico el momento de la llegada del asesino.

—Pero él no transitó aquí —insistió ella—. Las coordenadas marcaron su punto de llegada varios kilómetros al este. Ya he estado allí y he localizado el punto. Es donde mató a Houseman. No estuvo aquí.

—Entonces, ¿quién fue? ¿Alguna idea?

Ella meneó la cabeza. Había visto los datos; los únicos tránsitos habían sido los del asesino, Houseman y McElroy... a menos que alguien más hubiera transitado después de ella. Ese alguien podría haberlo organizado todo para transitar antes que el asesino, antes que todos; fijar las coordenadas de tiempo y espacio no era sencillo, pero los ordenadores podían hacerlo en una fracción de segundo.

Capítulo 9

—Me temo que esto no son buenas noticias para usted, ¿verdad? —le dijo Knox, mirándola fijamente.

Nikita meneó la cabeza.

—Alguien que desconozco ha transitado —dijo, un poco abatida—. Podrían ser buenas noticias o malas. No puedo saber si se trata de un viajero autorizado o de algún refuerzo para el asesino. —Señaló la pantalla—. Ese agujero en el suelo... ¿qué es? —Pensaba que lo sabía y se preguntó cómo ella, cómo todos, habían podido ser tan listos como para superarse a sí mismos de aquella manera.

—Hace veinte años, la ciudad enterró ahí una cápsula del tiempo —dijo Knox—. El lunes por la mañana, alguien la desenterró y se la llevó. ¿Dice que fue uno de sus viajeros en el tiempo? En primer lugar, ¿por qué no se ve en el vídeo cómo cavan? Y, en segundo lugar, ¿por qué diablos iba alguien a querer una cápsula del tiempo?

—En primer lugar, cuando alguien transita, congela el tiempo momentáneamente, como si nada pudiera moverse. Es uno de los argumentos que esgrimen los grupos contrarios a los viajes en el tiempo para demostrar que no deberíamos hacerlo. Los físicos todavía no han podido explicarlo, pero tienen la teoría que, antes de que todo vuelva a la normalidad, el viajero tiene que ajustarse con el tiempo nuevo a nivel molecular.

—Pero, mientras todo lo demás está congelado, ¿el viajero también? ¿No debería durar solamente unos segundos, en lugar del tiempo necesario para excavar un agujero y robar una cápsula del tiempo?

—En teoría, la pausa es muy breve, de una fracción de segundo. Es tan breve que no creo que nadie se haya parado a plantearse si el viajero también queda inmovilizado o no.

—No se pude mover una losa de granito y robar una cápsula del tiempo en una fracción de segundo.

—No —admitió ella, dubitativa—. A menos que exista alguna tecnología que desconozco, aunque el FBI se esfuerza mucho por mantenerse al día de los desarrollos tecnológicos.

—Pero eso sigue sin explicar cómo desapareció la cápsula del tiempo. —Knox parecía decepcionado—. A menos que la pausa sea mucho más larga de lo que nadie cree. Juraría que es la única explicación lógica, aunque la palabra «lógica» no encaje mucho en esta conversación, ¿no cree? Pero qué me dice de la segunda parte de mi pregunta: ¿Por qué?

—En esa cápsula del tiempo había un papel que contenía la teoría y algunos de los procesos para viajar en el tiempo de manera satisfactoria —dijo ella—. Si ese papel no está en la cápsula cuando la abran en el 2085, o si la cápsula ha desaparecido por completo, no podrá desarrollarse dicha tecnología.

—¿En nuestra cápsula del tiempo? —preguntó él, un tanto escéptico—. ¿Quién escribió algo así? No conozco a ningún genio de la física cuántica por aquí.

—Nadie conoce el nombre del autor del documento. Quizá se supo durante un tiempo, pero esa información acabó perdiéndose. Antes de que la gente se diera cuenta que los CD no eran un buen método para archivar nada, se perdió o se corrompió mucha información digital.

—Yo estaba allí —dijo Knox, en voz baja y distraído.

—¿Qué? ¿Dónde?

—Cuando enterraron la cápsula del tiempo. El 1 de enero de 1985. El periódico decía que se enterrarían doce objetos, pero yo conté trece. Un documento científico no estaba en la lista. Jamás descubrí qué era ese decimotercer objeto que no aparecía en el periódico.

—Entonces, seguro que fue el documento. —Nikita suspiró y desvió la mirada hacia la ventana, a través de la cual contempló el cielo azul, por donde de vez en cuando cruzaba una nube blanca—. ¿Ha visto alguna vez a un grupo de gente realmente inteligente pasar por alto lo más obvio?

—Sucede cada día.

—Bueno, pues nosotros lo hicimos. En nuestra defensa, debo decir que es la primera vez que nos enfrentamos a una situación así. Cuando descubrimos que un viajero no autorizado había transitado, sólo pensamos en enviar a agentes para perseguirlo. Nadie pensó en lo más obvio: adelantarnos a él.

—Alguien lo hizo.

—Eso espero —dijo ella, con una lánguida sonrisa—. Y eso en el mejor de los casos. La otra posibilidad es que él no sea el único. Me dispararon, ¿recuerda? Puede que los malos tengan la cápsula… o puede que la tengan los buenos. No lo sé.

Knox miró el reloj, bostezó y se rascó los ojos.

—Hay muchas cosas que no tienen sentido, pero parte de lo que me ha dicho hasta ahora ha hecho que vaya a darle un poco de crédito. Esos aparatitos y la tarjeta le han dado un poco más de tiempo. Pero eso no significa que vaya a dejarla libre antes de averiguar, de una manera u otra, si está loca, me toma el pelo o si realmente viene del futuro. Así que ahora tengo que decidir qué voy a hacer con usted.

—En lugar de encerrarme en una celda, sugiero que trabajemos juntos. Los dos estamos buscando al mismo asesino.

—¿Ah, sí? Y ¿cómo encajan la cápsula del tiempo, el viajero no autorizado y todo esto con mi caso de homicidio?

—¿Es posible que fuera él quien escribiera el documento? Lo que he leído sobre el tema indicaba que el autor era desconocido, pero los documentalistas recuperan, cada día, fragmentos de libros viejos, grabaciones, periódicos, etc. Puede que hubieran descubierto información nueva.

Knox meneó la cabeza.

—Le aseguro que Taylor no era ningún físico. Era un abogado de una pequeña ciudad, y ya está. Y ¿por qué está tan segura que quien lo mató fue su viajero en el tiempo?

—Lo mataron con una lanza, ¿verdad?

—Vaya, vaya —dijo Knox, lentamente, mientras se reclinaba en la silla y cruzaba las manos en la nuca—. ¿Cómo lo ha sabido? Ese detalle no se ha filtrado a la prensa.

Nikita pensó que era increíble cómo unos ojos tan azules podían volverse fríos como el hielo.

—McElroy estaba siguiendo al viajero no autorizado y descubrió el cuerpo. Sabía que lo había hecho ese viajero por la lanza, que no podrá rastrear porque se fabricó en China en el año 2023.

Knox abrió una libreta y empezó a tomar notas.

—¿China dejó de fabricar bombas nucleares y se pasó a las lanzas?

—Dije que la fabricaron allí, no que la utilizaran allí. ¿Cree que debería hacerlo? —le preguntó, señalando la libreta—. ¿Poner todo esto por escrito?

—Si estamos hablando de uno de mis casos, lo escribo todo. —El tono con el que lo dijo dejó claro que no pensaba discutirlo—.¿Por qué demonios iba alguien a fabricar lanzas? No es una tecnología de última generación, que digamos.

—Durante un tiempo, las lanzas fueron las armas de baja tecnología de los terroristas; el motivo principal es que son baratas. Cuando el capital empezó a escasear, se buscaron métodos de asesinar alternativos y seleccionaron las lanzas. Tienen algo simbólico, sobre todo cuando atraviesan el cuello de alguien de repente. Son silenciosas, lo que las convierte en un arma nocturna muy eficaz.

—Y ¿hay algo especialmente simbólico en esta lanza o estaba por allí, nuestro hombre la vio y pensó: «Oye, mataré a alguien sin hacer ruido»?

—Esta lanza en concreto estaba en un museo, y tiene un simbolismo especial para determinadas personas. Esa lanza mató a un general norteamericano altamente protegido en el año 2025, así que para ellos representa el espíritu humano por encima de la tecnología, o una cosa así.

—Una victoria para los luditas.

—Exacto. Lo que estos grupos intentan hacer es eso: salvar a la humanidad de su propia tecnología.

—Odio a la gente que quiere salvarme de mí mismo —murmuró Knox.

A pesar de la preocupación que sentía, Nikita no pudo evitar reírse.

—Sí. Bienhechores.

Él chasqueó la lengua y ella preguntó:

—¿Qué?

—Nada. ¿Qué tenía previsto hacer ahora?

Nikita quería indagar en ese «Nada», pero por experiencia sabía que cuando alguien decía eso, es que pasaba algo. Sin embargo, Knox tenía razón. Había algo más urgente que tenía que hacer, y no sabía si él se lo permitiría. Puede que le hubiera quitado las esposas, pero por el momento seguía al mando de la situación, a menos que ella estuviera dispuesta a hacerle daño a mucha gente, el inspector Davis incluido, y la situación todavía no había llegado a ese extremo.

—Tengo que volver a mi tiempo —dijo ella—. Debo informar de la existencia de un topo y, si quien transitó antes y se llevó la cápsula del tiempo para protegerla no fue uno de los nuestros, también debemos hacernos cargo de eso, aunque transitaremos un día antes.

—Habla de ir adelante y atrás hasta que se solapen, como escamas de pez.

—Sí, exacto —dijo ella, satisfecha de que él hubiera entendido el concepto—. Como le he dicho, nos encontramos ante una situación nueva para nosotros, pero sólo tenemos que proteger la cápsula y atrapar al asesino. Sabemos cuándo transitó, así que sólo necesitamos que uno de nosotros transite antes que él. No puedo creerme que fuéramos tan cortos de miras.

—Pero si llegan antes que él y lo detienen, todavía no habrá cometido ningún asesinato y el único delito del que se le podrá acusar será del de viajar sin autorización.

Ella lo miró con impotencia.

—No podemos cambiar la vida y la muerte. No podemos resucitar a Taylor Allen. Pero no se me ocurre otra cosa. Tengo que volver. Cuando redacte el informe, el caso ya no estará en mis manos, pero al menos lo habré intentado.

—Muy bien —dijo él, gentilmente—. Seguiremos con este plan... siempre que me deje mirar.

—Le gusta mirar, ¿eh? —¡Maldita sea! Nikita sabía que no debería haberlo dicho, pero no había podido evitarlo. Hasta ahora, había conseguido mantener el asunto en un terreno meramente impersonal y profesional, porque no era justo dejar que se convirtiera en algo más cuando no tenía ninguna intención de quedarse en este tiempo. Sin embargo, le encantaban los ojos azules del inspector y sus facciones delgadas, y tenía unas manos bonitas y fuertes, por mucho que se esforzara en no mirarlas.

—Soy mejor en acción —respondió él, arrastrando las palabras y dejando caer los párpados en una expresión adormilada que hizo que el corazón de Nikita diera un repentino vuelco.

Sintió cómo se le tensaba el estómago y la respuesta física de su cuerpo fue tan intensa que la desconcertó. Tragó saliva y recuperó la compostura. No, aquello no podía pasar.

—Lo siento —se disculpó—. No debería haberlo dicho; ha sido poco profesional.

—De vez en cuando, no me importa la poca profesionalidad.

—A mí sí. —Se le encendieron las mejillas—. No volverá a pasar.

—Supongo que tiene razón —dijo él, aparentemente arrepentido—. Si vuelve a su tiempo, literalmente no podrá pasar.

—Por lo que no debería haber dicho nada tan fuera de lugar. Lo siento.

—Ya se ha disculpado dos veces. —Knox hizo una pausa y luego se levantó—. Para que se marche, transite o lo que sea, no tenemos que esperar hasta la noche, ¿verdad?

—No —dijo ella, aliviada por el cambio de tema—. Puedo hacerlo cuando quiera.

Knox meneó la cabeza y sonrió ante el doble sentido.

—Muy bien, la llevaré hasta allí, puesto que quien quiera que le ha disparado esta mañana conoce su coche de alquiler. Espéreme aquí; haré que uno de los agentes lleve mi coche hasta la zona de seguridad que utilizamos para los prisioneros especiales; de este modo, nadie la verá salir.

Puede que estuviera como una cabra, que le estuviera tomando el pelo de mala manera, incluso podía ser la asesina, porque Knox no se olvidaba que sabía lo de la lanza, pero, fuera lo que fuera, le había explicado una historia coherente. Y justo cuando estaba a punto de encerrarla, se acordaba de los aparatos que le había enseñado y no podía evitar seguirla escuchando.

No podía negar que la tarjeta de identificación, el escáner de ADN y ese tubito de Reskin eran cosas que jamás había visto ni de las que había oído hablar. El corte que se había hecho en el pulgar estaba totalmente cicatrizado. Y fue aquello, más que cualquiera de las otras cosas, lo que lo obligó a reconocer que podía, sólo podía, que hubiera una minúscula parte de verdad en lo que esa mujer le había dicho. Era posible que no hubiera oído hablar de lo demás, pero seguro que él, y todo el país, se habrían enterado de la existencia de un líquido que, al entrar en contacto con la piel, cicatrizaba al instante un corte. Wall Street y la empresa que lo hubiera inventado se habrían asegurado de poner anuncios en las televisiones nacionales cada quince minutos. El ejército compraría cargamentos enteros. Así pues, que no hubiera oído hablar del Reskin era un gran punto a favor de Nikita.

Sin embargo, él era policía y, por naturaleza, los policías no solían creerse casi nada de lo que escuchaban hasta que tenían pruebas fehacientes.

Detuvo a un agente, le dio las llaves de su coche y le pidió que lo llevara a la zona de salida de prisioneros especiales; luego, llamó a la puerta del sheriff Cutler y asomó la cabeza.

—¿Qué hay de esa agente del FBI? —preguntó Calvin, con una maliciosa mirada—. Llevas mucho rato encerrado en tu despacho con ella.

—Tengo algunas dudas sobre si todo lo que nos ha dicho es verdad —dijo Knox—. Además, sabía lo de la lanza, cosa que me ha extrañado mucho. Alguien se ha ido de la lengua o ella disponía de información previa.

—¿Acerca del asesino? Vaya, vaya. —Calvin se reclinó en su silla—. ¿Me estás diciendo que la señorita Stover conoce al asesino o quizá que ella es la asesina de la lanza?

—No lo sé. No lo creo, pero puede que conozca su identidad, y puede que esa persona sea quien le ha disparado esta mañana. Por el motivo que sea, era el objetivo del francotirador. Voy a investigar un poco más. Quien le disparó, obviamente conocía su coche de alquiler y la siguió hasta la casa del señor Allen. Hay varias cosas que quiero verificar y me la llevo conmigo.

El sheriff asintió.

—De acuerdo, pero ten cuidado.

A Knox no le hacía ninguna gracia ocultarle cosas al sheriff, pero si le explicaba toda la historia, Calvin habría insistido en encerrar a la agente falsa del FBI por hacerse pasar por una agente federal, como mínimo. Knox mantenía abierta esa posibilidad, pero primero quería conseguir alguna respuesta que tuviera sentido. No podía aceptar sin más que esa mujer hubiera viajado del futuro; era demasiado para él. Sin embargo, en todo aquello había algo extraño, y quería averiguar qué era.

Lo estaba esperando pacientemente en su despacho, igual que cuando él había salido a probar el escáner de ADN. No sabía qué pensar. Cualquier persona culpable habría aprovechado la oportunidad para intentar fugarse, pero ella no. Aunque no lo habría logrado, porque Knox estaba preparado para actuar al más mínimo movimiento, y puede que ella fuera lo suficientemente inteligente como para darse cuenta.

Si tenía la intención de fugarse, tenía más posibilidades de hacerlo cuando se quedara a solas con él. Y ya se encargaría él de presentarle la oportunidad.

—Vamos —dijo. Ella se levantó y empezó a guardar sus cosas en el bolso. Knox todavía tenía su arma y no tenía ninguna intención de devolvérsela. Tendría que estar loco para darle un arma a esa mujer. Ella miró la pistola, arqueó las cejas a modo de pregunta silenciosa y él sonrió mientras meneaba la cabeza—. Ni hablar.

Ella aceptó la situación sin rechistar. Knox se apartó y dejó que ella saliera primero del despacho. Nikita se giró un poco para no tocarlo, pero él seguía estando lo suficientemente cerca como para percibir su calor corporal, el débil y dulce aroma de la piel femenina. Ella no lo miró, pero Knox sabía que era tan consciente como él de su presencia a nivel físico.

Ya había pasado algún tiempo desde la última vez que se había excitado con una mujer. Querer sexo no era lo mismo que excitarse y, sí, había querido sexo. Era un hombre de treinta y cinco años normal y corriente, y no había muerto con Rebecca. Sin embargo, eso de desear a una mujer en concreto, no; no había sucedido, hasta ahora, hasta Nikita Stover, con aquellos ojos marrones y aquella bonita sonrisa. Tenía que ir con cuidado y no dejar que la atracción sexual entre ellos lo cegara ante cualquier sospecha de culpabilidad.

Tenían el coche esperándolos. Ella se sentó en el asiento del copiloto y se inclinó hacia delante, con la cabeza casi pegada a las piernas de él, de modo que no podían verla desde fuera. Él la miró; su cabeza casi le rozaba el muslo. Dios, seguro que ella sabía lo que parecía. Knox apretó con fuerza el volante mientras se imaginaba esa cabeza subiendo y bajando entre sus piernas. Tuvo una erección. «Mierda.»

—¿Adónde vamos? —preguntó, con la voz neutra y calmada. Aunque tuviera que hacer un esfuerzo de titanes, mantendría la situación bajo control.

—Tome la carretera estatal setenta y tres —le indicó ella—. Y avíseme cuando pueda levantarme.

Estaban ya bastante lejos de los juzgados cuando él dijo:

—Ahora ya puede levantarse.

Ella lo hizo de inmediato y se apartó el pelo de la cara. Respiró más tranquila una vez que estuvo sentada recta en el coche.

La carretera estatal iba hacia la casa de Jesse Bingham. Knox se recordó que las coincidencias no existían. Los asuntos de esa mujer estaban directamente relacionados con los destellos que Jesse había visto hacía tres noches. Seguramente, Jesse diría que ella había matado a sus pollos, pero Knox no veía a Nikita como una asesina de pollos.

Ella abrió una polvera, apretó un botón y desenganchó el espejo, que reveló una unidad de GPS.

—Siga unos tres kilómetros más adelante, aproximadamente —dijo.

Knox observó el GPS con mucho interés. Los GPS militares eran mucho más exactos que los que se instalaban en coches y barcos y, por lo visto, el de Nikita era, como mínimo, militar. Se preguntó de dónde lo habría sacado, si lo había robado en alguna base militar.

Ella no apartaba la vista del aparato, y justo antes de llegar al desvío que conducía hasta la casa de Jesse, dijo:

—Aquí. Aparque por aquí.

Obediente, Knox giró hacia el arcén y lo aparcó detrás de unos arbustos. Ella ya estaba fuera del coche, caminando con decisión hacia una zona del bosque muy densa en vegetación.

Knox la siguió, contemplándola, observando cómo se movía y cómo su brillante pelo oscuro se balanceaba a cada paso. Se adentraron en el bosque y el ruido del tráfico se desvaneció, sustituido por la melodía de la naturaleza: el canto de los pájaros, los zumbidos de los insectos, las hojas susurrando bajo la suave brisa. Nikita pasó por encima de troncos caídos y rodeó arbustos, pero en ningún momento dudó o se desvió de su trazado.

De repente se detuvo y señaló al suelo.

—Aquí.

Knox examinó el suelo. Si había enterrado algo allí, había sabido disimularlo muy bien.

—Supongo que debería haber traído una pala.

—No hace falta. Tengo esto. —Sacó otro tubo alargado del bolso, esta vez negro, y apretó un extremo. Knox creyó que era un bolígrafo o un láser óptico. Casi lo adivina. El tubo produjo una luz verde y empezó a hacer un agujero en el suelo. Ella movía la luz lentamente en círculos, excavando la tierra.

Luego lo apagó, se arrodilló y dejó el GPS a su lado; Knox vio una serie de círculos concéntricos que salían del centro de la pantalla, que se movían hacia fuera y desaparecían, y volvían a aparecer en el centro. «La zona cero», pensó. Nikita empezó a cavar con las manos.

Knox se colocó delante de ella para poder controlar las manos de la sospechosa y lo que fuera que buscara bajo tierra, aunque tuvo la precaución de mantenerse a una distancia razonable para que ella no pudiera agarrarle el tobillo y tirarlo al suelo, o lanzarle tierra a los ojos.

—Qué raro —murmuró Nikita—. No recuerdo haber excavado tanto antes.

—¿Seguro que es aquí?

—Introduje las coordenadas en el GPS. Estoy segura —al cabo de un segundo, emitió un sonido de satisfacción, agarró un asa de una bolsa de plástico y la sacó de la tierra.

Estaba vacía.

Knox la miró muy serio. Ella seguía de rodillas, aunque de repente su rostro se había vuelto blanco como el papel mientras miraba la bolsa vacía.

—No están —dijo, con voz ahogada—. Mis vínculos no están. No puedo volver a casa. Estoy atrapada aquí.

Capítulo 10

Nikita se quedó de rodillas en la tierra, incapaz de articular palabra. Estaba como ausente, presa de una mezcla de terror y sorpresa. ¿Quién podía haberse llevado sus vínculos? ¿Quién podía saber que estaban allí? Creía que, cuando había transitado, estaba sola, pero debía de haber alguien cerca que la vio enterrarlos.

Lógicamente, no podía ser la persona que había intentado matarla porque, ¿qué mejor que hacerlo mientras estaba sola en aquel paraje aislado?

Y lo que era más lógico, si algún enemigo desconocido sabía que iba a transitar, ¿por qué no la habían estado esperando para matarla, igual que a Houseman? Sólo se le ocurría una posibilidad que encajaba con ambos parámetros.

Sujetando la bolsa con dos dedos, sacó el escáner de ADN del bolso, pero no consiguió abrirlo con una sola mano. Se lo dio a Knox.

—¿Puedes abrirlo por mí, por favor? —le pidió, con la voz todavía un poco ahogada, incluso ella se dio cuenta, aunque ahora ya estaba más calmada.

Sin decir nada, Knox cogió el escáner, lo abrió y se lo devolvió.

Nikita lo acercó a la bolsa y apretó el botón. El suelo podía haber modificado las muestras, pero los escáneres nuevos filtraban mejor la contaminación que los antiguos. Con un poco de suerte, obtendría alguna lectura.

Las luces bailaron y mostraron la ubicación de las muestras de ADN en la bolsa. Nikita acercó el escáner a uno de esos puntos y la lectura apareció en la pantalla: «Stover, Nikita».

—Perfecto, las muestras se pueden leer —dijo, para sí misma, mientras eliminaba la entrada. Miró a Knox—. La primera lectura encaja conmigo. Veamos qué nos dice el escáner sobre las otras.

La siguiente muestra también era suya. Y la tercera. Sin embargo, cuando llegaron a la cuarta, la pantalla ofreció una información distinta. Nikita lo leyó en voz alta:

—«Sujeto desconocido. Estructura genética compatible con las zonas noreuropeas, concretamente las antiguas tribus celtas…» Dios mío, Knox, ¡has sido tú!

—Ja, ja —respondió él—. Creo que no hace falta que te diga que la mayoría de la gente de esta zona tiene la misma estructura genética. ¿No me digas que ahí también salen unos antepasados cherokee?

—No, eres inocente. El texto sigue así: «Y en una menor medida, de influencias surmediterráneas. El sujeto tiene los ojos verdes y el pelo castaño. Se necesitan datos adicionales para más información».

—Esa descripción reduce la búsqueda a unos miles de personas en el radio más cercano.

Nikita se sentó en el suelo y se quedó mirando la pantalla verde. ¿Era posible que todo aquello empeorara? Sin embargo, aquello quería decir que sus suposiciones eran ciertas, aunque supusiera poco consuelo.

—Sabes lo que esto significa, ¿verdad?

—¿Que no tienes ninguna prueba para demostrarme que realmente puedes viajar en el tiempo? —sugirió él, irónicamente.

—Que no ha sido nadie de mi tiempo —dijo ella, pacientemente.

Él se agachó frente a ella y la miró con aquellos intensos ojos azules.

—¿Cómo lo sabes?

—«Sujeto desconocido.» Si los vínculos me los hubiera robado alguien de mi tiempo, hay muchas posibilidades de que estuviera en la base de datos.

—¿Quieres decir que tienes a casi toda la población mundial en esa base de datos? —preguntó él con incredulidad.

—A todo el mundo no, ni de cerca. Sin embargo, sí a todos los del FBI, así como a todos los miembros del Consejo y a todo el personal del Laboratorio de Tránsito. Cualquiera que haya cometido un crimen está en la base de datos. Y, como todos los miembros de grupos de protesta han cometido algún delito menor, como alteración del orden público, ellos también están en la base.

Nikita se frotó la frente y se manchó la piel con tierra.

—No, los vínculos se los ha llevado alguien de tu tiempo. Y no sé si eso me deja más tranquila o no. Un ciudadano inocente, bueno, quizá no tanto, pero un ciudadano en definitiva, tiene los vínculos y no tiene ni idea de lo que puede suceder si se los pone y, accidentalmente, los activa.

Levantó la vista y observó una expresión de paciencia y escepticismo en el rostro de Knox, y suspiró.

—No me crees. Ni siquiera el escáner de ADN te ha convencido, o el Reskin.

—El Reskin casi lo consigue —admitió él, mientras se levantaba y le ofrecía la mano—. Pero, no nos engañemos, ¿cómo pretendes que me trague el anzuelo?

—No te he pedido que te tragues ningún anzuelo —murmuró ella con resentimiento, pero le dio la mano y dejó que la ayudara a levantarse.

De repente, la luz bajo las copas de los árboles pareció más intensa y en el aire flotaba un débil, casi inaudible, zumbido. Con el ceño fruncido, Knox la soltó y se acercó un dedo a la oreja.

—¿Qué es ese ruido? ¿Lo oyes?

Nikita levantó una mano para hacerlo callar y giró sobre sí misma mientras intentaba localizar de dónde provenía el zumbido.

—Al suelo —urgió ella mientras cogía el láser. Se tiró al suelo, bocabajo—. ¡Al suelo! —le gritó a Knox, cuando vio que él no reaccionaba con la misma velocidad. Agarró la bota que le quedaba más cerca y la tiró hacia atrás, haciéndolo caer al suelo; por suerte, Knox giró hábilmente en el aire porque, si no, habría caído de lado—. ¡Bocabajo! —Le colocó la mano izquierda detrás de la cabeza y se la hundió en el suelo, casi cubriéndole medio cuerpo con el suyo propio mientras escondía la cabeza y se tapaba los ojos con el brazo.

Vio el intenso reflejo a través de los párpados cerrados, incluso con la cabeza escondida, y sintió cómo la energía se apoderaba de cada célula de su piel. Sintió lo que describiría como un brevísimo instante de inmovilidad; luego, cuando el efecto empezó a desaparecer, se obligó a levantar la cabeza, que notaba casi tres veces más pesada de lo habitual. Todo parecía moverse a cámara lenta y cada movimiento requería un esfuerzo titánico. Debajo de ella, Knox empezaba a moverse, intentaba ponerse en pie, y levantaba la cabeza.

Ante ellos, se materializó una figura masculina.

Por suerte, estaba de espaldas a ellos. Nikita tardó una décima de segundo en ver el arma que llevaba en la mano.

—¡FBI! —gritó—. Suelte el arma.

Lentamente, el hombre levantó ambas manos e, igual de despacio, se giró para mirarla por encima del hombro.

—Agente Stover —dijo—. Soy el agente Luttrell.

—Puede que sí, puede que no. Suelte el arma, gire noventa grados a su izquierda y, con la mano izquierda, enséñeme su identificación. —No le conocía, aunque no significaba nada, pero, después de cómo había ido todo en esta misión, no estaba dispuesta a correr ningún riesgo.

Knox se movió un poco debajo de ella, separó el brazo derecho, y Nikita vio que había sacado su arma, aunque con ella encima de su lado derecho, no podía maniobrar con facilidad. Si se movía demasiado, o demasiado deprisa, la desequilibraría y, a juzgar por los lentos movimientos que estaba realizando, él también se había dado cuenta. Volvió a moverse y, cuando liberó el brazo izquierdo, Nikita vio que se había cambiado el arma de mano.

—Tranquila —dijo el hombre, agachándose muy despacio para dejar el arma en el suelo. Empezó a girarse y apoyó todo el peso del cuerpo en la pierna izquierda. Se le tensaron los muslos... hubo un segundo en el que Nikita no le vio la mano derecha... y luego se produjo un movimiento brusco cuando el hombre se giró, con una luz verde que le salía de la mano derecha.

Ella disparó un instante antes que él. El láser le impactó a la altura del ombligo y subió, llenando el aire de olor a carne quemada. El disparo del hombre fue a parar a escasos centímetros de la mano de Knox, quemando el suelo. El hombre cayó allí mismo, agitando las piernas en espasmos hasta que su cuerpo se relajó para siempre.

En el silencio que se produjo después de aquello, Nikita percibió la alteración de la respiración de Knox, el intenso latido de su propio corazón y el pulso latiendo con fuerza en la garganta y las muñecas.

—Joder —dijo Knox, mientras la apartaba y se levantaba, todo en un solo movimiento. Se acercó al hombre muerto con cuidado, sujetando su arma con las dos manos y manteniéndola pegada al cuerpo. Avanzó hasta que pudo apartar el láser de la mano del tipo con una patada—. ¿Qué otras armas puede llevar? —le preguntó a Nikita sin mirarla.

—No lo sé —respondió ella, débilmente. Sintió las náuseas en la boca del estómago, cálidas y amargas. Notó que estaba empapada en sudor frío. Jamás había matado a nadie, ni siquiera había disparado ninguna de sus armas fuera de los entrenamientos o las prácticas. Miró al hombre, tendido en el suelo, con la cabeza ligeramente ladeada y los ojos abiertos como si la miraran.

No podía verla. Lo sabía; sabía que estaba muerto. Si no hubiera sido más rápida que él, si no hubiera estado en alerta, la habría matado, y a Knox. También lo sabía. Sin embargo, saberlo y sentirlo eran dos cosas distintas, y lo que acababa de hacer le provocaba náuseas.

Knox se arrodilló junto al cadáver y le colocó dos dedos en el cuello, buscándole el pulso. Luego, muy eficazmente, empezó a vaciarle los bolsillos.

—¿Quieres echarme una mano? —le dijo a Nikita.

«¿Cuál?», se preguntó ella, aturdida por aquella petición.

—Venga, no te quedes ahí sentada como si… —La miró por encima del hombro mientras decía estas palabras y se interrumpió—. Estás verde como una rana —dijo—. ¿Es tu primer cadáver?

Lentamente, ella negó con la cabeza.

—Pero es la primera vez que es culpa mía.

—Ha sido culpa suya, no tuya. No voy a decirte que lo superarás, pero, si puedes, por ahora no pienses en ello. Necesito ver todo lo que lleva encima y que yo no pueda explicar.

Temblorosa, Nikita se levantó. Acercarse a ese cadáver era una de las cosas más difíciles que jamás había hecho, pero se obligó a poner un pie delante del otro hasta que se arrodilló junto a Knox.

—¿Cómo pretendes explicar la herida? —le preguntó. Le temblaba todo el cuerpo, un ligero temblor desde la cabeza a los pies.

—No lo haré —dijo él—. Lo dejaremos aquí. Alguien lo acabará encontrando.

—Eso es ilegal —se vio obligada a puntualizar ella. Tragó saliva dos veces para no vomitar.

—Maldita sea, ¿crees que no lo sé? —respondió él, enfadado—. Me arriesgo a una sentencia de cárcel, pero dime una cosa, ¿qué crees que pasará si informo de esto? ¿Cómo vamos a explicar que hemos estado aquí en el bosque cacheando un cadáver que, ¡ah, sí!, se convirtió en cadáver en el mismo momento en que lo encontramos? Incluso sin concretar demasiado la hora de la muerte, la coincidencia es demasiado grande para que nadie sospeche, el sheriff el primero.

Nikita se quedó callada e intentó pensar en todas las posibilidades. No podían llamar más tarde, porque surgiría la misma pregunta: ¿Qué estaban haciendo en el bosque?

—Quizá podríamos hacer una llamada anónima más tarde —propuso.

—Es muy complicado hacer una llamada anónima sin tener los medios para que no la localicen o sin un teléfono seguro. Lo segundo no lo tengo y lo primero, no tengo ni idea de cómo hacerlo.

Estaba enfadado, y con razón. Lo había colocado en una posición insostenible y, aunque ella no podía saber de ninguna manera que alguien transitaría casi encima de ellos, seguía siendo el motivo por el cual Luttrell estaba muerto y ahora tenían que disimular su participación en todo aquello. Ambos eran agentes de la ley y ahora estaban infringiendo las leyes que habían prometido proteger. Al menos, ella pensaba eso, porque seguro que Knox tenía la sensación de que estaba atrapado en un callejón sin salida.

—Lo siento —dijo ella, todo lo calmada que pudo—. La única manera de hacerlo bien es arrestándome. Yo lo he matado, no tú. No deberías estar en esta situación.

—Claro que no, pero lo estoy —respondió él, con un tono enfurecido y los ojos azules rabiosos—. Sí, puedo detenerte, pero ¿cómo lo mataste? De nuestras armas no ha salido ni una bala. ¿Quieres explicar que lo abriste en canal con un lápiz óptico en cuanto se materializó delante de ti, que es uno de los malos del futuro, y todo ese rollo tan creíble que me has soltado a mí? Te encerrarán en un psiquiátrico antes de que te enteres. O puedes enseñarles el lápiz óptico, lo que provocaría cientos de preguntas que no me apetece nada responder. ¿Qué me dices?... Ya me lo suponía. Es mi tiempo y mi condado, así que harás lo que te diga. A ver, ¿qué lleva encima que no se pueda explicar y que tengamos que quitarle?

—Los vínculos —dijo ella, con suavidad. Se obligó a tocar al hombre muerto, así que se arrodilló a su lado, lo arremangó y le quitó los brazaletes metálicos que llevaba en las muñecas. Luego, le arremangó los pantalones e hizo lo mismo con los de los tobillos.

—Ahora ya tienes un juego de vínculos —le dijo Knox.

Ella ya lo había pensado y empezó a inspeccionarlos para ver si estaban en condiciones. El láser podía dañar las conexiones y el sistema de circuitos. Observó cada vínculo desde todos los ángulos, buscando quemaduras. Empezó a sentirse optimista hasta que cogió el que el hombre llevaba en la mano izquierda. La parte exterior de la bisagra estaba más oscura, lo que significaba que había absorbido parte de la energía del láser. El tiempo y la luz estaban entretejidos como una trenza y los expertos habían descubierto que, mientras que una intensa luz blanca no dañaba los vínculos, otros espectros lumínicos sí que podían hacerlo, siempre que fueran de una intensidad considerable. Y la intensidad de un láser era considerable.

—Uno está dañado. —Intentó que su voz reflejara la decepción que sentía. No lo consiguió, pero al menos lo había intentado.

—Pero tres sí, ¿no? ¿Qué podría pasar?

—No conseguiría materializarme en mi tiempo. Supongo que seguiría existiendo, pero sólo sería una nube mitocondriaca en algún sitio.

—Vaya. Pues no lo hagas. —Knox estaba registrando los bolsillos del cadáver; encontró una tarjeta con un escudo y se la guardó en el bolsillo del polo, junto con el láser; luego cogió la otra arma y empezó a inspeccionarla—. ¿Era del FBI de verdad? Tiene una tarjeta como la tuya.

—Entonces, seguramente sí —dijo ella—. Estas tarjetas son imposibles de imitar. —Se levantó, sacó el escáner de ADN y lo apretó contra la mano del muerto.

—Luttrell, Jon Carl —dijo, saltándose la descripción física—. El sujeto trabaja para el Departamento de Justicia de Estados Unidos, en investigación… sí, era del FBI.

—Entonces, no sería seguro que volvieras, incluso si los cuatro vínculos estuvieran en condiciones. Alguien de tu oficina lo ha enviado para que acabara contigo. ¿Qué me dices del reloj que lleva?

—Déjalo. Todavía funciona y, básicamente, tienen el mismo aspecto que los de ahora.

—Obviamente, hay alguien que no quiere que vuelvas —señaló él—. ¿La ropa está hecha de tela normal o de algún tipo de tejido indestructible?

—Es sintética. A menos que se la entreguen a un químico para que determine la estructura molecular, nadie notará la diferencia. —No necesitaba que Knox le dijera que no podía volver. Era perfectamente consciente de que, virtualmente, la habían abandonado allí.

—¿Cómo es que se materializó casi encima de nosotros? ¿Qué posibilidades había de que coincidiéramos todos aquí?

—Es bastante razonable. ¿Cómo iban a suponer que estaría aquí? Las coordinadas físicas seguían introducidas en el ordenador, a menos que alguien transitara en otro sitio desde que llegué. Sólo tienen que avanzar el reloj veinticuatro horas y no debería de haber ningún problema.

—Excepto que estábamos aquí para verlo.

—Porque alguien me disparó. Alguien de tu tiempo. No podían saberlo, así que seguro que no esperaban que regresara tan pronto.

—¿Mi tiempo? ¿Aquí? Quiero decir, ¿ahora? —Knox se sentó encima de los tobillos y la miró con los ojos entrecerrados mientras repasaba las pruebas mentalmente—. Ya veo a lo que te refieres. Si hubiera sido alguien de tu tiempo, habría escogido un láser, no un rifle.

«Y ahora estaría muerta», pensó ella. Los láseres eran silenciosos, igual que los rayos de sol. Sin el ruido del disparo, seguro que ninguno de los dos habría visto el rayo de luz hasta que hubiera impactado directamente en ella. Ambos estaban demasiado concentrados marcándose el terreno el uno al otro.

—Hablando de armas, ¿qué me dices de esa? —Knox señaló la que Lutrell había dejado en el suelo cuando Nikita se lo había ordenado.

—También es de láser, aunque se utiliza para disparar a distancias mayores que esta —respondió ella, señalando el lápiz láser.

—Una pistola láser.

—Sí. —Nikita se acercó al arma y la recogió, observándola con detenimiento. Era una XT37, el último modelo; sólo la tenían los equipos antiterroristas más punteros. Alguien con una posición de poder considerable debía de haber autorizado la transición de Luttrell.

Seguro que el propio Luttrell era un buen chico al que sólo le habían dicho que la agente Stover había traicionado al cuerpo y que tenía que eliminarla. Si hubiera tenido tiempo de estudiar todos los puntos de vista, seguramente habría podido herirlo en lugar de matarlo, aunque una herida de láser dejaba el cuerpo en tan malas condiciones que se solía considerar un resultado peor que la muerte. El láser podía cortar una mano en lo que un humano tarda en apretar un botón; más deprisa incluso, porque la velocidad de la luz era mayor que los procesadores de un sistema informático.

Una amputación se consideraba el resultado de un golpe seco de láser; casi nadie sobrevivía a cualquier impacto de láser en el torso, aunque, los que lo hacían, sufrían grandes daños, tenían que someterse a múltiples transplantes de órganos y la inyección de energía normalmente les provocaba problemas neurológicos. El impacto del láser en la cabeza era fatal al instante.

La XT37 era un arma grande, de casi un metro de largo y pesaba casi siete kilos. Llevársela o esconderla no les iba a resultar fácil. Por otro lado, ahora la tenían en su poder, lo que les daba cierta ventaja.

—¿Qué más? —preguntó Knox mientras miraba las botas del hombre.

Ella volvió a arrodillarse a su lado y dejó la XT37 a su lado.

—Podría llevar un chip.

—¿Un chip informático?

Ella asintió.

—Como medida de precaución. Para seguirle la pista.

—¿Tú llevas uno?

—No. —Se lo habían pedido, pero ella lo había rechazado y, como las consecuencias legales de seguirle la pista a un chip insertado en una persona todavía estaban pendientes de una sentencia judicial, por ahora los agentes todavía podían escoger si querían o no llevarlos. Jamás le había entusiasmado la idea de que sus superiores pudieran observar cada movimiento que ella o cualquier otro agente hicieran.

—Si llevara uno, ¿dónde estaría?

—Normalmente, los ponen en una joya. Al principio, los diseñaron para inyectarlos debajo de la piel de los agentes, pero como todo el mundo amenazó con dimitir, cambiaron el sistema. —Nikita se movió para poder buscar dentro del cuello de la camisa, a ver si había alguna cadena. La encontró y la sacó; era una medalla de St. Christopher, pero un análisis a fondo reveló que sólo era eso, una medalla religiosa. No había ningún chip—. Mira en la hebilla del cinturón —le dijo a Knox mientras ella cogía la mano izquierda de Luttrell y le sacaba el anillo que llevaba. Eso también parecía limpio.

Knox le había desabrochado el cinturón a Luttrell y estaba mirando de cerca, de un lado y de otro, la hebilla.

—¿Es muy grande?

—No, es minúsculo.

—¿Parecería un defecto en el metal del cinturón?

Ella se acercó para tocar la hebilla donde Knox le indicó y las sensibles yemas de sus dedos notaron el punto diminuto, como si durante la fabricación de la hebilla se hubiera pegado un grano de arena al metal. Sin embargo, allí bajo los árboles, la luz no era demasiado buena y no podía ver bien si era realmente un chip o no.

—¿Tienes una lupa? —preguntó.

—Aunque no te lo creas, sí. —Knox estiró la pierna derecha y rebuscó en el bolsillo de los vaqueros, hasta que sacó una navaja multiusos. Abrió uno de los accesorios y apareció una pequeña lupa redonda.

Nikita la cogió y la miró. La lupa no era gran cosa, pero bastó para que pudiera localizar el «granito de arena».

—Aquí está —dijo, guardando la lupa y devolviéndosela a Knox.

—¿Cómo lo desactivamos? ¿Lo rompemos?

—No. —Cogió el láser pequeño, colocó la hebilla de lado y la apoyó en el suelo. Apuntó con él, disparó y la hebilla crepitó.

—Esto bastará —dijo Knox, irónicamente.

Ahora Nikita se sentía más poderosa. No iba a desmoronarse, al menos ahora no. Puede que más tarde, pero por ahora pensaba y actuaba. Acabaron de registrar el cuerpo de Luttrell y encontraron dinero del tiempo presente cosido en el forro de la chaqueta negra. Nikita lo contó y pensó que había venido bien provisto. Le entregó el dinero a Knox. También encontraron una tarjeta de crédito, que se parecía a las demás tarjetas, y la dejaron.

—Es falsa —le dijo a Knox.

—¿Cómo lo sabes?

—¿Crees que todavía quedan tarjetas de crédito auténticas de tu tiempo en el mío? Es falsa, igual que la mía.

—¿La has utilizado?

—Claro, para alquilar el coche y pagar la habitación del motel. Venimos bien preparados.

—O sea, que estás robando.

—Estrictamente, sí. Sabíamos a lo que nos enfrentaríamos aquí; sabíamos que necesitaríamos documentos de identificación.

Knox se frotó los ojos, como si no quisiera oír nada más.

—No es el procedimiento estándar —le aseguró ella—. Esto sólo ha sido una medida de emergencia.

—¿Qué otras leyes estás infringiendo?

—Ahora ya lo sabes todo.

—Dios, eso espero. —Miró a su alrededor—. Pongamos todo esto en una bolsa, borremos nuestras huellas y dejemos el escenario lo más limpio posible.

Nikita cogió la bolsa impermeable en la que había dejado sus vínculos y se la guardó en el bolso. No tenía sentido tapar el agujero que había excavado; un agujero vacío no decía nada. Recogió el resto de su equipo, lo guardó y miró a su alrededor. Lo había cogido todo.

Knox se había metido todo lo de Luttrell en los bolsillos y se agachó para recoger la XT37.

—Ya está. Ahora sólo tenemos que meternos en el coche sin que nadie nos vea ni nos reconozca y esperar que nadie haya visto el coche y se haya quedado con la matrícula, y que nadie encuentre el cuerpo hasta dentro de dos años.

Tuvieron suerte. La autopista solía estar muy transitada, pero a esa hora la gente todavía no había salido del trabajo y, como era verano, no había clases. Pasó una camioneta, pero la escucharon de lejos y tuvieron tiempo de esconderse entre unos arbustos bastante altos hasta que la perdieron de vista.

Knox guardó la XT37 en el maletero, lo cerró y ambos subieron al coche.

—Y ahora, ¿qué? —preguntó ella, interesada por saber si el día todavía podía empeorar.

Knox dijo:

—Te vienes a casa conmigo.

Capítulo 11

Knox estaba tan enfadado que apenas podía controlarse, pero nada de lo que había pasado era culpa de Nikita, así que no habría sido justo hacérselo pagar a ella. Estaba enfadado consigo mismo por verse en la situación de tener que mentir a sus compañeros de trabajo, que confiaban en él; al sheriff Cutle, que era el mejor jefe que podía imaginarse. Estaba enfadado por tener que infringir la ley que hasta ahora había defendido, pero no veía otra solución.

Si confesaba la verdad, no sólo no los creerían, sino que seguramente los arrestarían a los dos por asesinato, y eso por no hablar de los cargos de impostura de los que acusarían a Nikita a pesar de que sí que era una agente del FBI, aunque ahora mismo no.

No quería creer lo que había visto. Le vino a la cabeza un antiguo chiste sobre un marido que engaña a su mujer y que cuando ella le descubre, él le dice: «Cariño, ¿a quién vas a creer, a mí o a tus ojos, que te mienten?» Knox quería creer, casi con desesperación, que sus ojos le habían mentido. Casi. Porque lo había visto y la curiosidad se lo estaba comiendo vivo. Debajo de la rabia, ardía una imperiosa necesidad; apenas podía contener la impaciencia por llegar a casa y acribillar a Nikita a preguntas.

Casi habían llegado a la ciudad, cuando la miró de reojo. No había dicho nada desde que se había subido al coche, por lo tanto, o bien estaba perdida en sus pensamientos o bien lo estaba haciendo sufrir… seguramente, un poco de ambas cosas. Matar a ese hombre le había afectado, y mucho, pero había guardado la compostura y había hecho lo que tenía que hacer. Si no la hubiera visto tan afectada, Knox ya habría empezado a hacerle todas las preguntas que le ardían por dentro, pero le pareció que necesitaba un poco más de tiempo para recuperarse.

Nikita corría peligro. En un solo día, habían intentado matarla dos veces. Knox estaba de acuerdo con ella en que el francotirador de la mañana debía de ser alguien de su tiempo; es decir, aquí y ahora, pero ¿quién podía saber que venía o dónde estaría? La explicación más plausible era que había sido un intento de asesinato al azar, obra de algún chalado con un rifle que había disparado a una desconocida… cosa que no era tan probable. En Pekesville no había tantos chalados y, entre el departamento del sheriff y el cuerpo de policía, los tenían controlados a casi todos. La única violencia que no estaba relacionada con las drogas o el alcohol era la de género, y los parámetros de dichos ataques no encajaban con la situación que habían vivido esa mañana.

Así que, por algún motivo, el viajero desconocido que había venido del futuro para matar a Taylor Allen había recurrido a algún tipo de ayuda local. Genial. Justo lo que necesitaba.

—¿Tienes que recoger algo de la habitación del motel? —le preguntó.

Cuando escuchó su voz, Nikita dio un respingo.

—¿Qué? Lo siento. Estaba en otro sitio. ¿Qué has dicho?

—¿Si tienes algo en el motel?

—Una maleta pequeña. ¿Vamos a ir a buscarla?

—No. No quiero que te acerques por allí, por si la persona que te ha disparado esta mañana está por los alrededores esperando otra oportunidad. Mandaré a uno de los agentes a buscarla. ¿Hay que meter algo en la maleta?

—Lo guardé todo esta mañana antes de salir, y la cerré con la combinación de seguridad.

—Más aparatitos del futuro, ¿eh?

—Mi ropa y algunas cosas más.

—¿Cómo es vuestra ropa? ¿Vais por ahí con esos monos metálicos que salen en las pelis?

Ella dudó un segundo.

—¿Monos metálicos? ¿Os ponéis monos encima?

Él chasqueó la lengua.

—Creo que se llaman así porque puestos recuerdan el cuerpo de un mono, pero básicamente hacen referencia a una pieza de ropa que va de la cabeza a los pies.

—Entiendo. Tiene sentido. Pero, no, no llevamos eso.

—Y ¿qué lleváis? —A pesar de sus buenas intenciones, ya lo estaba haciendo: la estaba acribillando a preguntas.

—Ropa normal. Cuando lo piensas, sólo hay dos tipos de ropa: falda o pantalón. La falda puede ser más o menos larga y las perneras de los pantalones pueden ser más o menos anchas pero, al final, esas son todas las variaciones posibles.

—¿Cremalleras?

Ahora fue ella la que chasqueó la lengua.

—Las cremalleras todavía existen, igual que los botones. Piénsalo. ¿Hace cuántos siglos que existen los botones, contando desde tu tiempo? ¿Por qué iban a desaparecer en tan sólo dos siglos? Las cremalleras y los botones funcionan. Son eficaces.

—¿Los coches son iguales?

—No, los motores de combustión interna sólo están en los museos y en una o dos colecciones de antigüedades.

—No tenéis coches —dijo Knox, escandalizado. No podía imaginarse sin las carreras de la NASCAR—. ¿Los eliminaron del mapa por el calentamiento global?

—Humm, no. Apareció algo mejor. Pero eso no fue hasta hace cien años.

—¿Algo mejor que los coches? —Le gustaría verlo.

—Yo no he dicho que no tengamos coches; sólo he dicho que los motores de combustión interna ya no existen.

De acuerdo, Knox entraría a fondo en ese tema más adelante; casi a contrapelo, se centró en un tema mucho más importante. Miró a Nikita. Estaba un poco más relajada, así que quizá lo que necesitaba fuera distraerse.

—¿Cuántas mudas tienes? ¿Tendrás que ir a comprarte algo?

—Tengo lo que traía cuando transité, lo que llevo ahora y otra muda. Pero tengo dinero para comprar lo que necesite; la misión contemplaba esa contingencia.

—¿Dinero de verdad? —preguntó él, con ironía—. ¿O falso, como lo demás?

—No, es de verdad. A finales del siglo XXI, todos los países desarrollados dejaron el dinero y solamente utilizaron tarjetas de crédito y de débito, así que la mayor parte del dinero en efectivo se guardó en una cámara acorazada subterránea.

—¿Por qué no lo quemaron? —En su mente vio miles de millones de billetes ardiendo y todos los músculos del cuerpo se le tensaron con rechazo. No estaba bien, pero parecía una solución lógica.

—Por un lado, porque tiene un gran valor histórico. Y, por otro, porque en mi tiempo todavía existen países en vías de desarrollo que no disponen de la capacidad informática para sostener una economía totalmente digitalizada. Utilizan dinero en efectivo, trueques, lo que pueden.

Knox pensó: «Doscientos años y todavía hay cosas que no han cambiado». Sin embargo, estaba más tranquilo sabiendo que los billetes no habían desaparecido del todo. En el tema de los bancos, era una especie de dinosaurio. Sacaba dinero en los cajeros automáticos, sí, pero había algo antiguo en él que se horrorizaba ante la idea de pagar las facturas por internet.

Seguramente, a Nikita le haría mucha gracia, pero por mucho que necesitara distraerla, no iba a explicarle eso. No quería que lo viera como si acabara de salir de la caverna.

Cinco minutos después, llegaron a casa de Knox. Era una casa más bien pequeña, de tipo artesano, con dos habitaciones, con un porche que iba de pared a pared, y otro más pequeño y cerrado en la parte trasera. Aparcó detrás, junto a la puerta. Unos setos altos y verdes separaban su jardín del de los vecinos, mientras que varios robles gigantes crecían tan juntos que daban sombra a todo el jardín y mitad de la casa.

Tenía más de sesenta años, pero estaba bien conservada y la habían modernizado varias veces a lo largo de su historia, así que era totalmente habitable. Knox la compró cuando Rebecca y él se comprometieron, con la idea de que para empezar bastaría y que ya tendrían tiempo de ahorrar hasta que llegara el segundo hijo y necesitaran más espacio. Su vida no se había parado con la muerte de Rebecca, pero sí que se había estancado.

Cuando salió del coche, se dio cuenta que no le preocupaba cualquier signo de estancamiento en su vida, sino saber si había algún calzoncillo o calcetín sucio en el suelo del baño. Se suponía que una mujer debía ver tu ropa interior sucia después de hacer el amor, no antes.

Sintió cómo algo parecido a una corriente eléctrica le subía por la espalda y le estallaba en el cerebro. Por primera vez en siete años, quería a una mujer: no sólo el sexo, sino a la mujer en sí. Y, en concreto, quería a Nikita. Quería pasar tiempo con ella, conocerla, descubrir qué le gustaba y qué no, si le daban miedo los ratones, las arañas y las serpientes, si se ponía a gritar como una niña cuando veía una cucaracha. Quería saber si dormía boca abajo, boca arriba o de lado; si roncaba; si le gustaban las duchas o los baños.

La quería toda.

Fue una revelación. Había olvidado la inyección de energía que suponía esa chispa química; era como beberse una taza entera de café de golpe; había olvidado qué era estar tan intensamente concentrado en una persona. La forma de su mano cuando cerraba la puerta del coche, la forma en que se apartaba un mechón de pelo de la cara, la rápida e inquisitiva mirada que le lanzó… era consciente de todo, y con una claridad que grababa cada detalle en su memoria.

La gran pregunta era si ella estaría dispuesta a lanzarse a algo que no fuera sexo casual pero que estaba lejos de ser una relación con vistas al futuro. Si estaba dispuesta, cualquier relación estaría limitada por la duración de su misión en este tiempo. Tanto podía quedarse dos semanas como dos días. No podía saber qué estaba pasando en su tiempo, no sabían si descubrirían que alguien de dentro estaba jugando sucio y decidirían enviar refuerzos o un equipo de salvamento.

Ella lo estaba esperando en el porche, con una mirada interrogante, como si se estuviera preguntando por qué Knox se había quedado junto al coche en lugar de abrir la puerta de casa para que pudieran entrar. Al pensar en el tiempo que le quedaría aquí, Knox vio su presencia desde otro ángulo y le preguntó:

—¿Cuánto tiempo puedes estar aquí antes de que vengan a buscarte? Tiene que haber un plazo límite porque, si no, no sabrían si alguien ha resultado muerto, herido, se le han estropeado los vínculos o lo han encarcelado. Tiene que haber un plan de rescate.

—No sabíamos los parámetros exactos del caso —dijo ella—, así que se estableció un plazo muy amplio.

—¿Qué entiendes por «muy amplio»?

—Un mes.

Sí que era amplio, más de lo que él se esperaba. Normalmente, la mayoría de casos de asesinato se cerraban al cabo de una semana o caían en el olvido; tenían pruebas o no. Quizás había algo más que él no sabía. No le gustaba la idea; seguramente, ya tendría pesadillas con lo que Nikita le había explicado hasta ahora.

Knox abrió la puerta mosquitera y entraron en el porche trasero; luego abrió la puerta y entraron en la cocina. Nikita se detuvo y miró a su alrededor; él hizo lo mismo, intentando verlo todo a través de los ojos de la chica.

A la izquierda, estaba el pequeño lavadero, con el tamaño necesario para una lavadora y una secadora. La cocina era tipo *office*, con unos armarios viejos que Knox había lijado hasta llegar a la madera original y luego había barnizado. La cerámica del suelo parecía piedra dorada y había lanzado la casa por la ventana con la encimera y la había puesto de mármol, porque era lo que Rebecca quería. Ella jamás había cocinado ni dormido en esta casa. Siempre que pasaban la noche juntos, era en casa de ella, porque era más fácil, porque él no necesitaba toda la parafernalia que utilizan las mujeres por la mañana para prepararse para ir a trabajar, todos los potingues para el pelo y la cara. Mucho de lo que Knox había hecho en la casa fue por Rebecca, pero, en su ausencia, él se la había hecho completamente suya.

Nikita se acercó lentamente hasta la cocina de gas y la acarició con el dedo, como había hecho con las cosas de su despacho. Él se dio cuenta que, para ella, todo lo de su casa, y su oficina, eran unas antigüedades inestimables. Cosas sobre las que seguramente había leído, pero que jamás había visto.

—¿Esto para qué sirve? —le preguntó, señalando al abridor de latas eléctrico.

—Para abrir las latas.

Nikita se agachó y lo estudió para ver cómo funcionaba, accionó la palanca y se quedó un poco decepcionada al ver que no sucedía nada.

—Así. —Knox cogió una lata de sopa de fideos con pollo de la despensa, le enseñó cómo el imán mantenía la lata en su sitio, y dejó que ella accionara la palanca. La lata empezó a girar y a Nikita se le iluminó la cara como a una niña pequeña.

—Hay muchos detalles de la vida cotidiana que hemos perdido —murmuró ella.

Knox se apoyó en un armario y cruzó una pierna por encima de la otra a la altura del tobillo.

—¿Cómo abrís las latas vosotros?

—No tenemos latas.

—Y ¿dónde ponéis la comida?

—La mayoría viene dentro de unas cajas transparentes que son comestibles y se derriten al calentarlas. Son muy nutritivas.

Ante la idea de comerse una caja de plástico, Knox hizo una mueca.

—Sí, seguro, pero ¿qué sabor tienen?

—El de la comida que tengan dentro, por supuesto.

—Y ¿si se trata de un producto que se supone que no tiene que calentarse, como los helados?

Ella se rió.

—Tenemos otras cosas, como los *tetrabricks*. Los productos frescos siguen siendo frescos. No creo que la comida en sí sea muy distinta; sólo han cambiado los contenedores y quizá la forma de cocinar. —Cogió la lata de sopa de pollo y la olió—. Y ¿ahora qué hacemos con esto?

Knox sacó una paella pequeña de uno de los armarios y la colocó encima del fogón más pequeño, lo encendió y vertió la sopa en la paella.

—Nos lo comemos.

Nikita se pasó un buen rato jugando con los fogones, encendiéndolos y apagándolos, mientras observaba cómo la llama azul aparecía y desaparecía. Como era obvio que jamás en su vida había visto una cocina de gas, Knox le preguntó:

—¿Cómo calentáis la comida?

—Por agitación molecular.

Él se rió y pensó en sus propias moléculas, que ahora estaban de lo más agitadas.

—Me suena a algún tipo de microondas.

—Es una variación. Mucho de lo que usamos se inventó en esta era —dijo con fascinación y, de repente, Knox se dio cuenta de lo mucho que Nikita estaba disfrutando esa parte del viaje. Había otras partes que no eran tan agradables, pero esta, la de la tecnología, la fascinaba.

—¿Como qué?

—Los viajes espaciales, los ordenadores, los láseres, cosas así.

Lo de los viajes espaciales le llamó la atención y se dio cuenta que podía estar horas hablando con ella, hasta que cayera exhausto. Tenían cosas que hacer; bueno, él tenía cosas que hacer, aunque no quería hacerlas.

—Por eso he venido —dijo ella, muy seca—. Este tiempo me fascina y lo he estudiado en profundidad. Supliqué para que me dieran esta misión.

—Ten cuidado con lo que pides —respondió él, irónico.

Ella se rió y le brillaron los ojos.

—Exacto. —Y luego se puso algo más seria cuando empezó a pensar en las personas que habían muerto y en todas las complicaciones que habían ido surgiendo. Knox leyó perfectamente aquella expresión y le acarició ligeramente el brazo.

—Ven, te enseñaré dónde dormirás. —No era en su cama, por desgracia; al menos, todavía no. Bajó la intensidad del fuego que calentaba la sopa y la guió por la casa.

Era una casa pequeña, con un salón-comedor, aunque Knox utilizaba la mesa del comedor como despacho y las pocas comidas que hacía en casa, las hacía en la cocina. Las dos habitaciones estaban en el pasillo, una a la derecha y otra a la izquierda, con el baño en medio. La que daba delante, la más grande, era la suya; la habitación que daba detrás no era nada del otro mundo; sólo una habitación con el mobiliario necesario. Knox le enseñó dónde estaban las sábanas y las toallas limpias para cuando quisiera ducharse, y la dejó a solas para que hiciera lo que tuviera que hacer mientras él iba al salón.

Como no quería que nadie supiera dónde estaba, en lugar de llamar desde el teléfono de casa, sacó la radio y dio la orden de que algún agente fuera al motel a recoger la maleta de Nikita y la dejara en su despacho. Iría a buscarla más tarde, cuando sólo estuviera el agente de guardia. Además, también tenía que encargarse del coche de alquiler.

Se le ocurrió algo, descolgó el teléfono de casa y llamó a su padre. Kelvin contestó después del primer tono.

—Ferretería.

—Papá, ¿te importa si dejo un coche en tu garaje durante unos días?

—Claro que no. ¿De quién es?

—Es de alquiler. No quiero que nadie lo vea.

—Puedo llevarme una lona cuando vaya a casa por si quieres cubrirlo, para quedarte más tranquilo.

—Es una buena idea. Gracias.

—¿Sobre qué hora vendrás?

—No sé, cuando haya anochecido. Ya te llamaré.

—Muy bien. Pues nos vemos luego.

«Otro problema solucionado», pensó Knox, eso siempre que pudiera mover el coche sin que nadie los siguiera. Conduciría él, porque, si podía evitarlo, nadie más vería a Nikita en el pueblo.

Ella salió del baño y Knox se fijó en lo cansada que se veía. Había sido un día horrible, para los dos, y todavía no había terminado.

—Vamos a tomarnos un poco de sopa —dijo él, cogiéndola del brazo y acompañándola hasta la cocina—. La sopa de pollo y fideos siempre hace que todo parezca mejor.

—En ese caso —dijo ella—, deberías abrir otra lata.

Capítulo 12

Nikita no tenía hambre, pero la sopa sentaba muy bien, y como el aire acondicionado de la casa estaba un poco demasiado frío para su gusto, agradeció doblemente el líquido caliente. Estaban sentados a la mesa de madera de la cocina, que estaba llena de marcas, tomando en silencio el caldo y los fideos, con unos trozos de pollo para justificar el nombre, en dos cuencos azules a juego. Knox ya casi había terminado cuando le sonó la radio.

Con una expresión de resignación, escuchó el código, luego se levantó, cogió el cuenco y la cuchara, se acercó hasta el fregadero, tiró dentro lo que quedaba de sopa, abrió el grifo y encendió la trituradora del desagüe.

—Tengo que irme —dijo, aunque era obvio—. Quédate aquí y no cojas el teléfono, a menos que te llame yo. —Garabateó su número en un papel y se lo dio—. Si en la pantalla del aparato aparece cualquier otro número, no respondas.

—Muy bien —dijo Nikita. La tecnología era muy parecida a la de su tiempo.

Knox se detuvo en su camino hacia la puerta y la miró.

—¿Estarás aquí cuando vuelva?

—Por supuesto —dijo ella, muy seria, ignorando el tono de resentimiento que Knox sentía al tener que hacerle esa pregunta—. Todavía tengo que cumplir una misión y necesito tu ayuda para hacerlo.

Él asintió y se giró, aunque volvió a detenerse.

—Mierda —dijo, entre dientes, y volvió hasta la cocina. Sorprendida, Nikita se preguntó si pretendía meterla en el maletero del coche o esposarla a la pata de la cama; dejó la cuchara, se echó el pelo hacia atrás y empezó a levantarse, dispuesta a defenderse.

En lugar de eso, Knox se inclinó, apoyó la mano izquierda en la mesa, la tomó por detrás de la cabeza con la mano derecha y la besó en la boca.

«Vaya —pensó ella, sorprendida. Y luego—. Oh.»

Fue un beso lento, muy lento y muy profundo. La lengua de Knox se introdujo en su boca como un viejo conocido, convencido de que sería bienvenido. Ella colocó la mano encima de la de él, en la mesa, y él giró la suya y entrelazó sus dedos.

De la garganta de Nikita surgió un lento y cálido gemido de placer, poco más que un suspiro. Por supuesto que se había fijado, y varias veces, en lo atractivo que era y, sin embargo, excepto por aquel desliz sonoro, creía que había conseguido mantener ese pensamiento sólo para ella. La personalidad tan discreta de Knox la había engañado acerca de su seguridad en sí mismo y su descaro, o bien llevaba escritos los pensamientos en la cara.

Nikita terminó el beso con la misma lentitud que él lo había prolongado, separándose de forma gradual. Él tenía los ojos entrecerrados y la miraba fijamente; ella también notaba pesados los párpados.

—¿Crees que un beso hará que me quede? —le preguntó, en voz baja.

Él chasqueó la lengua mientras se levantaba.

—No, pero quería comprobar a qué sabías, por si se te ocurría abrirte.

¿Abrirse? ¿Creía que iba a abrirse? No sabía si era una referencia realmente verde y desagradable, o si creía que no iba a sobrevivir a aquella misión, y el impacto de un láser hacía que pareciera que a la víctima la habían abierto en canal. En cualquier caso…

Knox se echó a reír.

—Si te vieras la cara…

—Sé que debo de tener los ojos fuera de órbita.

—Abrirse significa marcharse —le explicó, y todavía se reía mientras salía por la puerta.

Nikita se quedó en la mesa, preguntándose cuántas veces más no habría entendido el significado de expresiones de la jerga de este tiempo, y si Knox debía pensar que era una idiota. Luego, se rió para sí misma porque, ¿a quién le importaba? Él ya sabía por qué ella no conocía el significado de toda esa jerga. De alguna sí, pero no de toda. Seguro que se había estado riendo de ella todo el día.

No quería más sopa, así que se acercó al fregadero e hizo lo mismo que él: tiró la comida al desagüe, abrió el grifo y luego encendió un aparato que hacía un ruido horrible. Al cabo de unos segundos, el sonido cambió, fue menos escandaloso, así que lo apagó y cerró el grifo.

Seguro que Knox tenía una de esas máquinas automáticas para fregar los platos que eran tan habituales en este siglo, pero Nikita no quiso arriesgarse. Hasta que no viera cómo lo hacía él, no haría nada. En lugar de eso, abrió el armario que había debajo del fregadero y empezó a husmear hasta que encontró una botella con una etiqueta donde ponía «Detergente para fregar los platos» y los lavó a mano con un cepillo pequeño y de púas duras que parecía estar allí para eso. Después, encontró un trapo de cocina limpio, lo extendió encima del mármol y colocó encima los platos para que se secaran.

Una vez que hubo terminado con las tareas domésticas, decidió aprovechar la ausencia de Knox para estudiar la casa a fondo. Si él había pensado que sería tan educada como para dejar pasar la oportunidad de inspeccionar una casa de principios del siglo XXI, sus pensamientos estaban muy lejos de la realidad.

Nikita empezó por el cuarto pequeño que había en la parte trasera, donde dos máquinas blancas ocupaban todo el espacio. Creyó saber qué eran y, al leer las distintas opciones y programas, dedujo que estaba en lo cierto. La máquina con programas tipo «Lavado rápido» tenía que ser la lavadora, que se usaba para la limpieza en mojado. Por lo tanto, la otra máquina tenía que ser la secadora. Las abrió las dos y miró dentro. La lavadora estaba medio llena de calcetines y calzoncillos, secos, así que supuso que estaban sucios y cerró enseguida. La secadora estaba llena de toallas, y estaban secas, así que ya las habían lavado en mojado.

Sacó una toalla y la olió; desprendía un tenue y delicioso aroma a limón. Le llamó la atención la etiqueta, así que la leyó y la sorpresa fue cuando vio que la toalla era cien por cien de algodón. ¡Algodón! ¿Sabía Knox que aquellas cosas valían una fortuna? No, claro que no. Sólo los ricos, los muy muy ricos, podían permitirse la ropa de tejidos naturales. El algodón, la seda, la lana, el lino… eran más valiosos que los diamantes. En su tiempo, casi toda la ropa era sintética; al menos, toda su ropa lo era.

La toalla le recordó al aparato del baño del motel. Había conseguido descifrar cómo funcionaba y, aunque una parte de ella estaba escandalizada por la idea de lavarse con agua, había disfrutado de lo lindo de la cálida sensación del agua cayéndole encima. Knox tenía lo mismo en el baño y, después de un día con la misma ropa, y gran parte de él bajo el sol, necesitaba una ducha. Era una lástima que no tuviera su ropa limpia para cambiarse, pero ahora bastaría con lavarse y deshacerse del sudor y la suciedad.

Decidió ponerse en marcha, así que entró en el baño, cerró la puerta y se desnudó. Una de las ventajas de la ropa sintética era que, si te pillaba la lluvia, se secaba muy deprisa, en cuestión de minutos. Lavó la ropa interior y la camisa y las tendió para que se secaran, y luego entró en la ducha. Se habría lavado toda la ropa pero hacerlo a mano habría supuesto mucho trabajo. Sin embargo, si Knox no le traía la maleta con sus cosas, tendría que lavar toda la ropa antes de acostarse.

Se envolvió el pelo con una toalla para no mojárselo y después se colocó debajo del chorro de agua y suspiró de placer. Puede que su tiempo fuera mejor en términos de comodidades, pero este tiempo tenía algunas cosas mejores, entre ellas una ducha de agua caliente. Y las toallas de algodón eran otra ventaja. «¡Ah, y el papel!», pensó, casi salivando ante la idea de poder llevarse unas hojas de papel de vuelta a su tiempo… siempre que no la mataran, siempre que enviaran a un equipo de salvamento con un juego de vínculos nuevos para que pudiera volver y siempre que muchas otras cosas salieran a favor suyo.

Pensar en su casa empañó un poco su alegría por el baño. No podía permitirse pensar que no volvería. Tenía familia, amigos, un trabajo que le encantaba. Estaba muy unida a sus padres y a su hermana pequeña, Fair; su hermano pequeño, Connor, los había desconcertado a todos hacía dos años al anunciarles que abandonaba la vida de soltero y se casaba, y enseguida él y su mujer tuvieron un hijo regordete y adorable por el que Nikita enloquecía. No se imaginaba no volver a ver los hoyuelos de la cara de Jemi nunca más o no volver a escuchar su contagiosa risa. Tenía que volver a casa, o no podría soportarlo.

Limpia y oliendo a jabón con aroma a hierbas, cerró el grifo y se secó con la toalla con que se había envuelto el pelo. En el mueble había varias cosas, y las inspeccionó todas. Reconoció un cepillo de dientes y la pasta, aunque no tuvo mucho mérito porque en el tubo ponía «Dentífrico», y un maquinilla de afeitar. En su tiempo, los hombres todavía la usaban; era otra de esas cosas que seguían funcionando. En el futuro, en cambio, ya hacía casi un siglo que no utilizaban cepillos de dientes; había unas medicinas antivirales que eliminaban las caries en el mundo moderno, y los productos para la limpieza bucal destruían la capa de material que recubría los dientes y la disolvía.

Encontró una botella de crema hidratante, sin perfume, y se untó todo el cuerpo, y luego se vistió. La ropa interior y la camisa ya estaban secas, y la sensación fue muy agradable. Cómoda y relajada, siguió con la exploración de la casa.

En la sala principal, el salón, había un par de sillones muy cómodos y un sofá de piel muy grande, así como una pantalla de televisión mucho mayor que cualquier otra que

Nikita hubiera visto en este tiempo. La del motel, comparada con esta, era bastante pequeña. El suelo estaba cubierto por una moqueta que no parecía muy usada. Había un par de lámparas, varias mesitas y, al otro lado de la sala, una mesa con uno de esos ordenadores grandes y primitivos, así como otra pantalla. También había libros, todos en papel, y le tembló la mano de la emoción cuando cogió una y lo hojeó.

¿Sabía esta gente lo afortunados que eran por tener tantos libros impresos en papel? Una de las mayores tragedias de finales del siglo XX y principios del XXI fue que la mayor parte de la música, los libros y la cultura se había grabado en CD, y estos no habían soportado demasiado bien el paso del tiempo. Tan sólo dos generaciones después, los CD se habían deteriorado y se perdieron casi todos los datos. Algunos pudieron recrearse, claro; las canciones podían grabarse con la voz de otro cantante. Sin embargo, las versiones originales desaparecieron, jamás pudieron recuperarlas. Manuscritos, documentos de investigación… se había perdido tanto. El papel parecía muy frágil, pero todavía se conservaban fragmentos que tenían cientos de años, cosa que demostraba que, con cuidado, era una vía de información viable.

Encendió el ordenador y esperó unos eternos minutos mientras se cargaba y configuraba, hasta que al final fue operativo. Como de costumbre, Nikita dijo:

—Abrir programa de comunicación. —Se rió cuando no sucedió nada. Ahora existían algunos programas de reconocimiento de la voz, pero no eran demasiado habituales.

Se sentó frente a la pantalla y lo intentó con el sistema operativo manual, fascinada por aquella pequeña flecha que te decía en qué punto de la pantalla estabas. El conocimiento informático había dado un gran salto a finales del siglo XX, así como muchas otras ciencias que constituían su propio mundo del futuro.

Sin embargo, Nikita no quería juguetear demasiado con el ordenador porque tenía miedo de estropear, sin querer, algo del sistema. Clicó sobre varios iconos hasta que descubrió la manera de decirle al ordenador que se apagara.

Después, inspeccionó las habitaciones. La de él era mayor que la de ella, y la cama también. Estaba sin hacer, las almohadas una encima de la otra y la sábana y la manta arrugadas y echadas a un lado. Encima del tocador, había una fotografía de una chica muy bonita, y Nikita se acercó para verla mejor. Los ojos verdes de la chica parecían sonreír e invitaban a devolverle la sonrisa. No había más fotografías. En la mesilla junto a la cama había un teléfono, una lámpara, dos libros, una revista, un vaso con un poco de agua y un calcetín.

Había algo que, después de dos siglos, seguía igual: los hombres.

Una vez satisfecha su curiosidad, volvió al salón y encendió aquella inmensa pantalla de televisión. A juzgar por lo que había visto la noche anterior en el motel, podía aprender más de esta cultura viendo la televisión que estudiándola a conciencia durante más de diez años en su tiempo.

Se sentó en el sofá y no tardó demasiado en quedarse dormida.

La despertó el timbre del teléfono. Se levantó y corrió a la cocina a responder. Primero verificó el número que aparecía en la pantalla y vio que coincidía con el que Knox le había escrito en el papel. Apretó el botón que le pareció que le permitiría hablar con él y dijo:

—Hola.

—Así que todavía sigues ahí.

—Ya te he dicho que no me iría. —Bostezó y luego miró el reloj que llevaba en la muñeca. Era analógico, no digital, y estaba demasiado dormida para entender lo que decían todas aquellas agujitas—. Me he quedado dormida. ¿Qué hora es?

—Las seis y poco. Llegaré en quince o veinte minutos. ¿Quieres que traiga algo de cena?

Ella hizo una pausa, y luego dijo:

—¿Tienes que hacerlo?

—Si quieres cenar, sí. No tengo mucha comida en casa.

Nikita no tenía mucha hambre después de la sopa de la tarde, pero recordaba lo buena que había estado la comida y dijo:

—¿Podríamos comernos otra hamburguesa?

Él chasqueó la lengua.

—¿Te ha gustado, eh?

—Sí. Deben de ser malísimas para la salud, pero estaban buenas.

—Todo lo que está bueno es malo para la salud. Es una norma.

Eso tampoco había cambiado. Siempre que se inventaba algo que estaba realmente bueno, al cabo de un año aparecía una corriente crítica que denunciaba lo poco saludable que era dicho producto. Ni siquiera las frutas y verduras escapaban de las críticas de los alarmistas.

—Una hamburguesa —dijo ella, con decisión—. Y patatas fritas.

—Así es como se vive. Entonces llegaré en unos cuarenta minutos, dependiendo de lo que tarde en comprar las hamburguesas. ¿Ha llamado alguien?

—No, todo ha estado muy tranquilo.

—Perfecto. Espero que siga así.

Mientras esperaba que Knox llegara, Nikita se lavó la cara con agua fría y se peinó. Se había despertado de la siesta con las energías renovadas y sentía que, si era necesario, podría estar despierta doce horas seguidas.

Resultó que Knox había calculado el tiempo con precisión, puesto que aparcó el coche delante de su casa treinta y nueve minutos después de haberla llamado. Ella lo esperó en la cocina, consciente de la cálida sensación de placer que la envolvía mientras esperaba que se abriera la puerta y lo viera por primera vez después del inesperado beso.

Knox entró con el maletín y unas bolsas de papel blanco que desprendían un olor delicioso. Llevaba la chaqueta colgada en un brazo y la pistola guardada en el arnés del hombro. Con los vaqueros y las botas, parecía que salía de algún siglo todavía anterior, donde los caballos seguían siendo el principal medio de transporte. Tenía la mandíbula oscurecida por la incipiente barba y el pelo le caía sobre la frente, pero no parecía cansado. Todo lo contrario. Los ojos azules estaban despiertos y alerta y se movió sin ningún síntoma de fatiga.

—¿Qué más has hecho, aparte de dormir la siesta? —le preguntó él mientras sacaba dos bebidas de una de las bolsas de papel y dejaba una en frente de Nikita.

—Me he duchado y he inspeccionado tu casa.

—¿Has sabido hacerlo funcionar todo?

—Creo que sí. Al menos, no he roto nada. —Se sentó en la misma silla que por la tarde y Knox dejó una hamburguesa y un cucurucho de papel lleno de patatas fritas delante de ella. Nikita empezó a desenvolver la hamburguesa con una gula controlada, pero los buenos modales la obligaron a esperarse a que él también estuviera sentado y listo para comer antes de hincarle el diente a aquella deliciosa hamburguesa.

Comieron en silencio, mojando las patatas fritas en ketchup. Al pensar en las calorías que se había zampado ese día, Nikita calculó que tendría que correr quince kilómetros para quemarlas.

—Cuando oscurezca, nos llevaremos tu coche de alquiler —dijo él, al final.

—¿Es seguro para tu padre guardarlo en su casa?

—Nadie sabrá que está ahí. Nadie sabrá dónde estás. Te he comprado algunas cosas, un poco de ropa que hará que pases más desapercibida, algo para taparte el pelo, gafas de sol.

Todo eso ayudaría. Eran medidas básicas, aunque durante su entrenamiento, a los agentes les enseñaban que la gente no suele prestar atención a aquellos que les rodean, así que estaría bastante a salvo. Tenía la suerte que nadie, aparte de Knox, la conocía. No obstante, era una ciudad pequeña y seguro que los vecinos de Knox se darían cuenta que había una mujer extraña entrando y saliendo de su casa.

Sin embargo, había venido preparada para la eventualidad de tener que cambiar de aspecto. En la maleta, había algunos productos de su tiempo perfectos para ese objetivo.

—¿Cómo quedaría de rubia y con los ojos azules? —le preguntó, sonriendo.

Capítulo 13

Media hora después, Nikita salió del baño y giró sobre sí misma delante de Knox.

—¿Qué te parece?

Aunque él estaba mirando las noticias en la televisión, lentamente, se levantó y la miró.

—Caramba —dijo, con una voz más grave de lo habitual mientras la miraba con intensidad—. Me gusta. Me gustas más morena, pero este color está bien. Muy bien. ¿Cómo has conseguido cambiarlo tan deprisa?

Como si nada ella respondió:

—Es un producto de polímero que cubre el pelo con otro color; si el pelo se moja, no se va, pero con champú, sí. No hay que decolorar ni teñir el pelo. —Hizo una pausa—. ¿Caramba? —Creía que significaba algo bueno, sobre todo teniendo en cuenta el cambio de tono en la voz. Notó cómo se sonrojaba ante la forma cómo Knox la miraba.

—Significa «guau».

Nikita respiró inquieta. La explicación no le había servido de nada.

—¿Y eso significa…?

—Significa que estás deliciosa.

Esa palabra sí que la conocía, pero normalmente se aplicaba a los sabores. Obviamente, la jerga popular en este tiempo le había dado otro significado, a menos que... «Oh». Ahora notó que las mejillas le ardían y retrocedió un poco, porque no sabía qué hacer. No era tan inocente, ya había pasado por aquello antes, pero había sido en su tiempo. Liarse con Knox no alcanzaría el mismo nivel de estupidez que liarse con un sospechoso, algo que bastaría para que la despidieran, incluso para que la acusaran inmediatamente ante un juez. En muchos sentidos, Knox era como un compañero de trabajo, y aunque la Agencia sabía que la confraternización se produciría, la política oficial seguía considerando que no era una buena idea.

¿Hasta qué punto era ético intimar sexualmente con alguien sabiendo, desde el principio, que aquello tenía una fecha de caducidad obligatoria? Eso, si todo salía bien, si el equipo de salvamento y rescate le traía un juego de vínculos nuevo, no la mataban en acto de servicio y todas las demás posibilidades. Los profesores de ética habían sido muy claros: teniendo en cuenta la naturaleza humana, el contacto sexual con personas de otros tiempos era inevitable. Sin embargo, y por paradójico que pudiera parecer, el sexo esporádico era quizá más ético que establecer un vínculo emocional con alguien de otro tiempo cuando sabías que tendrías que transitar otra vez al futuro.

Nikita no creía haber tenido ni un solo pensamiento esporádico respecto a Knox Davis desde que lo había conocido.

Él se le acercó y le rodeó la cintura con una mano; Nikita notaba, incluso a través de la ropa, el calor que desprendía esa mano.

—Ya he pensado en todas las consecuencias —dijo él, con el mismo tono grave de antes que excitaba a Nikita casi como un afrodisíaco—. Sé que si todo sale bien te marcharás. Sé que voy a hacer todo lo que esté en mi mano para quitarte la ropa, pero si no quieres, sólo tienes que decirlo.

En ese instante, como si se hubiera dado de bruces contra una pared, Nikita se dio cuenta que, mientras que ella era incapaz de sentir nada esporádico por él, él podía fácilmente sentirlo hacia ella. Los profesores de ética no habían planteado esa cuestión y sólo se centraron en cualquier acción injusta por parte de los agentes.

Y así estaban las cosas: ella preocupada por tener un comportamiento ético y él preocupado por llevársela a la cama. «¡Hombres!»

Había una frase maravillosa que había sobrevivido el paso del tiempo; disfrutó mucho lanzándole una evasiva sonrisa y diciendo:

—Ya te lo haré saber.

Él echó la cabeza hacia atrás y se rió, agarrándola todavía más fuerte por la cintura.

—Eso espero —dijo, divertido.

Y entonces volvió a besarla, y fue igual que antes, un beso lento y de una intimidad devastadora. Esta vez, en cambio, los dos estaban de pie. Para ella, acercarse a él, rodearle el cuello con los brazos y ponerse de puntillas para que sus cuerpos encajaran mejor fue lo más natural del mundo. Sintió cómo el cuerpo de Knox se estremeció y, de repente, el beso se convirtió en algo hambriento y exigente, apasionado con insistencia.

El aroma y el sabor de Knox la recorrieron de arriba abajo y despertaron todos sus instintos y hormonas. Knox tenía el pene erecto, y lo clavaba en la parte baja del abdomen de

Nikita incluso antes de deslizar las manos hasta sus nalgas y acercarla todavía más a él. Luchando por concentrarse en cualquier otra cosa que no fuera el placer que encendía todas sus partes neutrales, pensó que sería muy fácil irse a la cama con él. Había algo en ese encanto tranquilo de Knox que resultaba letal para sus buenas intenciones.

Nikita batalló por recuperar el sentido común y el control de sí misma, consiguió separar sus labios y suspiró:

—¿No tendríamos que irnos?

—Todavía no. Aún no ha anochecido del todo.

—¿Del todo? ¿Acaso puede anochecer por partes?

—No, me refiero que todavía hay luz del sol. —Le dio un rápido beso en la comisura de los labios y le lamió levemente el labio inferior.

Con decisión, Nikita apoyó las manos en el pecho de Knox. No tuvo ni que empujarlo; ese simple gesto hizo que él suspirara arrepentido y retrocediera.

Ella respiró hondo varias veces, para calmarse, y bajó los talones al suelo.

—Lo siento. Ha sido poco profesional por mi parte.

—No dejas de repetir lo mismo.

—Es que lo ha sido.

—De acuerdo. Pero tú lo sientes y yo no. Demonios, después de todo lo que hemos hecho hoy, unos momentos de poca profesionalidad son como una bocanada de aire fresco.

Y eso significaba que, al menos, ahora no se veía obligado a saltarse la ley ni a traicionar el pilar central de su vida, así que, ¿por qué no podían tener un poco de sexo? Aquella idea le dio a Nikita la fuerza que necesitaba para poner más distancia entre ellos; quería irse a la cama con él por muchas razones, pero ser su premio de consolación no era una de ellas.

—Para que sepas cuál es mi posición —le dijo—, obviamente me pareces muy atractivo. Pero no voy a quedarme mucho tiempo aquí, así que cualquier relación que pueda establecer será, por definición, esporádica. Jamás en mi vida he tenido sexo esporádico, y no veo ningún motivo para empezar ahora.

Él silbó entre dientes.

—Vaya, eso sí que me pone en mi lugar, ¿eh?

Ahora se sentía un poco culpable.

—No pretendo insultarte, es que…

—Shhh. —Él le acarició la barbilla con un dedo—. No tienes que disculparte ni inventarte excusas. Si el momento en el tiempo fuera el adecuado, y disculpa el juego de palabras, creo que podríamos tener algo sólido.

Y lo más triste es que era cierto; ella también lo creía. Su carrera le robaba tanto tiempo que estaba demasiado ocupada para dedicarse a buscar al Señor. Perfecto, o incluso al Señor Posiblemente Perfecto. Y ahora que había encontrado a un Señor Posiblemente Perfecto que puede que fuera el suyo, no podía quedarse.

Por muy fascinada que estuviera con este tiempo, con toda la energía que desprendía y la explosión de ideas y tecnología, prefería el suyo. Algunos viajeros querían escoger un tiempo interesante de la historia y quedarse, pero ella jamás había entendido cómo podían alejarse de sus familias y amigos, de todo lo que conocían. Aunque claro, también podía ser que no tuvieran amigos y que la familia fuera el motivo por el que quisieran marcharse, lo que era todavía más triste.

Como si le hubiera leído la mente, Knox dijo:

—Pero si te quedaras…

—No puedo.

—¿No puedes o no quieres?

—¿No volver a ver mi familia? —preguntó en voz baja—. ¿Tú podrías?

—Sólo tengo a mi padre y a mi madrastra pero… no. No podría marcharme voluntariamente y no volver a verlos. —Alargó la mano y jugueteó con un mechón de su recién teñido pelo rubio—. ¿Te espera alguien más, aparte de tu familia?

—¿Te refieres a un novio? No. Tengo amigos y amigas, pero no hay ninguno que me interese en el aspecto romántico. —Como parecía el momento perfecto de las preguntas y las respuestas, arqueó las cejas y preguntó—: ¿Y tú?

—Ahora no.

Y eso significaba que sí que había habido alguien, aunque después de ver la fotografía en su habitación, ya se lo esperaba.

—He estado echando un vistazo a tu habitación. —Bueno, más bien había estado husmeando, pero no se avergonzaba de ello. Seguro que él sabía que ella querría verlo todo—. ¿La mujer de la foto?

Nikita casi pudo percibir cómo Knox se cerraba, cómo su mirada se volvía introspectiva, pero hacia sus recuerdos, y sin rabia.

—Rebecca. Era mi prometida. Murió hace siete años.

La lástima hizo que Nikita le acariciara la mano.

—Lo siento mucho. Sí, ya sé que lo digo muy a menudo, pero ahora es distinto. ¿Ha habido alguien más desde entonces?

—Sólo algunas de estas relaciones esporádicas que tanto detestas, pero nada serio.

Siete años y todavía era emocionalmente fiel a su prometida, pensó Nikita. Era un hombre inquebrantable.

—Debías de quererla mucho. Se sentiría honrada.

Knox volvió a mirarla a los ojos.

—Es un comentario curioso y… muy dulce. Gracias. Sí, la quería, y el dolor fue casi insoportable. Pero, con el tiempo, va desapareciendo y el cliché de que la vida sigue es totalmente cierto. —Desvió la mirada y la dirigió hacia la ventana—. Cambiando de tema, cuando te hayas cambiado ya habrá oscurecido lo bastante como para marcharnos.

Y hasta aquí había llegado la conversación sobre su vida personal, pensó Nikita mientras cogía las bolsas y se las llevaba a su habitación. Sin embargo, no le importó zanjar un tema que todavía le hacía daño. O quizá, como era un hombre, creía que ya habían llegado al fondo del asunto y que ya no había nada más de qué hablar.

Aquello la hizo sonreír y se concentró en seguir cambiando todavía más su aspecto.

Con la única iluminación de la luz del pasillo, cerró las cortinas de las dos ventanas, luego encendió la luz y cerró la puerta. Abrió las bolsas y sacó una gorra de béisbol, dos pares de vaqueros, dos camisetas, un par de zapatillas deportivas y varios pares de calcetines. Sólo para asegurarse, miró las etiquetas de los fabricantes de la ropa nueva, y se estremeció de la emoción. Prelavado, suavizado, lavado en lejía… sí, sí, sí. Como sospechaba, eran de algodón. Jamás en su vida había podido permitirse ni una camiseta de ese tejido.

Ansiosa, se desnudó hasta quedarse en ropa interior. Los dos pares de vaqueros eran idénticos, así que cogió los que estaban encima, arrancó las etiquetas y se los puso. La cintura le iba un poco ancha, pero el largo era perfecto, y le encantaba el tacto del suave tejido en las piernas. Los notaba sólidos, sin llegar a ser rígidos, y eran muy cómodos.

Los fabricantes podrían utilizar esa frase, pensó encantada. «La comodidad del algodón.»

Escogió la camiseta rosa en lugar de la verde, y se la metió por dentro de los vaqueros. Se miró en el espejo de la habitación y exclamó un grito de emoción. Parecía… ¡Parecía tan del siglo XXI!

Incluso a la gente que la había visto esa mañana le costaría reconocerla, con el cambio de ropa y de color de pelo. Había escogido un tono dorado que le quedaba muy bien con su color de piel. También llevaba en el bolso lentillas de color azul, pero, como iban a salir por la noche, no creyó que fuera a necesitarlas. Además, de día, las gafas que Knox le había comprado le esconderían los ojos.

Se puso la gorra y se miró en el espejo. Su madre y su hermana la reconocerían, claro, pero su padre y su hermano seguramente pasarían a su lado sin darse cuenta que era ella.

Se puso los calcetines y las zapatillas deportivas, volvió al salón y, por segunda vez, esperó a que él la inspeccionara.

—¿Y bien?

Él asintió satisfecho.

—Nadie te reconocerá. Quítate la gorra y hazte una coleta.

Muy obediente, Nikita empezó a recogerse el pelo hacia atrás. No lo llevaba muy largo, no le llegaba a los hombros, así que le quedó una coleta muy corta. Knox fue a la cocina y volvió con una especie de alambre envuelto en plástico que le dio para que se recogiera el pelo. Ella se volvió a poner la gorra y sacó la coleta por el agujero posterior, aunque tuvo que asegurarse que aquel alambre no fuera a soltarse.

—¿Qué es esto?

—Es el cierre de una bolsa de basura. Hoy no tengo ningún coletero, así que eso tendrá que bastar.

Nikita ignoró el tono seco y dijo:

—Necesito otra camisa, o una chaqueta, para esconder el arma. —Hizo una pausa al tiempo que sobre su mente se posaba una terrible sospecha. Lo miró con los ojos entrecerrados—. Me la devolverás, ¿no?

Él se encogió de hombros y dibujó un gesto muy parecido a una sonrisa.

—¿Para qué la quieres? Tienes ese láser y puede hacer el mismo daño, o más, que una nueve milímetros.

—Sí, es cierto, y si tengo que usarlo, no lo dudaré. Pero si puedo evitar llamar la atención con él, ¿no crees que sería lo más inteligente?

—Evitar llamar la atención siempre es lo mejor que se puede hacer. Si te ven con un arma, automáticamente creerán que eres una agente de la ley, cosa que no queremos. —Hizo una pausa—. Tu arma está en el coche. Llévala en el bolso, no en el cinturón. Además, aquí en las montañas refresca un poco por la noche, así que vas a necesitar algo más que una camiseta. Vuelvo enseguida.

Fue a su habitación y volvió con una vieja camisa vaquera.

—Póntela.

Era suya, claro, y la hacía parecer deliciosamente pequeña, a pesar de ser más alta que la mayoría de mujeres. Dobló
las mangas hasta los codos y se dejó la camisa abierta y por
fuera de los vaqueros.

—Estoy lista, a menos que se te ocurra otra cosa.

—Sólo una —dijo él, y la besó otra vez.

Capítulo 14

Knox miró a Nikita, que estaba en el asiento del copiloto con la cabeza pegada a las rodillas, para que nadie la viera salir de su casa. Algún día alguien la vería, claro, pero Knox no quería que apareciera justo después de su desaparición como agente del FBI. A quien le preguntara, le diría que la agente Stover no había encontrado ninguna relación entre el asesinato de Taylor Allen y los demás asesinatos que estaba investigando y que se había marchado. Era una agente federal; los policías locales no podían esperar que hiciera las cosas como las harían ellos. Sólo tenían que pasar uno o dos días entre la desaparición de una y la aparición de la otra y casi nadie vería ninguna conexión entre ellas.

Había algo en ella que lo molestaba, y no era sólo el hecho de que viniera del futuro, de casi doscientos años después que él. Lo que le molestaba es que era una persona terriblemente tranquila respecto a casi todo y también virtualmente sin emociones. La única vez que la había visto reaccionar de una forma alterada había sido cuando había matado al otro agente del futuro, a Luttrell. Durante un minuto, se temió que fuera a vomitarlo todo allí mismo. Después, había recuperado la calma y había actuado casi con una serenidad robótica.

«Robótica.»

De repente, empezó a dolerle la cabeza, como si todos los pelos tirasen hacia fuera. «Imposible.» Lo que estaba pensando era imposible. Era como una mujer de verdad; olía como una mujer de verdad. Tenía la piel cálida, respiraba… o parecía que respiraba, al menos. Sintió tentaciones de ponerle un dedo debajo de la nariz para comprobar si expulsaba aire cálido.

Se había comido dos hamburguesas, patatas fritas, sopa. ¿Los robots comían? Además, ¿para qué iba alguien a inventar un robot que comiera? Era una manera de desperdiciar tecnología… y comida, claro.

Todo dependía de para qué se utilizara el robot, pensó. Si, por alguna razón, tenían que infiltrar un robot en un grupo o en un ejército y tenía que parecer humano, tendría que comer como todo el mundo.

Pero besaba como una mujer, con los labios suaves y cálidos, y la boca húmeda. Justo cuando aquella idea lo había tranquilizado un poco, se acordó de la película *Blade Runner* y los replicantes. Parecían a todas luces humanos, pero resulta que eran máquinas que estaban programadas para «morir» a una determinada edad. ¿Existía esa tecnología en su tiempo? ¿Era posible que hubieran avanzado tanto en tan poco tiempo?

El sentido común le hizo preguntarse: «¿Por qué no?» Al fin y al cabo, la misión espacial había pasado de la nada a aterrizar en la Luna en treinta años. Los últimos cincuenta años del siglo XX habían sido testigo de una explosión tecnológica tal que se producía un nuevo cambio antes de que el anterior hubiera sido asumido en su totalidad. Puede que en su tiempo se hubiera producido otra explosión de creatividad e ingenio y hubieran inventado sabe Dios qué aparatos.

En dos siglos, el hombre había desarrollado la técnica para viajar en el tiempo. Seguro que eso era más difícil que construir un robot con aspecto humano y que funcionara como un humano.

Intentó pensar en algún motivo por el que no pudiera ser un robot. Se había sonrojado; recordaba haber visto cómo sus mejillas se volvían rosadas. Para sonrojarse, una persona tenía que sentir vergüenza. ¿Era posible programar las emociones? ¿O era más cuestión de programar determinadas reacciones físicas ante determinadas situaciones?

Aparte de cuando había matado a Luttrell, no había mostrado ninguna emoción. Había estado ligeramente exasperada, ligeramente divertida, ligeramente enfadada. Teniendo en cuenta el día que habían tenido, aquella serenidad de temperamento podía ser tranquilizadora o aterradora, y Knox no estaba seguro por qué opción decantarse.

No podía creerse que realmente se estuviera preguntando si había estado intentando hacerle el amor a una máquina.

Para Knox, preguntarse algo significaba hacer preguntas en voz alta, porque no podía soportar la incertidumbre.

—¿Qué eres?

—¿Qué? —preguntó ella desde su posición, girando la cabeza para poder mirarlo. Tenía el ceño fruncido, asombrada, pero a él le dio la impresión que mostraba una actitud de cautela—. ¿Vas a volver a empezar con lo mismo? Soy una agente del FBI.

—No me refería a eso. Quiero decir, ¿eres humana?

Para su sorpresa y mayor alerta, ella no se echó a reír ni se mostró sorprendida ni hizo nada que pudiera tranquilizarlo. En lugar de eso, hizo una breve pausa y, con un tono bastante comedido, preguntó:

—¿Por qué lo dices?

—Por cómo te comportas. Nadie puede estar siempre tan sereno. Es como si tuvieras una especie de línea conductual y jamás te salieras de los límites marcados. Te molestas por algo, pero no te enfadas. Te diviertes, pero no te ríes con ganas. Te excitas, pero no hasta el punto en que se te altere la respiración. ¿Alguna vez se te acelera el corazón o eres una especie de robot?

Otra vez se produjo otra incómoda pausa, y luego Nikita, con un tono neutro, dijo:

—¿Cuándo dices robot, quieres decir en sentido figurado o literal?

—Dímelo tú.

—Soy humana —respondió, con el mismo tono—. Así que ya tienes la respuesta para la pregunta literal.

—¿Y la figurada?

—Dímelo tú. —Hábilmente, le devolvió sus mismas palabras.

Era una trampa a sus pies y Knox se dio cuenta que, si era total y completamente humana, había metido la pata hasta el cuello al decirle que sus respuestas sexuales eran propias de un robot. Incluso a la mujer más serena del mundo le sentaría fatal aquella comparación. Algunas mujeres, cuando se enfadaban, dejaban que todo el mundo se enterara. Otras se lo guardaban todo para ellas. Y esas eran las que más miedo le daban.

Cuando Knox se quedó en silencio, ella se sentó en el asiento y miró al frente.

—Lo siento —dijo ella, al final—. No me había dado cuenta que mi actitud estaba siendo inapropiada.

Knox esperaba rabia y, en cambio, lo que percibió fue miedo. Y aquello fue lo que más lo alarmó.

Nikita se sentía extrañamente inmovilizada. Era obvio que había hecho algo mal, pero ¿qué? Intentó pensar en lo que debería decir, en lo que debería hacer, cuál sería la reacción normal, pero a juzgar por lo que Knox acababa de decirle, estaba claro que no tenía ni idea de lo que era «normal». Cuando la distancia temporal era tanta, con mucha información corrompida o perdida, los profesores y el entrenamiento sólo te podían preparar hasta cierto punto. Había matices que se le escapaban, sutilezas que no entendía. En su trabajo, *lapsus* como aquellos podían hacer que acabara muerta.

Sin embargo, ¿qué tenía de malo que a él le pareciera que le faltaba algo? Había hecho alguna cosa que lo había repelido, pero no sabía el qué. Besarla le había gustado mucho; estaba segura de que no se equivocaba al juzgar su reacción física. Entonces, ¿qué había hecho en los quince minutos posteriores al beso?

La sensación de inmovilidad desapareció y su lugar lo ocupó una dolorosa vergüenza. Siempre se había esforzado al máximo para ser como debía ser, para no dejar que las diferencias fueran visibles, para encajar; en su tiempo, su situación legal era, como mínimo, delicada, así que siempre había intentado no romper aquel frágil equilibrio. Algunos de los suyos se habían mostrado rebeldes, pero ella se había pasado la vida intentando complacer a las autoridades. A los rebeldes no los habían eliminado, pero los habían encerrado y siempre quedó implícito que, cuando se resolvieran todos los asuntos legales relativos a ellos, si la decisión les era desfavorable, los eliminarían.

Y si eliminaban a los rebeldes, ¿cuánto tardaría la opinión pública en pedir que los eliminaran a todos?

Quería preguntar qué había hecho mal, pero se había pasado la vida intentando pasar desapercibida, no le había hablado de su situación ni siquiera a sus mejores amigos; la tendencia al secretismo era tan fuerte, y había crecido tanto con el paso de los años, que le resultó imposible hablar de ello con Knox. Él pensaba que podría ser un robot; era mejor no confirmar sus sospechas.

Se quedó sentada en silencio y con el cuerpo rígido hasta que llegaron a los juzgados. Knox volvió a aparcar en la zona protegida, por donde entraban y salían los prisioneros más conflictivos, lejos de los transeúntes.

—Dame las llaves de tu coche —le dijo, y ella se las dio sin rechistar—. No tendrás ningún problema para conducir este coche, ¿verdad? —le preguntó, y ella se concentró en los mandos.

—No lo creo —dijo, después de echar una ojeada general—. Todo lo importante está en el mismo sitio.

—Quédate aquí cinco minutos. Para entonces, ya me habré marchado con el coche de alquiler. Sal por donde hemos entrado y gira a la izquierda. Tres calles más abajo, hay una pequeña tienda de alimentación en la esquina de la derecha. Te esperaré allí.

Obviamente, él tomaría una ruta distinta, para comprobar si alguien estaba siguiendo al coche de alquiler, aunque, si era así, cualquiera que lo estuviera vigilando vería que ahora lo conducía un hombre, y no una mujer. En tal caso, seguro que esa tercera persona supondría que se lo llevaba a ella. Fuera como fuera, seguiría al coche. Knox pensó que cinco minutos bastarían para eludir a cualquier perseguidor.

Salió del coche y Nikita se deslizó hasta el asiento del conductor. Lo primero que hizo fue deslizar el asiento hacia delante, para que pudiera llegar a los pedales.

—Si, por cualquier cosa, no estoy allí esperándote, no te asustes —le dijo Knox—. Quédate en el coche. Tarde o temprano, llegaré. Y otra cosa: cuando lleguemos a casa de mi padre, no salgas del coche. Es de noche y no te verá; creerá que eres una agente local.

Y luego se marchó y cruzó el edificio de los juzgados. Saldría por la puerta que estaba más cerca del aparcamiento, caminando tranquilamente, como si no tuviera nada que ocultar.

Nikita giró el coche, para quedar de cara hacia la salida y miró el reloj digital del salpicadero. Parecía que los minutos pasaban tan despacio que empezó a contar los segundos para sí misma, intentando ir al mismo ritmo que el reloj. El tiempo era algo muy extraño, repitiendo una y otra vez la misma secuencia numérica, no cambiaba nunca y, sin embargo, la calidad del tiempo era tema central de intensas discusiones e investigaciones filosóficas y científicas. No era sólo un método artificial que la gente utilizaba para medir sus vidas; era una dimensión en sí mismo, tan real como la tierra que pisaban. Sin embargo, por muy complicado que fuera el tiempo, pensar en eso era más sencillo que pensar en ella misma.

Al final, los números indicaron que habían pasado cinco minutos. Se puso el cinturón, inspeccionó una vez más todos los mandos y luego, con mucho cuidado, bajó la palanca y apretó el pedal que alimentaba el motor con gasolina. El coche se movió hacia delante con suavidad.

No se dejó llevar por las prisas. En el aparcamiento no había tráfico, ni motorizado ni peatonal. Había una cantidad sorprendente de vehículos aparcados, pero no vio literalmente a nadie detrás de ella hasta que llegó a la tienda.

En cuanto entró en el aparcamiento de la tienda, vio a Knox dentro del coche de alquiler. Él asintió con un movimiento breve, salió del aparcamiento y ella lo siguió.

Pekesville no era una ciudad demasiado grande, pero se expandía por los valles entre las montañas, aprovechando todos los accidentes geográficos accesibles, como el agua de un lago. Era una ciudad alargada y estrecha, con tan sólo dos calles principales y una multitud de calles secundarias que parecían una tela de araña. Eso significaba que había un semáforo en cada esquina, cosa que ralentizaba su ritmo, con lo que tardaron quince minutos en recorrer poco más de seis kilómetros. Sin embargo, cuando salieron del núcleo urbano ya fueron más deprisa. Las luces de la ciudad se difuminaban a sus espaldas y lo único que iluminaba la carretera eran los faros de sus coches.

Nikita estaba totalmente concentrada en la conducción; mantenía una velocidad estable, no se acercaba demasiado a Knox, pero tampoco dejaba que se alejara lo suficiente como para perderlo de vista. Así había vivido toda su vida: segura, dentro de determinados límites, buscando la expresión en otras cosas, como su trabajo, donde no sólo podía arriesgar la vida, sino que, en determinadas circunstancias, se esperaba que lo hiciera.

No es que «quisiera» arriesgar su vida, pensó, preocupada. Sencillamente quería tener la libertad de poder cometer errores, de poder gritar en público, de poder perder los nervios sin que la gente se preguntara si se había descontrolado a causa de algún cortocircuito. Quería hacer cosas estúpidas simplemente porque le apeteciera. No quería vivir con miedo de lo que podría pasar si incomodaba a alguien.

Que la eliminaran quizá sería mejor que seguir viviendo así. Quizá los rebeldes tenían razón; era mejor vivir una vida corta y real que una vida en la cárcel que uno mismo se había creado.

Cuando Knox giró por una carretera secundaria, Nikita ya estaba tan alterada que apenas podía respirar, como si el aire fuera demasiado denso para llenarle los pulmones. Se estaba ahogando, se había estado ahogando toda su vida, y se acababa de dar cuenta.

«¿Eres un robot?»

«Sí, claro que sí. Gracias por sacar el tema.»

Levantó la vista y se vio casi encima del coche de Knox, así que frenó en seco, temblando.

Él había reducido la velocidad, pero ella no se había dado cuenta y había estado a punto de chocar con él. Maldito fuera, ¿por qué le había dicho eso? Y ¿por qué tenía que ser tan observador y curioso con todo?

Knox redujo todavía más la velocidad, giró a la izquierda por un camino que ascendía por una pequeña colina, donde había una casa de una sola planta en medio de las sombras de unos enormes árboles. Había varias luces encendidas. Knox no se detuvo en la puerta, sino que sólo tocó el claxon una vez cuando pasaron por delante. Detrás de la casa había una valla y, a un lado, estaba el granero. Knox se dirigió directamente hacia allí. Nikita frenó el coche, puso el freno de mano y dejó las luces encendidas, para iluminar el granero.

Por la derecha, se les acercó un hombre y, por su aspecto, supo que era el padre de Knox. Ambos compartían esa complexión alta, ancha de espaldas y ligeramente desgarbada; incluso las cabezas tenían la misma forma. Encendió una luz en el granero, una simple bombilla que colgaba del techo. Knox y él taparon el coche de alquiler con una lona que cubrió incluso las ruedas; luego, apagó la luz y, entre los dos, cerraron las puertas dobles. El padre de Knox puso una cadena alrededor de los pomos y unió los dos extremos con un candado.

El señor Davis la miró y, a pesar que Nikita sabía que no podía verla con los faros del coche deslumbrándolo, sintió la curiosidad del hombre. Se dejó llevar por un impulso, apagó el motor, y luego buscó a tientas la posición de la palanca que apagaba las luces. Salió del coche, con cuidado de no tropezarse con nada en la oscuridad, y se acercó a los dos hombres.

No necesitaba ver la cara de Knox para saber que no le gustaría que su padre la conociera, pero, en algún momento durante la última media hora, había dejado de preocuparle lo que podía o no gustarle a Knox.

—Vaya, hola —dijo el señor Davis—. Creí que el coche de Knox lo conducía un agente.

—Se suponía que tenías que quedarte en el coche —le dijo Knox, muy frío.

—No, me has dicho que me quedara en el coche —lo corrigió Nikita con la misma frialdad—. Y también me has dicho que era un robot porque no he querido acostarme contigo. Por lo tanto, ¿por qué tendría que hacer caso de lo que dices?

Knox emitió un sonido ahogado, igual que su padre. Nikita no podía creerse lo que acababa de decir delante del padre de Knox, pero no le importaba. Nada ni nadie le había hecho tanto daño como Knox Davis, y eso que no pretendía hacerle daño. Ni siquiera era culpa suya; era imposible que supiera que aquellas palabras harían que Nikita se diera de bruces contra una realidad y le afectaran de aquella manera. Se giró hacia el señor Davis y le ofreció la mano.

—Hola, me llamo Nikita Stover.

El padre de Knox le dio la mano.

—Kelvin Davis. Es un placer conocerla. —Parecía distraído, un tono que enseguida desapareció cuando se giró hacia su hijo—. ¡Knox!

—Yo no... Bueno, te pregunté si eras un robot —le dijo Knox—, pero no fue por...

—¿Cómo has podido decirle algo así? —Preguntó su padre.

—Ha sido por un cúmulo de circunstancias —dijo él, dando por zanjado el tema.

—Ah, sí. Ya me acuerdo. No me enfado. No me río. Y, por supuesto, no me excito. Tienes toda la razón en dos de tres, que no está mal, supongo, pero ¡adivina en cuál te equivocas!

El señor Davis se pasó la mano por el pelo y pasó el peso del cuerpo de una pierna a otra, incómodo. Estaba claro que deseaba no estar en medio de aquello.

—Eh… ¿Salís juntos o algo así?

—No —dijo Nikita.

—Y entonces, ¿cómo iba a saber él…? —El pobre hombre se detuvo allí.

Dejándose arrastrar por la marea de la rabia desesperada, Nikita terminó la frase por él.

—¿Cómo iba a saber si me excito o no?

—Nikita, basta —dijo Knox.

—¡No me digas que me calle! —Se giró para mirarlo a la cara—.Me lo han dicho toda la vida, siempre he tenido miedo de hacer esto o lo otro, miedo de que alguien pensara que molestaba demasiado. —Para su horror, se le quebró la voz y se le llenaron los ojos de lágrimas—. No lloro —dijo, con furia—. Tengo miedo hasta de llorar.

—Ya lo veo —respondió él, ahora más suave—. No tienes que llorar. Si estás enfadada conmigo, pégame. Venga, cierra el puño y desahógate conmigo.

—¡Knox! —protestó el señor Davis.

—No seas condescendiente conmigo —dijo ella, conteniendo la creciente rabia, aunque ya tenía los puños apretados.

—Si vas a sentirte mejor, pégame.

Por supuesto que se sentiría muchísimo mejor, así que lo hizo sin dudarlo. No era consciente de lo que le estaba pidiendo. Nikita no telegrafió el golpe; tensó los músculos del brazo y la espalda como le habían enseñado y lanzó el brazo recto desde el hombro en un movimiento muy rápido y describiendo un arco. Golpeó a Knox en la mandíbula izquierda y él se tambaleó hacia atrás, hasta que cayó de culo al suelo.

—Joder —dijo, sujetándose la mandíbula.

Capítulo 15

—Demonios —dijo Kelvin Davis, mientras miraba a su hijo sentado en el suelo—. Tiene un buen gancho, señorita Stover. ¿O debería decir señora?

Nikita había leído acerca de las formas de cortesía del siglo XX en libros de etiqueta que no se habían digitalizado, así que sabía de qué le estaban hablando.

—Llámeme Nikita. —Se sorbió la nariz, se secó los ojos con las palmas de las manos y se giró hacia Knox—. ¿Vas a levantarte o te vas a quedar ahí toda la noche?

—Depende de si pretendes volver a pegarme o no —respondió él—. Si es así, me quedaré aquí sentado, gracias.

—No seas un niño mayor —le soltó ella—. Llevas provocándome todo el día y te he estado diciendo una y otra vez…

—Que te dejara en paz, sí, lo recuerdo. Y es niño grande, no niño mayor. —Se levantó, tambaleándose y asegurándose de quedar fuera de su alcance.

—Grande, mayor… todo significa lo mismo. —Estaba demasiado enfadada para preocuparse de si había cometido otro error lingüístico. Los acontecimientos se habían precipitado; ella se había precipitado, hasta el punto que ahora ya no le importaba.

—Deberías entrar en casa y ponerte hielo en la cara —le dijo Kelvin a su hijo.

—Gracias. Ya me imagino qué dirán los chicos mañana si voy a trabajar con un moretón en la cara.

Kelvin se giró hacia Nikita y alargó el brazo hacia la casa.

—Detrás de usted.

Nikita caminó delante de los dos hombres, con los pensamientos y las emociones todavía alterados. Estaba segura que, por algún motivo que ella no entendía, a Knox y a su padre les hacía gracia que le hubiera pegado. La violencia no había aliviado las emociones que hervían en su interior; quería volver a pegarle, quería llorar, quería gritar su frustración a los cuatro vientos.

La luz del porche trasero estaba encendida y, cuando llegaron a la casa, Nikita vio que se trataba de una vivienda de una sola planta de ladrillos rojos, bastante vieja, con arbustos alrededor de todo el perímetro. Daba la sensación que ese porche lo habían añadido *a posteriori* porque estaba hecho de madera y pintado en blanco. Kelvin abrió una puerta mosquitera que crujió y los invitó a entrar; luego abrió la puerta de madera que daba, igual que en casa de Knox, a la cocina.

—¡Lynnette! —exclamó—. ¡Tenemos visita!

—¿Es Knox? —La voz precedió a la mujer, que entró corriendo desde otra habitación. Cuando vio a Nikita se detuvo y enseguida miró a su marido, esperando una presentación formal o una explicación.

—Ella es Nikita Stover. Es… eh… amiga de Knox. Nikita, ella es mi mujer, Lynnette.

—Encantada —dijeron ambas mujeres al unísono. Lynnette era una agradable mujer de cincuenta y pico años, de constitución rellenita pero atractiva, y con el pelo pelirrojo y corto. Tenía una expresión muy agradable y cierto aire de inteligencia.

—Knox necesita un poco de hielo para la cara —dijo Kelvin.

—¿Qué ha pasado? —Mientras lo preguntaba, ya estaba camino de la nevera. Abrió la puerta lateral y sacó una bolsa de algo azul.

—Nikita me ha dado un puñetazo —dijo Knox.

Lynnette sacó un paño de cocina del cajón y envolvió con él la bolsa azul. Se la dio a Knox, que se la colocó encima de la mandíbula izquierda.

—¿A propósito? —preguntó ella.

—Sí. —Knox apartó una silla de la cocina y se sentó—. Le pedí que me lo diera.

—Y, seguramente, te esperabas un puñetazo de chica —dijo Lynnette, muy astuta.

—Seguramente —asintió él.

—Y no es lo que has recibido.

Él chasqueó la lengua.

—La próxima vez seré más cauto. Tiene un gancho como el de Mike Tyson.

Se estaba riendo, pensó Nikita. Riendo. Se le revolvió todo por dentro y creyó que iba a vomitar. Y no por haberle pegado, porque se lo había pedido y porque se lo merecía. En realidad, quería volver a pegarle por reírse. Sin embargo, en lugar de eso, se quedó allí de pie, inmóvil, mirando por la ventana de la cocina a pesar de que no podía ver nada.

—Siéntate —le dijo Kelvin, mientras amablemente le acercaba una silla—. ¿Quieres tomar algo? ¿Agua? ¿Leche? ¿Una taza de café?

—No, gracias —respondió ella.

Knox giró la silla y se acercó a ella, inspeccionándole la cara con sus ojos azules. Ella no sabía qué buscaba; quizás algún resto de metal por debajo de la piel. Aunque el esfuerzo sería en vano; ya hacía más de cien años que no se usaba metal en la construcción de robots.

—Déjame ver la mano.

No le dio tiempo a reaccionar, pues ya había alargado el brazo para tomar su mano entre las suyas y observarla. Tenía los nudillos rojos y se le estaban hinchando, y en uno tenía un pequeño corte.

—Vaya —dijo—. Tu mano está peor que mi mandíbula. Lynnette, ¿tienes otra bolsa de hielo?

—No, pero puedo encontrar otra cosa. Tengo un paquete de guisantes congelados. —La madrastra de Knox sacó otra bolsa del congelador y la envolvió en otro paño—. Veamos —dijo, tomando la mano de Nikita de las de Knox y colocando, con mucho cuidado, la bolsa congelada encima de los nudillos. Luego ató los dos extremos del paño en la palma de la mano.

Nikita inhaló de golpe ante el intenso frío, que parecía que intensificaba los latidos en esa extremidad. Tonta. Había sido tan tonta al hacerse daño en una mano cuando sabía que tenía que estar en perfectas condiciones para llevar a cabo la investigación. No podía olvidar por qué estaba allí, ni que la misión era mucho más importante que sus sentimientos.

—¿De qué va todo esto? —preguntó Lynnette mientras se sentaba—. Sé que no debería preguntarlo, pero siento curiosidad, y estáis los dos sentados en mi cocina con bolsas de hielo en alguna parte de vuestro cuerpo.

Kelvin se rió.

—Según Nikita, no quiso acostarse con Knox y él la llamó robot.

—Dale otro puñetazo —le dijo Lynnette.

Nikita hizo un esfuerzo por contener las lágrimas. No podía ser tan sensible; tenía que controlarse, al menos hasta que estuviera sola.

—Lamento mucho mi acción tan inapropiada —dijo, con la voz ahogada.

—Si te ha llamado robot, no ha sido inapropiada. Yo diría que te has controlado bastante. —Lynnette miró a Knox con los ojos entrecerrados—. ¿Es verdad lo que dice?

—En cierto modo, sí. Aunque no exactamente. Salió durante otra discusión.

—Y no nos dirás de qué iba la otra discusión, ¿verdad?

—No —lo dijo con un tono suave, aunque definitivo—. Y, para que quede claro, no sabéis nada de Nikita. No la habéis visto ni habéis oído hablar de ella. Se suponía que tenía que quedarse en el coche para que no la vierais, pero no ha sido así. Está de incógnito, porque su vida depende de ello. Si la veis por la calle, os la presentaré con otro nombre, pero, sobre todo, que no parezca que la conocéis, ¿vale?

Kelvin y Lynnette asintieron. Era obvio que Lynnette tenía muchísimas preguntas en la punta de la lengua, pero no dijo nada. En lugar de eso, dijo lo que diría cualquier madre:

—¿Habéis cenado, ya? Dejad que os caliente algo en un santiamén.

—Gracias, pero ya hemos cenado —dijo Knox, sonriéndole con un afecto verdadero—. Y tenemos que marcharnos.

—Pero si acabáis de llegar.

—Estamos trabajando juntos en un caso, y todavía nos queda mucho trabajo preliminar esta noche.

—Todo depende de lo que entiendas por trabajo preliminar —murmuró Kelvin, en voz baja ganándose con eso una mirada de reprobación de su mujer y una sonrisa de Knox.

—La versión oficial —le dijo a su padre. Se levantó y dejó la bolsa de hielo en la mesa—. Gracias por los primeros auxilios.

—Llévatelo —dijo Lynnette—. Tu coche tiene transmisión automática; puedes conducir con la mano derecha y sujetar el paquete con la izquierda. Déjatelo durante quince minutos, descansa otros quince, y vuélvetelo a poner, hasta que se descongele. Así puede que mañana no tengas ni un moretón. Y llévate el paquete de guisantes, porque su mano está peor que tu cara.

Knox asintió y volvió a coger la bolsa de hielo. Se acercó a Lynnette y le dio un beso en la mejilla.

—Gracias otra vez. Eres una madrastra aceptable.

Ella sonrió y le dio unos golpecitos en el brazo.

—Bueno, supongo que tú eres un hijastro aceptable.

Nikita se levantó, dio las gracias y siguió a Knox hacia la puerta. Kelvin y Lynnette se quedaron en el umbral de la puerta y los vieron alejarse hacia el coche; cuando subieron a él, Kelvin apagó la luz del porche y cerró la puerta.

En la repentina privacidad de la noche, Nikita se sentía todavía más alienada que antes. Se sentó en el asiento del copiloto mientras Knox se sentaba al volante. O, al menos, lo intentó, puesto que se vio embutido entre el respaldo y el volante. Maldiciendo entre dientes, deslizó el asiento hacia atrás hasta que sus largas piernas estuvieron más cómodas.

—Ha ido bien —dijo—. Ahora ya te conocen y creen que soy un gilipollas.

Nikita quería hacer un comentario en la línea de «La verdad siempre acaba saliendo a la luz» o «Si uno se comporta como tal...», pero los clichés no le parecieron adecuados en ese momento. Así que se quedó callada mientras él ponía en marcha el coche e iba marcha atrás, para girar con tres maniobras.

—¿No vas a decir nada? —le preguntó cuando llegaron a la carretera principal y giró hacia la ciudad.

Ella hizo una pausa y repasó todos sus pensamientos.

—Cuando lleguemos a tu casa, me sentaré y haré otro gráfico temporal, haré una lista con todo lo que sé del asesinato de Taylor Allen...

—No me refería a eso.

—¿Ah, quieres hablar de temas personales? Muy bien. No vuelvas a besarme. ¿Qué te parece?

Él suspiró.

—Breve y directo. Ya me imaginaba que dirías eso. Mira, sólo me refería a la calma con que te lo tomas todo, y con la tecnología que debe de existir en tu tiempo, pensé que sería posible —dejó pasar unos segundos—. ¿Es así?

—La persona que mató a Taylor Allen no pertenece a este tiempo. Tiene que comer y vivir en algún sitio. Es una ciudad pequeña; no debería ser demasiado complicado localizarlo.

Por un segundo, Nikita no sabía si Knox aceptaría el cambio de tema, pero entonces él dijo:

—Eso suponiendo que esté aquí. Podría estar en el siguiente condado, o el siguiente estado.

—No lo sabremos a menos que lo investiguemos. —Su tono daba por zanjado el tema, y ambos se quedaron sentados en el coche en silencio el resto del trayecto.

Acababa de abrir la puerta trasera de casa cuando le sonó la radio. Escuchó los códigos y se quedó helado.

—Ha habido otro asesinato —dijo, brevemente, mientras le abría la puerta—. Te digo lo mismo que antes: cierra la puerta y no respondas al teléfono a menos que veas mi número en la pantalla. ¿De acuerdo?

—Sí. Seguramente los dos casos estarán relacionados, ¿verdad?

—No tenemos muchos asesinatos en Pekesville —respondió él mientras se giraba—. ¿Qué posibilidades hay de que no lo estén?

Capítulo 16

El antiguo alcalde, Harlan Forbes, ya había cumplido los ochenta y se merecía una muerte más digna que morir estrangulado en su sillón reclinable favorito mientras miraba el canal de concursos en la televisión. La vejiga y el intestino le habían cedido y, seguramente, había tirado la lámpara de la mesita al suelo al agitar las piernas. El estrangulamiento era una muerte muy violenta, puesto que la víctima luchaba durante varios minutos antes de que el cerebro se muriera del todo. También requería una enorme cantidad de fuerza por parte del asesino, o saber cómo sustituir esa fuerza por técnica.

Puede que el asesino fuera fuerte, pero no había utilizado las manos. No había marcas lívidas de dedos en el cuello del viejo, sólo una señal de un objeto largo, lo que significaba que le habían puesto ese algo alrededor del cuello, habían dado una vuelta y lo habían estrangulado. Puede que fuera un cinturón. Aunque también podía haber sido una cuerda, una bufanda larga, cualquier cosa del tamaño y la flexibilidad necesarios.

El escenario del crimen no pertenecía a Knox porque, como el antiguo alcalde vivía dentro de los límites de la ciudad, se encargaban los investigadores de la ciudad. Sin embargo, había un gran espíritu de colaboración entre las dos fuerzas, puesto que combinaban inteligentemente su experiencia, recursos humanos y presupuesto. Todos se conocían, habían estudiado técnicas especializadas juntos y se ayudaban entre ellos siempre que se necesitaban.

Los investigadores de la ciudad no necesitaban que Knox reconociera el escenario del crimen, pero siempre les interesaba escuchar sus observaciones; todos conocían su reputación de ser insaciablemente curioso. Además, no era el único inspector del condado que había acudido al escenario; Roger Dee Franklin también estaba allí, haciendo básicamente lo mismo que Knox, observar.

Por lo que les había dicho la vecina, el asesinato se había producido poco después de anochecer. Había visto a Harlan dejar salir al gato, como hacía cada día, a última hora de la tarde. Y justamente fue el gato el que la hizo ir a casa de Harlan a ver si le pasaba algo, porque el pobre animal estaba en la puerta maullando para que lo dejara entrar, y Harlan jamás ignoraba a su gato. Cuando lo llamó y no cogió el teléfono, la señora llamó a la policía.

Roger Dee escuchó la historia del gato y se acercó donde estaba Knox.

—Menos mal que el gato estaba fuera —murmuró.

En algunos casos, cuando estos animales se quedaban encerrados en una casa con un muerto, se dedicaban a devorar el cadáver. La gente solía olvidar que, aparte de mascotas, también eran depredadores. Después de haber visto varios casos en que alguien había muerto solo, con la única compañía de uno o varios gatos, Knox se juró que si su estilo de vida le permitía algún día tener mascotas, se compraría un pez. Los gatos le gustaban, pero no tanto como para ser su cena.

Desvió la mirada hacia el escenario del crimen. No había nada similar al escenario de la muerte de Taylor Allen; el método era distinto y, a primera vista, las dos víctimas no tenían nada en común, dado que uno era un abogado bastante próspero con una esposa trofeo y el otro era una señor mayor retirado y viudo que tenía un gato y que hacía cincuenta años que vivía en la misma casa. A juzgar por las palabras de la vecina, Harlan Forbes no salía mucho de su casa; se conformaba con cuidar de su jardín o sentarse en el porche para ver pasar los coches por la carretera. Normalmente, una vez por semana su hija o su nieta le hacían la compra y se la llevaban a casa, o venían a buscarlo para ir a dar una vuelta. En el último año se había debilitado mucho y había empezado a decir que quería vender la casa y mudarse a un piso en un edificio-residencia. El pobre ya no tendría que preocuparse más por eso.

Ante la ausencia de pruebas que conectaran los dos crímenes, a Knox le sorprendió mucho su propia convicción de que, de algún modo, sí que estaban relacionados. Sin embargo, no estaba tan loco como para comentárselo a nadie allí. Se reirían de él en todo el condado. Si no hubiera conocido a Nikita, si no hubiera visto a alguien materializarse ante sus ojos, si no supiera que por esta zona había un asesino del futuro, a él tampoco se le habría ocurrido relacionarlos.

Todas las cosas extrañas que habían estado sucediendo estaban conectadas. La cápsula del tiempo, los destellos de luz en casa de Jesse Bingham, Nikita, los viajes en el tiempo, el asesinato de Taylor Allen; todo esto estaba relacionado entre sí, aunque Nikita no sabía muy bien qué hacía Taylor Allen en esa lista. Sólo sabía que el viajero desconocido lo había matado, aunque no sabía por qué ni la identidad del culpable. Así pues… ¿cómo encajaba en todo esto el asesinato de Forbes?

Al antiguo alcalde no le habían robado nada. No había ninguna señal de que forzaran la puerta, aunque tampoco estaba cerrada con llave. En esta ciudad, la mayoría de los habitantes, si estaban en casa, no cerraban la puerta con llave hasta que se iban a la cama. Tanto el método, como que no faltara nada, indicaba que el asesinato no estaba relacionado con un caso de drogas, porque un adicto habría intentado llevarse dinero o algo que pudiera vender.

—Pobre hombre —dijo Roger Dee, repitiendo el pensamiento anterior de Knox—. ¿Quién querría matar a alguien como él? Jubilado, que vivía de la pensión, y Dios sabe que no se gana mucho siendo alcalde de Pekesville. Si le hubieran robado algo, al menos tendría algún sentido, pero venir y matarlo así como así… ¿por qué? ¿Es posible que algún familiar tuviera prisa por heredar esa casa vieja y algunos de estos destartalados muebles?

—Puede. —Si Harlan tuviera un seguro de vida considerable, sería posible, o una buena cuenta corriente en el banco. Jamás había vivido como si tuviera dinero, pero, claro, muchas de las personas mayores que habían vivido la gran depresión, guardaban el dinero debajo del colchón y vivían como si apenas pudieran llegar a fin de mes. Knox intentó pensar en todas las posibilidades, pero la realidad era que seguía convencido que esta muerte estaba relacionada con el caso de Nikita. Bueno, no era su escenario; los chicos ya verificarían lo del seguro de vida y la cuenta bancaria, y él les ayudaría con los interrogatorios a los vecinos.

Roger Dee y él sacaron sus libretas y empezaron a ir puerta por puerta. Era un barrio antiguo y de prestigio, y la mayoría de los habitantes estaban jubilados, lo que significaba que normalmente, por la noche, estaban en casa mirando la televisión. Ninguno vio o escuchó nada fuera de lo normal. Todos estaban horrorizados ante la proximidad de aquel ataque tan violento, y además contra alguien que conocían y apreciaban, pero ninguno de ellos fue de gran ayuda.

Knox volvió a casa en coche pasadas las dos de la madrugada. Había sido un día muy, muy largo, y cuando llegó y vio que todavía había luz en su casa, supo que aún no había terminado.

Nikita estaba sentada a la mesa de la cocina, con una humeante taza de café en una mano mientras leía uno de los libros de Knox y lo esperaba. Cuando escuchó el coche, se levantó y se asomó a la puerta de la cocina para asegurarse de que era él; entonces la abrió y lo dejó entrar.

Parecía cansado, pero ¿por qué no iba a estarlo? Era muy tarde, necesitaba dormir un poco. No obstante, cuando entró en la cocina y husmeó el aire, en lugar de irse a la cama preguntó:

—¿Es café recién hecho?

—Lo hice hará una hora —respondió ella mientras volvía a su silla. Estaba orgullosa de haber descubierto ella sola qué era la cafetera y cómo funcionaba. Había hecho el primero porque había visto una máquina en el despacho de Knox con el nombre «Sr. Café» impreso en la máquina y, aunque la de casa no tenía nombre, básicamente era la misma máquina, con la jarra un poco distinta. Había descifrado cómo funcionaba sin las instrucciones: el contendor grande tenía unas marcas medidoras, así que allí debía de ir algo. ¿El café? Pero claro, si el café iba allí, ¿para qué era la caja de filtros de café? Hizo varias pruebas y descubrió que el filtro encajaba perfectamente en la cesta, o sea, que el café tenía que ir allí. Y eso significaba que el contenedor grande con las marcas era para el agua.

Había encontrado un paquete de café sin abrir, leyó las instrucciones de cuánto café tenía que echar por cada taza de agua y, con mucho cuidado, midió ambas cosas en la máquina. Luego, sólo tenía que apretar el botón «On» y, al cabo de un segundo, el agua empezó a silbar y a gotear en la jarra. Muy fácil. Además, estaba buenísimo.

—Supongo que el café sigue existiendo en tu tiempo —dijo él, mientras cogía una taza del armario y se servía.

—Claro. Es la mayor fuente de ingresos de América del Sur.

—¿Más que el petróleo?

—El mercado del petróleo cayó con la evolución de la tecnología. —Nikita seguía en su postura, con el libro abierto y la vista puesta en él, aunque ya no leía.

Knox separó una silla y se dejó caer delante de ella. Se restregó los ojos y abrazó la taza con las manos.

—La víctima es un antiguo alcalde, Harlan Forbes. El *modus operandi* es totalmente distinto: estrangulamiento.

Tenía ochenta y cinco años y un físico muy frágil. No hay nada que relacione este asesinato con el de Taylor, excepto mi intuición.

—¿Es posible que el alcalde escribiera algún tipo de documento de investigación que acabara en la cápsula del tiempo?

—No, ni siquiera fue a la universidad. Sólo era uno de esos buenos chicos con la habilidad para ofrecer sonrisas de escaparate y tener enchufe y lo suficientemente inteligente para ser un buen administrador, pero no de los que consiguen lo que se proponen.

Seguro que todo eso que le había dicho era en cristiano, y entendía el significado de todas las palabras, aunque no en este contexto. «Sonrisas de escaparate.» De esa tenía que acordarse.

—Entonces puede que no esté relacionado con el otro crimen —sugirió ella.

Él meneó la cabeza.

—He estado pensando y recordando quién estaba hace veinte años en la ceremonia en la que se enterró la cápsula del tiempo. El entrenador de fútbol, Howard Easley, apareció ahorcado la mañana siguiente. El juez de instrucción determinó que fue un suicidio, pero ahora ya no sé qué pensar. Estaba lo suficientemente cerca como para ver qué habían metido en la cápsula; de hecho, ayudó a enterrarla. El alcalde también estaba allí. Y ahora que lo pienso, Taylor Allen también. Empezaba a ejercer de abogado y hacía todo tipo de actividades cívicas para crearse una red de contactos. Participó en la ceremonia.

—Sí, pero el entrenador murió hace veinte años —dijo ella—. ¿Por qué iba alguien a esperar veinte años para matar a los demás?

—No lo sé, pero creo que estoy empezando a ver un patrón. Necesito refrescar la memoria. Mañana, a primera hora, iremos a la biblioteca, miraremos el artículo del periódico de ese día a ver si menciona quién estuvo presente. También se hizo una foto. Lo sé porque recuerdo haber mirado si mi padre y yo salíamos, pero la hicieron desde otro ángulo.

Ella asintió y volvió a bajar la mirada hacia el libro.

Al cabo de un minuto, él suspiró.

—Mira, lo siento. No te pregunté si eras un robot por lo del sexo, te lo juro.

—«Lo del sexo» no existe. Me has besado unas cuantas veces, ha sido muy agradable y no volverá a pasar. —Intentó mantener la expresión lo más neutra posible, aunque tuvo que hacer un gran esfuerzo por contener las lágrimas que se le acumulaban en los ojos. No volvería a llorar delante de él.

Cerró el libro y se levantó.

—Si no te importa, me voy a la cama.

—Después de ese café no podrás dormir. Podemos quedarnos aquí sentados y hablar.

—No he bebido demasiado y estoy muy cansada. Buenas noches. —Cogió el libro, se marchó a la pequeña habitación que Knox le había prestado y encendió la lámpara de la mesita. Había dicho la verdad sobre lo de estar cansada; estaba tan agotada que apenas podía pensar.

Knox apareció en la puerta justo detrás de ella.

—¿Necesitas algo? ¿Una camiseta o un pijama?

—Tengo de todo, gracias.

—¿Seguro? Si quieres, te puedo dejar una de mis camisetas. Por la noche hace calor y el aire acondicionado, en esta casa, no es ninguna maravilla. Una camiseta es fresca y agradable.

—Tengo mi ropa de noche. Estoy bien.

—Muy bien. —Se quedó en la puerta—. Te veré por la mañana.

—¿Lo dices para asegurarte de que realmente me verás por la mañana? No voy a marcharme. Tengo que hacer mi trabajo.

—Ya sé que no vas a marcharte. Has tenido muchas oportunidades para hacerlo. Es que… joder. He herido tus sentimientos y no quería hacerlo, pero no sé qué hacer para compensarte.

—Ya te has disculpado. Es suficiente.

—No lo es. Sigues dolida.

—Se me pasará —respondió ella, muy fría—. Soy adulta. ¿Quieres cerrar la puerta por favor? Me gustaría cambiarme e irme a la cama.

Él se quedó durante un minuto más con una expresión extremadamente frustrada; luego, maldiciendo entre dientes, retrocedió y cerró la puerta. Nikita soltó un largo suspiro de descanso. No quería hablar de asuntos personales, y menos cuando estaba tan cansada.

La ropa que había traído de su tiempo no se arrugaba, pero, de todos modos, deshizo la maleta y la colgó en el armario, y luego hizo lo mismo con la que Knox le había comprado. La que llevaba puesta, se la quitó y la dejó encima de la única silla que había en la habitación. Cuando estuvo desnuda, se puso una pieza de ropa sin costuras, un *sanssaum*. Era muy cómodo; estaba hecho de un tejido opaco y fluido que era ligero y se adaptaba a la temperatura corporal. Si tenías demasiado calor, la tela se encargaba de alejarla de la piel. Si tenías frío, conservaba el calor. Era imposible que cualquier camiseta de las de Knox fuera la mitad de cómoda que su *sanssaum*.

Abrió la sábana y, cansinamente, se metió en la cama y se giró para apagar la lámpara. Se quedó despierta en la repentina oscuridad, más consciente de lo extraño que era estar aquí y ahora, mucho más incluso que cuando había llegado. Hacía apenas treinta y seis horas, estaba llena de planes y optimismo. Ahora estaba aislada en un tiempo que no era el suyo, traicionada por uno de los suyos, y no sabía si podría regresar algún día o si enviarían a otro asesino a eliminarla.

Y eso debía de significar que completaría su misión con éxito, y ellos lo sabían.

Si no, ¿por qué querían matarla? Si estaba destinada a fracasar, podrían dejarla aquí y nadie jamás lo sabría. No había podido decirle a su familia dónde iba, porque las misiones en el tiempo eran alto secreto, y sólo las podían realizar los militares y agentes del Estado. La tecnología todavía era muy reciente; apenas habían pasado veinte años desde la primera experiencia y, durante los primeros diez años, el tránsito había estado plagado de peligros. Había muerto tanta gente que los voluntarios sabían que tenían un cincuenta por ciento de posibilidades de volver con vida. Además, no se había cubierto toda la casuística relacionada con cambiar la historia y los grupos terroristas matarían por esa tecnología.

Si no volvía, nadie sabría nunca qué le había pasado.

Habían sucedido tantas cosas que no lo entendía. La cápsula del tiempo era una sorpresa, pero alguien de su tiempo había transitado y se la había llevado. ¿Quién? Y ¿por qué?

Knox conocía a los habitantes de su ciudad, y decía que ni el abogado ni el alcalde jubilado podían tener ningún tipo de conocimiento que pudiera haberse utilizado para desarrollar la tecnología de los viajes en el tiempo.

¿Quién de este tiempo estaba intentando matarla, y por qué? ¿Quién podía saber quién era?

A: El asesino sabía de su llegada, y seguramente también de las de Houseman y McElroy.

B: El asesino había reclutado ayuda local. Pero ¿por qué no le había dicho al sheriff que ella no era una verdadera agente del FBI? Era imposible comprobar sus credenciales en este tiempo. La meterían en la cárcel y así el asesino se la quitaría de encima.

¿Es posible que no la quisiera en la cárcel? Le bastaba con eliminarla. La quería muerta.

Bostezó porque estaba demasiado cansada para pensar con coherencia. Se giró de lado y parpadeó. Ahora que la visión ya se le había ajustado a la oscuridad, veía el perfil de las dos ventanas y deseó poder abrirlas. Hacía calor y un poco de aire fresco le vendría bien. Sin embargo, una ventana abierta reduciría su seguridad; en su tiempo, las ventanas siempre estaban cerradas. La conciencia y la costumbre la mantuvieron en la cama, deseando abrir la ventana aunque sin moverse.

El aire en las montañas era fresco y el crujir de las hojas de los grandes árboles al moverse con la brisa era casi constante, como un susurro. La hierba era verde y olía a verde, y las flores aportaban notas de color y de perfume. En su tiempo, todavía había árboles, hierba y flores; de hecho, ahora que habían dejado de cortar árboles para hacer papel, la colonia vegetal había crecido. Nacían, en grandes masas, nuevas variedades de flores, de cada color y olor.

Pero no era lo mismo. Esto era… más nuevo. Y no era su casa. Jamás sería su casa.

Capítulo 17

Knox se despertó a la misma hora de siempre y calentó en el microondas dos tazas del café que habían hecho anoche. El café recalentado jamás tenía el mismo sabor, pero no veía por qué tenía que tirarlo cuando sólo había estado frío unas horas. Gracias a Dios, Nikita lo tomaba solo, así que no tenía que preocuparse de qué y cuánto tenía que echarle. De buenas a primeras, no encontraba la única bandeja que sabía que tenía, así que improvisó y puso las dos tazas encima de una fuente del horno y las llevó a la habitación de Nikita. Como ofrecimiento de paz, un café recalentado no era mucho, pero era lo único que tenía.

No llevaba camiseta a propósito, y no porque quisiera presumir de físico, sino porque, en su experiencia, el mejor método para que una mujer lo tocara era quitándose la camiseta. Debía de tener algo que ver con las feromonas. Fuera por lo que fuera, funcionaba, y necesitaba que Nikita lo tocara. El contacto físico ayudaría a salvar el espacio que se había abierto entre ellos, la acercaría a él.

Sabía que estaba invadiendo su privacidad, pero eso no evitó que llamara una vez, girara el pomo de la puerta y entrara.

Nikita, que se despertó de golpe, se sentó en la cama.

—¿Qué pasa? —preguntó en seguida, apartándose el pelo de la cara.

A Knox casi se le paró el corazón y la fuente que llevaba en las manos empezó a temblar. La camiseta de color carne que llevaba parecía fluida, como si le resbalara por el torso. No era ceñida, ni transparente, pero casi no era necesario porque seguía cada curva y cada forma del cuerpo.

Tragó saliva e intentó hablar en un tono normal.

—Te he traído una taza de café. He supuesto que necesitarías algo para arrancar esta mañana.

—¿Arrancar? —preguntó, con una ceja arrugada por la confusión.

Knox contuvo una sonrisa. Seguramente, a ella no le gustaría saber lo mucho que disfrutaba él con sus errores, provocados por una aplicación demasiado literal del lenguaje.

—Significa recurrir a una fuente de energía externa para ponerte en movimiento. Es un término automovilístico. —Dejó la fuente en la mesita y se sentó en la cama, junto a la cadera de Nikita. Cogió las dos tazas y le ofreció una.

—Oh. —Ella la aceptó—. Gracias. —Bebió un sorbo del humeante líquido con cuidado e hizo una mueca—. No sabe igual que anoche. ¿Qué le has hecho? —Le miró el torso desnudo y luego apartó la mirada.

—Lo he calentado en el microondas —dijo, y bebió un sorbo agradeciendo el líquido caliente aunque no fuera el mejor del mundo.

Horrorizada, Nikita miraba fijamente la taza y Knox no pudo evitar reírse.

—Es el mismo café que anoche; sólo lo he calentado en el microondas. No es radioactivo ni nada —la tranquilizó.

Ella bebió otro sorbo y dijo:

—Te recomiendo que lo tires y prepares otra cafetera.

Él chasqueó la lengua.

—Está caliente, y es cafeína. Es todo lo que necesito. Ya he puesto una nueva cafetera, pero este me servirá hasta que el otro esté listo.

Charlaba muy normal mientras intentaba no mirarle los pechos, pero es que, por Dios, era humano y eran muy bonitos: ni demasiado grandes ni demasiado pequeños, redondos y con unos pezones que parecían muy suaves. Quería quitarse la ropa y meterse en la cama con ella, pero ella no le había dado ninguna señal de que tuviera intención de perdonarlo en la siguiente década, así que no forzó su suerte. Si volvía a pegarle, puede que le rompiera la mandíbula.

Ella también lo estaba mirando. Lanzaba rápidas miradas a su pecho y sus hombros, pero luego volvía a concentrarse en el café. Puede que no lo tocara, pero se le había pasado por la cabeza.

Knox cogió entre los dedos un pequeño pliegue de aquella tela, que casualmente estaba encima del estómago, donde estaba más arrugada.

—¿Qué clase de tejido es este? Parece agua.

Ella se miró con el ceño fruncido.

—¿Parece mojado?

—No, quiero decir que es como si fluyera, como si fuera líquido.

—De eso se trata. Es de tejido sintético, claro, y el único objetivo es la comodidad. Te mantiene caliente si tienes frío, y frío si tienes calor. Todos los buenos *sanssaums* están hechos de este…

—¿*Sanssaums*?

—Lo que llevo. Se llama así. Literalmente, significa «sin costuras». El nombre de mercado es Elegon, pero ¿quién sabe de qué está hecho? Se lo inventaron unos químicos.

—Me gusta el tacto. —Jugó con la tela entre los dedos y dejó que los nudillos acariciaran su estómago. Notó cómo Nikita contenía el aire.

Knox decidió que ya había forzado lo suficiente la situación, se levantó.

—Voy a darme una ducha —dijo, mientras se giraba—. Tardaré diez minutos; después el baño será todo tuyo.

Salir de la habitación le costó un mundo. Estaba condenadamente sexy con aquella cosa que revelaba cada detalle de su cuerpo sin enseñarlo, con el pelo rubio revuelto y los párpados pesados de sueño. Estaba empezando a gustarle, y mucho. Anoche, cuando vio la mirada de dolor en sus ojos, él mismo se habría pegado por haber dudado, aunque fuera por un segundo, que fuera humana. Aquella curiosidad que lo perdía le había hecho abrir la boca y herir sus sentimientos. Los robots no tenían sentimientos que se pudieran herir; quizá tuvieran sentimientos simulados, pero no reales.

Entonces, ¿cómo sabía que los de Nikita no eran simulados?

Alejó ese pensamiento de su mente mientras se quitaba los vaqueros y se metía en la ducha. Le había dicho que era humana. E iba a creerla. Parecía humana, y a él ya le bastaba. Si era cualquier otra cosa, no quería saberlo.

Iba a tener que trabajársela. Jamás había tenido que trabajarse a ninguna mujer, y no porque fuera un rompecorazones, sino porque cualquier atracción que hubiera sentido había sido mutua. Y las pocas veces que no había sido así, bueno, seguro que había habido algún motivo para ello, así que no había insistido.

Con Rebecca, el mareo del enamoramiento había sido intenso, inmediato, y definitivamente mutuo. Fue como si se hubieran mirado a los ojos y simplemente lo hubieran sabido; el sexo era bueno porque estaban muy acoplados.

Lo que sentía por Nikita era totalmente distinto; crecía más despacio, aunque de repente sentía ciertas necesidades provocadas por la testosterona que hacían que quisiera hacerla suya. Era un hombre razonable, así que la irracionalidad que sentía por ella lo pilló por sorpresa. No podía mantenerse alejado de ella como le había pedido; no podía.

Nikita se quedó sentada en la cama, bebiéndose a sorbos ese horrible café y calmando los nervios. Primero la había despertado de golpe, aunque, por extraño que pareciera, lo había reconocido en seguida, porque no había hecho el gesto de coger un arma. Luego, todos sus sentidos se habían puesto en alerta porque no llevaba camiseta, y toda esa piel cálida y desnuda hacía que quisiera acercarse y sentir aquella calidez alrededor de su cuerpo, hundir la cara en él y oler el perfume de su piel.

Eran las feromonas, lo sabía. Era biología pura: las feromonas femeninas estaban en el ambiente y eran capaces de atraer a un hombre desde la distancia. Las feromonas masculinas se solían intercambiar mediante el tacto. Y con lo cerca que lo había tenido, había sentido la atracción y había tenido tentaciones de alargar la mano y acariciarle el pecho.

En términos estéticos, era un pecho muy bonito, musculoso y peludo; de hecho, era más musculoso de lo que ella creía, teniendo en cuenta su constitución delgada. Hacía ejercicio para mantenerse en forma o había sido bendecido con unos genes excelentes. La barba de la mañana le había oscurecido la mandíbula, aunque estaba ligeramente más oscura en el lado izquierdo, donde le había pegado, y tenía que peinarse. Había querido meterlo en la cama con ella, pero todavía tenía los sentimientos confundidos. El tiempo haría que lo superara, pero ahora sólo podía agarrarse a su endeble serenidad. Cuando estuviera en casa, porque tenía que creer que algún día volvería a su casa, ya analizaría a fondo los temas emocionales que Knox había despertado. Mientras tanto, tenía que seguir trabajando con él, independientemente de lo mucho que le gustaría marcharse y esconderse.

El ruido del agua de la ducha cesó. Esperó cinco minutos; luego, escuchó cómo se abría la puerta del baño y Knox dijo:

—Todo tuyo.

Nikita no se levantó hasta que él se fue a la cocina. Cogió la ropa que iba a ponerse y se la llevó al baño, que todavía estaba húmedo y lleno de vapor. El aire olía a él, y se mezclaba con el olor del jabón y un aroma a menta.

La novedad de un baño caliente la fascinó una vez más y la relajó, cosa que necesitaba después de mirarse al espejo y verse rubia; se había olvidado del cambio de color. Cuando estuvo vestida, se sintió preparada para lo que pudiera traerle el día y siguió el olor de comida caliente hasta la cocina.

Knox estaba de pie frente a los fogones, de espaldas a la puerta, y todavía no se había puesto una camiseta. Sin poder evitarlo, la mirada de Nikita se deslizó por toda su columna vertebral y observó cómo se movían los músculos de la espalda cada vez que se estiraba para coger algo. Tenía la sensación que la habían dejado en una piscina de agua caliente.

—Me he dejado la taza en la habitación —dijo, en un tono ahogado, y se marchó.

El breve trayecto a la habitación le dio el tiempo que necesitaba para recomponerse. Evidentemente, Knox no tenía intención de ponerse ninguna camiseta hasta que tuvieran que marcharse, así que tendría que ignorar la provocación. Cuando regresó a la cocina, preguntó:

—¿Qué cocinas? Huele de maravilla.

—No tenía muchas cosas; mi límite son huevos, beicon y tostadas y, por suerte, tenía las tres cosas. —La miró—. En tu tiempo seguís comiendo carne y huevos, ¿no?

—Hay quien sí y hay quien no. La proteína animal auténtica puede ser muy cara. Normalmente, para desayunar, yo me tomo una barra nutritiva.

Knox hizo una mueca y señaló hacia un armario.

—Saca un par de platos de ahí, por favor. Si no te importa.

Ella se giró, abrió el armario y sacó dos platos de un color amarillo intenso que jamás habría esperado encontrar en casa de un hombre soltero.

—Son muy bonitos —dijo.

—Me los regaló Lynnette las Navidades pasadas. Dijo que era una lástima que un hombre adulto sólo tuviera platos de plástico en su casa.

Nikita ladeó la cabeza y lo pensó.

—Y tenía razón —dijo, al final, mientras le daba los platos.

—Vaya, gracias —respondió él con ironía. Puso los platos en el microondas y apretó el botón de un minuto.

—¿Qué haces?

—Caliento los platos. No me gusta que se me enfríe la comida y así se mantiene caliente durante más tiempo.

Nikita pensó que aquella explicación tenía sentido. Miró a su alrededor.

—¿Puedo hacer algo más?

—Poner la mesa. Los cubiertos están en ese cajón de ahí —dijo, señalando el cajón con la espátula.

Aquello tampoco había cambiado: platos, servilletas y cubiertos. Miró y no vio las servilletas, así que le preguntó dónde estaban.

Él volvió a señalar con la espátula.

—Utiliza las de papel.

Maravillada ante lo barato que era y la cantidad de papel que tenían, cortó dos trozos, los dobló por la mitad y colocó uno junto a cada plato. Sonó la campana del microondas justo cuando Nikita estaba colocando los cubiertos, y Knox sacó los platos y empezó a servir la comida directamente sobre ellos.

Había calculado perfectamente bien el tiempo, porque justo en ese momento saltaron dos rebanadas de pan de la tostadora. Knox las cogió, colocó una en cada plato y se los dio a Nikita mientras él ponía dos rebanadas más a tostar.

Nikita miró los platos de comida; le parecieron idénticos, así que supuso que daba igual cuál pusiera en cada sitio.

—Siempre me he preguntado qué aspecto tendrían los huevos cocidos —dijo, mientras dejaba los platos en su sitio.

Él miró a su alrededor con incredulidad.

—Ya sé que dijiste que eran caros pero… seguro que has comido alguno.

Ella negó con la cabeza.

—Cuando era pequeña, mis padres no tenían mucho dinero porque… —«porque se lo habían gastado todo al comprarme»—. Bueno, tuvieron unos gastos imprevistos. Su situación económica es mucho mejor ahora, claro, ahora que todos sus hijos son personas hechas y derechas y han volado solos, repitiendo tus palabras.

—¿Cuántos hermanos tienes?

—Dos, un hermano y una hermana. Los dos son más pequeños. —Jamás le hablaba a nadie de la mayor, de la que no era realmente su hermana. Jamás la había conocido e intentaba no pensar en ella.

—¿Estáis muy unidos? —Llenó las tazas con el café recién hecho, las dejó en la mesa, le indicó con un gesto cuál era su silla y esperó a sentarse hasta que ella lo hubiera hecho.

—Sí —respondió ella, sonriendo—. Mi hermano, Connor, tiene un hijo al que todos adoramos. Y mi hermana, Fair, se casa esta primavera.

—O sea, que los dos son más jóvenes y ya han puesto hilo en la aguja de su vida. ¿Por qué no te has casado?

«Porque las cosas como yo no se reproducen.»

—Estoy casada con mi carrera —respondió, lo más casual posible—. La formación es increíblemente dura; y luego realicé los estudios especializados.

—¿Especializados en qué?

—Historia. La segunda mitad del siglo XX y la primera mitad del XXI, para ser exactos.

—Me cuesta pensar que el ahora pueda ser historia.

—Posiblemente, te cueste más creer que, en mi tiempo, llevas muerto unos ciento cincuenta años.

—Eso duele —dijo, con una mirada horrorizada—. ¿Sabes exactamente cuándo voy a morir?

—No, claro que no. —A pesar de todo, Nikita se rió ante la expresión de Knox—. En primer lugar, porque no sabía tu nombre para buscarlo en los archivos. Y, en segundo lugar, porque hay grandes lagunas en los archivos. A pesar de los grandes avances tecnológicos que se hicieron en vuestro tiempo, erais un auténtico desastre a la hora de archivar documentos.

—Sí, ya lo dijiste. O sea, que mis CD de música no sobrevivirán, ¿no?

—No, se utilizarán durante unos veinte años más. Debo decir que, en cuanto se detectó el problema, se buscó una solución de inmediato, pero a menos que existiera una copia en disco duro de la música, el libro, el periódico o lo que fuera que quisiera conservarse, no hubo forma de recuperarlo. Por ejemplo, lo sabemos todo acerca de la música de los Beatles, pero casi nada de la que se hizo entre 1995 y 2020.

—Y ¿qué me dices de los libros?

—El material impreso soportó bastante bien el paso del tiempo. Aunque no todo, claro. Los documentos impresos en papel de poca calidad se desintegraron. No obstante, otras cosas se conservaron bastante bien. Mira los billetes que todavía existen.

—Sí, es un papel muy bueno.

—No, no es papel; están hechos de una tela especial.

Knox la miró sorprendido.

—¿De veras?

—Sí. Los analizaron.

—Vaya, menuda sorpresa. Pero, ahora que lo pienso, si los miras muy de cerca puedes llegar a ver los hilos. —Al final cogió el tenedor y empezó a comer, y Nikita hizo lo mismo, con un poco de cautela al principio, y luego con mayor entusiasmo. No le importó la textura de los huevos, pero el sabor le encantó, sobre todo cuando lo combinaba con el beicon. El pan no era una maravilla, pero se podía comer.

Cuando terminaron de desayunar, Knox dijo:

—Ojalá hubiera tenido tu escáner de ADN anoche —dijo él, después de que acabaran de comer, y mientras ella observaba cómo ponía los platos en el lavavajillas—. No sé cómo lo habría usado sin llamar la atención, pero quizás habría podido hacerlo.

—Y ¿no podrías usarlo hoy?

—Había mucha gente en la casa, dejando ADN por todas partes. ¿Serviría igual?

Ella se encogió de hombros.

—Seguramente. Sería un trabajo arduo, intentar encontrar una muestra que aparezca en la base de datos, pero si dispusieras de suficiente tiempo ininterrumpido, quizá pudieras encontrar algo.

—El mayor problema sería lo del tiempo ininterrumpido. Y ¿si volvemos a casa de Allen, donde estaba el francotirador? Anoche había mucho rocío. ¿Destruye eso las pruebas?

—Las condiciones no son las óptimas y, en cualquier caso, casi seguro que no encontraríamos nada en la base de datos porque estoy casi segura que el francotirador era alguien de este tiempo.

—Sí, lo había olvidado. Mierda. —Suspiró—. Vale, pues vayamos a la biblioteca y revisemos las copias de los periódicos de ese día. Sabremos lo que enterraron en la cápsula, obtendremos algunos nombres y hablaremos con algunas personas. Seguro que alguien recordará algo.

—¿No tienes que ir a trabajar?

—Estoy trabajando. Y siempre que lo necesiten pueden localizarme —dijo, señalando la radio que tenía sobre la mesa.

Vio cómo ponía un pequeño paquete de plástico en un compartimiento de la puerta del lavavajillas, lo cerraba y luego cerraba la puerta. Seguro que sería fácil descifrar los programas, así que no se molestó en inspeccionarlo detenidamente; sólo tenía que aprenderse el proceso. Knox giró el disco hasta que se escuchó un «clic» y se encendió una luz roja, y ya estaba.

—Ah, ya lo tengo —dijo.

—¿El qué?

—Cómo hacer funcionar el lavavajillas. Si me enseñas cómo poner en marcha la lavadora y la secadora, ya podré encargarme de mi propia ropa.

—Ya te lo enseñaré esta noche cuando volvamos, a menos que andes corta de ropa y necesites lavar algo ahora.

Ella meneó la cabeza.

—No, esta noche me va bien.

Cuando ya estaban listos para marcharse, preguntó:

—¿Tengo que ponerme la gorra hoy? Porque, si es así, preferiría atarme el pelo con algo que no fuera un cierre de bolsa de basura.

Knox sonrió.

—Nos pararemos por el camino y compraremos unas cuantas cosas. Me gusta el atuendo, con las gafas de sol y todo, como una estrella de cine intentando pasar inadvertida. Eres bastante glamurosa, ¿sabes?

—¿Glamurosa? —repitió ella, atónita. Era un término que jamás se hubiera aplicado a sí misma. El glamour implicaba belleza y estilo; y ella no tenía lo primero ni podía permitirse lo segundo.

—Es por cómo caminas, con la espalda recta y la cabeza alta, como si estuvieras en el ejército o hubieras recibido clases de ballet de pequeña.

—Ninguna de las dos cosas. Me hubiera encantado recibir clases de ballet, pero en casa no había dinero.

—Seguro que hubieras estado monísima con un tutú —dijo, y luego su mirada adquirió aquella intensidad mientras la miraba de arriba abajo—. Me encantaría verte con uno ahora mismo.

Nikita se quedó helada, temerosa de que volviera a besarla. Creía haber logrado mantener una actitud neutra y hablar con total normalidad, aunque eso sólo era por fuera. No quería que la volviera a tocar porque tenía miedo que, si lo hacía, empezaría a llorar y no podría parar. Con una sola pregunta, había arrancado la costra de la herida más profunda de su vida y la había dejado desangrándose emocionalmente y llena de dolor.

Ante la mirada afligida que vio en sus ojos, Knox suspiró.

—De acuerdo, no voy a tocarte —dijo, con suavidad—. Sé que he caído en desgracia, pero dame una oportunidad, ¿quieres?

Ella consiguió asentir, con un gesto breve pero comprensible. Él le acarició el brazo, en un gesto suave y cálido que terminó antes de que ella pudiera apartarse; luego Knox se ajustó bien la gorra y se giró para abrir la puerta.

Como era tan temprano, ninguna de las tiendas a las que quería ir estaba abierta, así que acabaron yendo a un Wal-Mart. Nikita se obligó a olvidarse de sus problemas personales y miró a su alrededor encantada. Knox la guió hasta lo que él llamaba «la sección de pelo», pero ella se desviaba a cada pasillo que veía lleno de ropa de algodón. Cuando él vio que no la llevaba detrás, regresó sobre sus pasos y la encontró; Nikita había dejado atrás las camisetas y estaba en la sección de pantalones de verano.

—¿Necesitas más ropa? —le preguntó, aunque ella estaba segura que era una pregunta retórica. Tenía cuatro mudas; además, ya había pensado comprarse ropa cuando llegara, a menos que un tremendo golpe de suerte hiciera que atrapara al viajero desconocido antes de cuatro días. Y puesto que dicho viajero ahora contaba con ayuda local, creía poco probable que cumpliera la misión en tan poco tiempo.

—Sí, pero no tengo que comprarla ahora.

Knox miró el reloj.

—Tienes un poco de tiempo. La biblioteca no abre hasta las nueve.

En su tiempo, las bibliotecas estaban siempre abiertas y eran accesibles a través del ordenador; si no estabas en casa y necesitabas alguna información, había ordenadores públicos por todas partes. Lo más parecido a una biblioteca que conocía eran los Archivos, pero el acceso estaba muy controlado dada la naturaleza frágil de los objetos.

Le tomó la palabra y, mientras él iba a buscar un carro, ella empezó a coger colgadores y a mirar la ropa. Sabía que existía un sistema de tallas, pero no tenía ni idea de cuál era la suya. En su tiempo, toda la ropa se hacía a medida por ordenador: entrabas en una sala, un ordenador identificaba la forma de tu cuerpo, escogías la ropa que querías en una pantalla táctil y, al cabo de cinco minutos, tenías la ropa perfectamente doblada en la habitación. Tenías que utilizar la tarjeta de Bienes y Servicios para abrir la puerta, al mismo tiempo que se te descontaba de la cuenta el importe de la compra, y ya estaba.

Cuando Knox volvió con el carro, ella se había colocado un par de pantalones de algodón en la cintura, para intentar ver cómo le quedaban.

—¿Cómo supiste qué talla comprarme? —murmuró.

—Realicé un estudio intensivo de tu culo —respondió él. Una mujer que estaba detrás de él se echó a reír y se marchó a toda prisa. Con el ceño fruncido, Nikita la observó alejarse.

—Lo digo en serio —dijo.

—Yo también.

—Muy bien. En ese caso, ¿de qué talla es mi culo?

—Es una ocho muy bien formada, casi una diez. Estás delgada pero no esquelética. Básicamente, tuve suerte porque no existe una tabla de tallas estándar. Tendrás que probártelos. O puedes comprarlos ahora, probártelos esta noche y devolver los que no te vayan bien.

—¿Se puede hacer eso?

—Sí, claro que se puede. —Sonrió ante la cara de sorpresa de Nikita.

—Entonces, lo haré así. Has dicho talla ocho, ¿verdad?
—Volvió a los colgadores y cogió cuatro pantalones y cuatro camisetas que le gustaban mucho. Una incluso tenía lentejuelas. De ahí fueron a la sección de ropa interior donde, para mayor desesperación de Nikita, las tallas eran distintas.

—Esto no tiene sentido —se quejó, totalmente frustrada.

—Talla cinco —dijo él, mientras escogía un par de bragas negras de encaje diminutas y se las enseñaba.

Ella las miró y meneó la cabeza.

—Ni hablar.

—¿Y estas? —Dejó las bragas negras en su sitio y le enseñó unas rojas todavía más diminutas.

—Ni loca. —Por detrás sólo tenían una tira, y sabía perfectamente dónde se suponía que debía ir.

Abatido, Knox las devolvió a su sitio.

Nikita escogió un paquete de seis bragas de «algodón natural», lo metió en el carro y siguieron hacia los calcetines y zapatos. Knox le dijo el número que tenía que buscar y ella acabó decidiéndose por un par de sandalias que parecían bastante cómodas y, por último, fueron hasta la parte delantera de la tienda, donde estaba la sección de pelo. Por desgracia, antes de llegar allí, pasaron junto a los pasillos del maquillaje y las cremas, y Nikita volvió a desviarse. Tenía que comprarse un pintalabios de este tiempo.

Se había girado hacia Knox con uno en la mano y le estaba preguntando: «¿Qué te parece este color?», cuando una mujer que estaba detrás de él dijo:

—¿Knox?

Él se giró y su rostro cambió de inmediato con una expresión que Nikita no pudo descifrar.

—Ruth —dijo, en ese tono cordial que tan bien le salía. Soltó el carro para abrazarla—. Te has levantado temprano.

—Podría decir lo mismo de ti, pero tú siempre te levantas temprano… y te acuestas tarde. ¿Cuándo duermes?

—A veces, no duermo. —Sin dejar de abrazarla, se giró hacia Nikita—. Ruth, te presento a Tina. Tina, ella es Ruth Lacey. Es la madre de Rebecca.

«¿Tina?» Bueno, no podía presentarla con su verdadero nombre, ya que se suponía que se había marchado de la ciudad. Le ofreció la mano.

—Es un placer conocerla.

Ruth le dio la mano y no dejó de observarla de arriba abajo. Era una mujer guapa y delicada, con una bonita figura y poco maquillaje, aunque muy bien aplicado. Y, como era una mujer, también se fijó en lo que llevaban en el carro.

—¿Hace mucho que estáis juntos? —preguntó.

—Un poco —mintió Knox tranquilamente.

—Me alegro por ti —dijo la mujer, con suavidad—. Ha pasado mucho tiempo. —Sin embargo, tenía una expresión perdida en los ojos. Abrazó a Knox y dijo—: Tengo que marcharme. Que paséis un buen día.

Se alejó por el pasillo y, cuando ya no podía escucharlos, Nikita miró a Knox y arqueó las cejas.

—¿Tina?

—No me acordaba de tu segundo nombre, aunque sabía que empezaba con «te».

—No pasa nada. Ahora seré Tina. Mi segundo nombre sería demasiado raro. —Dejó el pintalabios en el carro, encima de la ropa, y siguieron hasta el pasillo de los productos para el pelo. Escogió un paquete de coleteros de colores y con eso ya lo tenía todo.

—Me ha dado un poco de lástima —dijo.

Knox no necesitó preguntarle de quién estaba hablando.

—Lo sé. Creo que le ha dolido verme contigo. Cuando Rebecca murió, Ruth me dijo que siguiera adelante con mi vida, pero no creo que ella haya podido.

—No —dijo Nikita, con la mirada perdida—. Las madres nunca pueden.

Capítulo 18

Cuando llegaron a la biblioteca, fueron directamente a una sala pequeña y estrecha con tres máquinas de microfichas alineadas contra la pared. En la sala había poca luz, pero los archivos de microfichas estaban en la sala principal, bajo la vigilancia de una aburrida chica que se aseguró de que firmaran un formulario con el número de fichas que habían cogido. Obviamente, la gente se había llevado microfichas aunque la razón porque lo hacían era un misterio, a menos que tuvieran una de esas máquinas para poder verlas en casa.

Knox y Nikita no tuvieron que rebuscar mucho entre los archivos; Knox sabía exactamente qué ejemplar del periódico quería: el del 1 de enero 1985. Colocaron dos sillas juntas frente a la máquina mientras él pasaba la película hacia delante, buscando el artículo que recordaba. Nikita tuvo que inclinarse un poco para leer la pantalla, con lo que se acercó tanto a él que sus hombros quedaron juntos. Knox desprendía tanto calor corporal que Nikita sentía que casi la quemaba, incluso allí donde no se tocaban. Pudo soportarlo poco rato y se separó.

Él le lanzó una mirada inquisitiva y ella dijo:

—En esa postura, me dolía el cuello.

—Mentirosa —dijo él con serenidad y luego se giró hacia la pantalla—. Me deseas pero todavía estás enfadada conmigo, así que no quieres desearme, y tocarme supone una tentación demasiado grande. ¿Tengo razón?

—Bastante —respondió ella, inexpresiva.

—Me alegra saberlo —dijo, y le guiñó un ojo—. Y ahora ven aquí para que puedas leer lo que estoy leyendo yo.

—No, da igual. Lee la lista de objetos y yo la escribiré, así como las personas que aparezcan que recuerdes o reconozcas. —Cogió su bloc de notas, el que Knox había utilizado mientras la investigaba, y él le dijo que no utilizara su particular taquigrafía.

—Cobarde.

—«La discreción es la parte principal del valor.»

—Dijo una cobarde.

—¡Quieres hacer el favor de encontrar ese artículo! —exclamó ella, aunque luego se giró para ver si había molestado a alguien. Lo dudaba, porque había muy poca gente en la biblioteca, y ellos eran los únicos que estaban en la sala de las microfichas. Sin embargo, se sonrojó; se había pasado la vida intentando con todas sus fuerzas evitar llamar la atención. Y ahora estaba nerviosa porque casi había gritado en un espacio público y porque Knox parecía no entender el motivo de su nerviosismo. No, claro, ¿cómo iba a entenderlo? Para que lo entendiera tendría que explicarle su caso, y jamás lo había hecho. Desde pequeña, sus padres le habían dicho que fuera precavida a la hora de hablar de sus orígenes o de su situación legal.

—Aquí está —dijo Knox—. Max Browning firmó el artículo. Todavía trabaja para el periódico. Podemos hacerle algunas preguntas. Veamos… la lista de objetos que fueron introducidos en la cápsula incluyen un anuario del instituto de Pekesville de 1984, una cinta de casete con los diez éxitos musicales del año, junto con un radiocasete; bien pensado. Fotografías y la historia del condado de Peke, la carta de constitución de la ciudad, aunque no sé a quién podía interesarle esto dentro de cien años. También había un ejemplar del periódico local. Y ya está.

—Sólo son siete objetos —dijo ella.

—Pues es todo lo que aparece. El artículo dice: «El alcalde y otros personajes de la ciudad enterrarán doce objetos en la cápsula del tiempo, incluyendo…», y hace una lista con lo que acabo de leer. No dice nada de los otros cinco. Mierda —dijo en voz baja, frustrado.

—¿Quién estaba en el acto?

—El alcalde, claro, Harlan Forbes. Taylor Allen. El entrenador de fútbol, Howard Easley. Edie Proctor, la conserje del instituto. Y los concejales Lester Bailey y Alfred «Sonny» Akins. Estos son todos los que identifica con nombre y apellido.

—¿Recuerdas a alguien más?

—A Max Browning, claro. El antiguo sheriff, Randolph Sledge. Se jubiló al cabo de un año, más o menos, y murió hará unos diez años. El juez titular también estaba, aunque no recuerdo su nombre. Era algo Clement. También murió. Había varios empresarios, entre ellos mi padre, el jefe de policía, los comisionados del condado. No sé cómo se llamaban, pero los nombres estarán en los archivos de los juzgados, y el ayuntamiento tendrá la información de quién era jefe de policía en ese momento.

—Y ¿ahora qué hacemos?

—No quiero que vayas a los juzgados. A los polis se nos da muy bien reconocer a la gente, sobre todo si la vemos en el mismo contexto donde la vimos por primera vez. Puede que alguien más haya estado observando tu culo.

—Estaba en tu despacho, sentada sobre mi culo.

—Estuviste en casa de Taylor Allen cerca de un par de horas. Además, te vieron entrar y salir de mi despacho. Confía en mí.

—Me niego a creer que mis nalgas sean tan reconocibles —dijo, furiosa. No es que quisiera ir a los juzgados, pero le daba coraje que Knox creyera que su culo era tan distinto que la gente lo reconocería.

—Eso es porque no eres un hombre. Nos gusta mirar los culos de las mujeres. En realidad, los observamos.

—Gracias por la explicación; ahora me siento mucho mejor.

Knox miró por encima de su hombro para verificar que no les oía nadie y dijo:

—Venga, no me digas que las cosas han cambiado tanto en doscientos años que a los hombres ya no les importan los culos de las mujeres. Siguen mirando, ¿verdad?

Ella se quedó pensativa un segundo, tomándose muy en serio la pregunta.

—En el trabajo, no —dijo, al final. Allí es donde había pasado gran parte de los últimos ocho años: trabajando, entrenando o estudiando. Los agentes con los que había trabajado y entrenado, tanto hombres como mujeres, habían compartido sus confidencias respecto al tema y todos coincidían en que estaban tan ocupados con su carrera que no tenían demasiado tiempo para otras cosas. Algunos agentes, cuando estaban fuera de servicio, habían establecido relaciones con otros agentes, claro, e inmediatamente los habían separado. Despedido, no, pero uno de los dos era destinado a otra ciudad. A partir de entonces, eran libres de llevar la relación como quisieran, pero no podían realizar determinados trabajos juntos. Investigación, enseñanza, laboratorio... eso sí. Pero trabajo de campo, no.

Nikita no había tenido demasiado tiempo fuera de servicio en los últimos ocho años. Había elegido especializarse y los estudios requerían horas extras añadidas a su horario normal. Todo el tiempo libre que tenía lo pasaba con su familia, excepto una relación que tuvo hacía cuatro o cinco años y que, durante un tiempo, creyó que sería la definitiva, pero que también había terminado. Nada de drama ni fuegos artificiales; sencillamente, el cariño fue desapareciendo.

Era como el resto de su vida: ni drama ni fuegos artificiales. Ni calor, ni pasión, ni gritos... nada excepto un estricto cumplimiento de la ley.

—Oye —dijo él, colocándole la mano encima de la rodilla—. No te preocupes tanto. Si en tu tiempo los hombres no te miran el culo, puedes venir aquí siempre que quieras y ya nos encargaremos nosotros de mirártelo. Olvida eso... yo me encargaré de mirártelo.

Ella le apartó la mano.

—Gracias, pero estaba pensando en otra cosa. Perdona, ¿qué quieres que olvide?

Él se echó a reír y ella se dejó caer contra el respaldo de la silla, martirizada por haber vuelto a meter la pata.

—Significa «Bórralo» —le explicó—. Así. —Cogió el bloc, escribió una palabra, y la tachó varias veces—. ¿Lo ves? Está olvidado.

—Entiendo —dijo ella, con solemnidad—. Esa debería de haberla sabido, porque el papel y los bolígrafos son un invento anterior al vacío de información que tenemos a partir de finales del siglo veinte.

—Personalmente, me sorprende mucho que hables tan bien el inglés coloquial. Di algo con tu acento normal.

—No soy un mono de feria para tu entretenimiento —dijo, hablando muy deprisa y enlazando las palabras las unas con las otras.

Knox parpadeó varias veces.

—Vaya. Eso ha sido rápido. Pareces una subastadora. ¿Todo el mundo habla tan deprisa?

—No, claro que no. Algunos hablan más deprisa y otros, más despacio. A mí, la cadencia de vuestro discurso me parece muy lenta y comedida, casi propia de un discurso formal.

—Bueno, es que estás en Kentucky oriental; eso explica la lentitud. En cuanto a lo del discurso formal, no tengo explicación para eso.

Nikita tuvo la sensación, como muchas otras veces, que se habían desviado del tema y golpeó el bloc con la uña del índice.

—Creo que deberíamos concentrarnos en nuestro plan de acción. No quieres que vaya a los juzgados. No estoy necesariamente de acuerdo con tu lógica, pero, como eres un hombre, te haré caso. Quizá podría investigar los nombres de los concejales, si me llevas al ayuntamiento.

—Debes de haberme distraído mucho porque, ahora que lo pienso, recuerdo dónde estamos. Estamos en una biblioteca.

—Sí, ya lo sé —respondió ella, casi enfadada. ¿Cuándo había olvidado dónde estaban?

—Sólo tenemos que mirar las ediciones del periódico que se publicaron el día después de las elecciones. Vale, deja que lo piense; las elecciones se celebran los años pares, y el año pasado no se celebraron, lo que significa que las últimas fueron en el 2002. Si contamos hacia atrás, eso significa que el año electoral que estamos buscando es 1982, y como las elecciones municipales y las del condado son alternativas, las elecciones del condado fueron en 1984. Las elecciones municipales son en junio, así que necesitamos los periódicos del mes de junio de 1982 y las de noviembre de 1984 para los nombres de los comisionados. Siento mucho no recordar las fechas exactas.

—Ui, no sé si podré hacerlo con tan poca información para empezar —dijo ella, irónicamente, y él chasqueó la lengua. Antes de que pudiera responder, le sonó la radio y una voz recitó monótonamente una serie de códigos. Knox miró la radio y llamó, y fue entonces cuando Nikita se dio cuenta que era una combinación de radio y móvil. Lo miró con mayor interés, preguntándose si se lo dejaría examinar. Debía de ser uno de los comunicadores duales de primera generación.

—Tengo que irme —dijo él, mientras se levantaba. Frunció el ceño al mirarla—. ¿Estarás bien aquí sola?

Ella puso los ojos en blanco.

—No, en realidad tengo cinco años en lugar de treinta; no sé cómo voy a arreglármelas.

—No tienes que ser sarcástica.

—Evidentemente, lo he sido.

—Tengo la sensación que te dejo en un país extranjero o algo así.

—Pues no es así, estoy en mi país. Tengo dinero, tu número de teléfono y estoy segura que, si lo necesito, sabré hacer una llamada.

—Vale, está bien. —Se inclinó y le dio un beso en la cabeza—. ¿Ese móvil tuyo es de verdad o sólo lo llevas porque se parece a los nuestros?

Nikita tuvo la sensación que debería decirle algo sobre el beso, pero, al mismo tiempo, había sido tan cotidiano que mencionarlo sería como hacer una montaña de un grano de arena.

—Me temo que es falso. Se parece a los vuestros, pero nosotros ya no usamos la misma tecnología y ninguno de los vuestros sigue existiendo.

—Muy bien, pues te conseguiré uno que funcione. Quiero poder localizarte en cualquier momento. Quédate aquí hasta que yo vuelva.

—¿Lo estás diciendo en serio? Esta es mi idea del cielo: una biblioteca. ¡Piensa en todo lo que puedo investigar en este lugar!

Knox hizo una pausa antes de marcharse, con la cara iluminada por la curiosidad.

—Me he estado preguntando una cosa. Para llenar las lagunas de información que tenéis, ¿por qué no ha viajado más gente de tu tiempo y se han llevado CD y cosas así?

—En primer lugar, vuestra tecnología no transita. Ya lo intentamos. Los libros sí, pero sufren daños durante el proceso. Los ordenadores y los CD no. Lo orgánico transita mejor. Tuvimos que desarrollar tejidos especiales para la ropa, porque las fibras naturales son muy escasas y caras en mi tiempo.

Knox ladeó la cabeza.

—¿Quieres decir que alguien que llevara poliéster no transitaría?

—Claro que sí, pero la ropa no.

Él sonrió.

—O sea, que llegaría totalmente desnudo.

—Exacto.

—Como Terminator.

Ante la mirada de perplejidad de Nikita, añadió:

—Es una película en la que el asesino que venía del futuro llegaba desnudo.

—Entonces, sí. Como Terminator. Pero seguro que entiendes por qué llenar estas lagunas es tan difícil. Yo puedo investigar mientras estoy aquí, puedo hacer fotos, como muchos de los que han venido antes, pero se ha perdido tanta información… Y si este viajero sin autorización logra su propósito, se perderá para siempre.

—No lo logrará. Nos encargaremos de él. Volveré lo antes posible —dijo, y se marchó.

Nikita se sentó en la silla que Knox había dejado vacía. No se había quedado exactamente abandonada a su suerte, porque las piernas todavía le funcionaban, pero sin un coche sus movimientos estaban limitados. No obstante, la biblioteca era un lugar genial; no sólo podía investigar lo que le apeteciera, sino que encima allí se sentía segura. En realidad, ahora que la perturbadora presencia de Knox ya no la distraía, se le había acelerado el pulso. ¡Una biblioteca! Las posibilidades de investigación eran infinitas. Más emocionada de lo que recordaba haber estado jamás, se puso a trabajar.

—¿Qué te pasa? —preguntó Byron, con suavidad, mientras se incorporaba apoyado en un codo junto a ella. Tenía la mano apoyada encima de su estómago desnudo, en un gesto que era posesivo y, a la vez, protector.

Ruth Lacey miró a su amante. Todavía no acababa de creerse lo que estaba haciendo, que después de tantos años le fuera infiel a su marido igual que él había hecho con ella. No, eso no era cierto; un amante en treinta y pico años de matrimonio no era comparable a decenas, puede que incluso cientos. Hacía años que no dejaba que Edward la tocara, concretamente desde poco después del nacimiento de Rebecca, porque tenía mucho miedo que le contagiara una enfermedad venérea. Después apareció el sida, que destruyó por completo cualquier oportunidad, por mínima que fuera, de que volviera a mantener relaciones con él. Supuso que, de algún modo, Ed había conseguido quedarse al margen de las enfermedades, pero como no le interesaba, no se lo preguntó.

Debería haberse divorciado de él. Debería haber intentado construir una vida mejor para Rebecca y para ella. Pero lo había estado retrasando hasta asegurarse que Rebecca encontrara su camino; y entonces su hija había muerto y, con ella, cualquier incentivo que Ruth pudiera tener para seguir adelante con su vida.

Suspiró. No tenía sentido ocultar su melancolía.

—Esta mañana he visto al prometido de mi hija, con otra mujer.

Byron la miró confundido.

—Creía que habías dicho que tu hija había muerto hacía siete años.

—Y así es, pero todavía pienso en Knox como su prometido. Lógicamente, sé que muy pocos hombres habrían esperado tanto tiempo antes de empezar otra relación y lo quiero y deseo que sea feliz, pero a nivel emocional siento como si la estuviera engañando.

—Ya. Y ¿cómo se sentiría Rebecca?

Eso era lo que más le gustaba de Byron, el hecho de que la escuchara y no ignorara sus sentimientos. Desde la muerte de Rebecca, había vivido en un desierto emocional tan grande que la atención que él le prestaba era como el agua sobre la piel sedienta; ella la absorbía, se deleitaba en ella, florecía en su presencia y, cuando estaban separados, sólo podía pensar en él.

Hizo una mueca.

—Seguramente se enfadaría con él por haber esperado tanto tiempo. Hacían muy buena pareja; era como si fueran dos mitades complementarias. Encajaban perfectamente. Ella querría que fuera feliz. Y esto me convierte en una egoísta pero…

—Pero ¿qué? —insistió él cuando ella se quedó callada unos segundos.

—Siento como si también lo hubiera perdido a él. Se esforzó tanto por revivirla. Los médicos me dijeron que, cuando llegaron a su casa, estaba tan agotado de darle reanimación que se dejó caer sobre la espalda; no podía ni levantarse. Y estaba llorando. Hasta ahora, era como si compartiéramos este… este vacío que ocupaba ella. Era como si no tuviera que soportarlo sola.

Byron hizo una pausa y después, con delicadeza, preguntó:

—¿Tu marido no...?

Ella se rió con amargura.

—¡Uj!, sí, lloró, pero cuando la enterramos, esa misma
noche salió a buscar con quien acostarse. Si estaba apenado,
lo demostró como siempre lo ha hecho, persiguiendo a cualquier mujer que lo mirara.

Byron movió la mano sobre el estómago de Ruth.

—Te diría que lo siento, pero si hubiera sido un marido
perfecto, ahora no estarías aquí conmigo. Siento mucho no
haberte conocido antes que él, pero ¿sería muy malo que reconociera que me alegro de que no hayas sido feliz a su lado?

Ella le lanzó una tierna sonrisa.

—No, no es malo. Es sincero. Y muy halagador —Ruth
se acurrucó junto a él de lado, de modo que pudiera apoyar
un brazo en su pecho y acariciarle el pelo. Le encantaba tocarlo. Hasta que había conocido a Byron, había pasado tanto
tiempo sin tocar ni que la tocaran, sin amor, sexo o una combinación de ambos, que en sus brazos se sentía como una vir-
gen. Todo era nuevo, y aterrador; se sentía tan nerviosa por si
no estaba lo suficientemente preparada que la primera vez le
había hecho un poco de daño, realmente como si jamás la hubieran penetrado antes.

Para ser sincera, jamás se había sentido una mujer muy
sexual; había buscado la seguridad en lugar del amor, y había
aparcado todos esos sentimientos. Las elecciones que había
hecho le habían dado a Rebecca, pero cuando su hija murió,
se quedó vacía y amargada. Todos los días transcurrían de
forma monótona, sin esperanza, hasta que conoció a Byron.

Él le había dado la atención que ella tanto ansiaba, y también una razón para vivir, olvidar el dolor y la pérdida del pasado.

Había muchas cosas que le gustaban de él. Por ejemplo, que no era de la ciudad. No se conocieron en Pekesville, sino en el siguiente condado al oeste, así que no tenía que preocuparse por si se encontraba con algún conocido. Puede que hubiera quien considerara que el siguiente condado era casi como ser de la misma localidad, pero ella había vivido en Pekesville toda su vida y jamás había viajado demasiado, así que ser del lugar era un concepto distinto para ella.

No era demasiado alto, apenas unos centímetros más que ella, y Ruth descubrió que le gustaba así. Encajaban muy bien y Edward era muy alto, así que estaba contenta de que nada en Byron le recordara a su marido; excepto el hecho de que ambos tenían pene, claro, aunque lo usaban de manera muy distinta. Edward siempre había sido sexualmente egoísta, y Byron era todo lo contrario: amable y paciente en la cama, deseoso de darle placer sin importarle lo que tardara o lo que tuviera que hacer para ello. No pensaba que sólo podía complacerla con el pene; la quería con todo su cuerpo.

Era más joven que ella; tenía casi seis años menos. Y eso también le gustaba; era un sutil ánimo para el ego que Ruth no sabía que necesitaba. A Byron le gustaba leer, ir al cine y dar paseos, durante los que la cogía de la mano casi todo el tiempo. A veces, y de forma casi ausente, levantaba la mano y le daba un beso, una espontánea e inconsciente muestra de afecto que casi la hizo llorar la primera vez. Le gustaba hablar con ella y era inteligente. Tenía teorías y hacía experimentos que le explicaba y le enseñaba, demostrándole lo mucho que apreciaba su inteligencia. Todavía había algunos detalles que no entendía, pero a estas alturas confiaba en él implícitamente. Si le decía que algo saldría bien, se lo creía.

—¿Quién era la mujer que viste con Davis? —le susurró junto a la sien—. ¿La conoces?

—No, nunca la había visto. Es una rubia que se llama Tina. Nos presentó, pero no mencionó su apellido. Estaban en Wal-Mart, comprando, antes de las ocho de la mañana. Creo que habían pasado la noche juntos.

—¿Porque estaban en Wal-Mart? —preguntó él, con las cejas fruncidas por la confusión.

—No, porque estaban comprando juntos en Wal-Mart antes de las ocho, y ella estaba comprando camisetas, pantalones, ropa interior, maquillaje y cosas así. A esas horas, puedes ir a la tienda a comprar algo que te falte, pero no vas de compras, y menos juntos. Creo que ella ha pasado la noche en su casa y que esta mañana, como no tenía sus cosas, salieron a comprarlas.

—Pero ¿por qué no se ha ido a su casa? —Byron seguía confundido.

—No lo sé. —Aunque esa solución no tenía sentido—. Quizá no vive aquí. Pero, en ese caso, ¿cómo es que está con Knox? ¿Por qué no fue a la tienda en su propio coche? No sé, supongo que tendría que ir a su casa a por el coche antes de ir a trabajar o se quedaría aquí tirada. O sea, que no había ningún motivo para ir a comprar juntos si él iba a llevarla a casa de todos modos. Esto no tiene sentido.

Ahora Byron tenía una expresión de lo más extraña, la misma que tenía cuando intentaba solucionar ecuaciones en el ordenador.

—¿Cómo has dicho que se llamaba?

—Tina. ¿Por?

—Y ¿dices que es rubia?

—¿Conoces a alguna rubia que se llame Tina?

—No, qué va. Es que estaba pensando… la mujer con la que estaba ayer… se supone que se había marchado.

—Sí. Jason MacFarland me dijo que Knox le había comentado que la mujer había decidido que sus casos no estaban relacionados, así que no tenía ningún motivo para quedarse.

La mirada marrón de Byron estaba relajada mientras acariciaba el pelo de Ruth.

—Pero nosotros sabemos que nunca habría hecho eso, ¿verdad? No se marcharía, porque tiene que estar en Pekesville. Knox y ella pasaron mucho tiempo juntos ayer. Y, total, cambiarse el color del pelo es muy fácil.

Ruth emitió un grito ahogado de horror, se sentó en la cama y se giró hacia Byron.

—¿Crees que Tina es…? ¿Estás seguro?

—No. Para estar seguro tendría que verla. Pero creo que hay muchas posibilidades de que sea la misma persona, ¿tú no? —Sonrió—. Si lo es, jugamos con la ventaja de saberlo. Si sabes dónde vive Knox, puedo vigilar la casa. Pronto sabremos la verdad.

Capítulo 19

En menos de una hora, Nikita había conseguido los nombres de todos los concejales de la ciudad y comisionados del estado de 1985; como tenía tiempo y era muy meticulosa, también encontró un artículo que informaba sobre el suicidio de Howard Easley. El periodista, Max Browning, había sabido plasmar la sorpresa y el dolor de los estudiantes del instituto y sus compañeros en el claustro, pero, sobre todo, del equipo de fútbol americano. El entrenador Easley era un hombre muy popular. En un cuadro al lado del artículo aparecía una lista con los síntomas de la depresión y advertencias sobre el suicidio. La nota necrológica decía dónde había nacido, a qué universidad había ido, el tiempo que llevaba como entrenador y a qué iglesia iba.

La lista de portadores del féretro era interesante, porque algunos de los concejales y comisionados que aparecían en la lista de Nikita habían acompañado al entrenador hasta su lugar de reposo eterno. Fotocopió el artículo y la necrológica para Knox. No sabía si sería importante, pero Knox había vivido aquí casi toda su vida y quizá percibiera algo extraño que ella hubiera pasado por alto.

Después de terminar el trabajo «oficial», Nikita se pasó un par de horas paseándose por los pasillos repletos de libros.

Sacó su diminuta cámara del bolso y, con mucha discreción, filmó todo aquello que creyó que podría ser interesante para los investigadores de su tiempo. La cámara no necesitaba luz adicional para tomar fotografías de gran calidad y todo el mecanismo, como todo lo que había traído consigo, estaba fabricado especialmente para imitar los componentes orgánicos y que pudiera transitar.

Que los seres humanos fueran formas vivas hechas a base de carbono había complicado mucho la tarea de los científicos a la hora de encontrar teorías y aplicaciones prácticas para los viajes en el tiempo. El problema de la ropa fue el más sencillo de solucionar porque, al fin y al cabo, la ropa sólo tenía que mantenerse entera y cubrir el cuerpo humano. Adaptar toda su tecnología a los viajes en el tiempo había resultado mucho más complicado que transitar el cuerpo humano. En los experimentos originales, el exterior de las máquinas acababa intacto, pero las partes de cualquier equipo que hubieran utilizado para el experimento acababan, en el mejor de los casos, fritas. A veces, simplemente desaparecían. Nadie sabía si se habían materializado en otro tiempo y lugar.

Por lo tanto, el láser, el escáner de ADN, la ropa, la cámara, la libreta electrónica… todo estaba hecho imitando el material orgánico a nivel molecular.

Entonces, ¿cómo había viajado en el tiempo la lanza?

Aquella idea la sacudió. ¿Cómo no se le había ocurrido antes?

La lanza del museo era anterior a los viajes en el tiempo, y la habían robado. Cuando McElroy informó que había visto a Taylor Allen asesinado con una lanza y que había seguido al viajero no autorizado hasta la casa de Allen, ¿qué otra cosa podían pensar? Que era la misma lanza y que la habían utilizado únicamente por el valor simbólico que tenía para los grupos contrarios a los viajes en el tiempo.

Por lo tanto, si era anterior a los viajes en el tiempo y había transitado con éxito, ¿de qué estaba hecha? De madera y acero, no; la madera transitaba bien pero el acero no era orgánico. En cualquier caso, cuando China empezó a producir lanzas en serie, no usaron madera y acero. Utilizaron cerámicas y otros materiales, ninguno de los cuales provenía de un organismo vivo.

La única conclusión a la que podía llegar era que la lanza que habían utilizado para matar al señor Allen no había venido del futuro, que era contemporánea. Y, si era contemporánea, podía seguirle el rastro.

Pero entonces, ¿por qué iba el viajero no autorizado a tomarse la molestia de buscar una lanza y utilizarla para matar al señor Allen si no tenía ningún valor simbólico y no pretendía hacer ninguna declaración de principios? Seguro que había formas de matar al señor Allen más sencillas, como con un láser, por ejemplo; si tenía acceso a armas de láser, y tenía acceso al Laboratorio de Tránsito, entonces al menos era factible que pudiera conseguir un arma láser, puesto que eran más fáciles de conseguir que entrar en el laboratorio. O, si no podía conseguir un láser, podía haber comprado un arma de fuego aquí; las balas propulsadas por un arma de fuego eran muy eficaces.

No, había utilizado la lanza por un motivo, pero ¿cuál? Y alguien había robado una lanza del museo. Eran demasiadas coincidencias como para ignorarlas; tenía que tener algún significado.

Se sentó en una mesa aislada y sacó la libreta electrónica. La abrió y empezó a escribir en la pantalla, al tiempo que murmuraba entre dientes cosas para sí misma.

—¿Has podido encontrar los nombres?

Dio un respingo y el estilo salió volando por los aires y fue a parar debajo de un carro de libros.

Knox se puso a cuatro patas para cogerlo, con una sonrisa en la cara.

—Debías de estar completamente concentrada en algo —comentó—, para no oír cómo me acercaba.

—Siéntate —le dijo ella, con urgencia, ofreciéndole la silla que había a su lado.

Él arqueó las cejas, expectante, pero le hizo caso y se sentó.

—¿Qué pasa? ¿Has encontrado algo?

—En los periódicos no, si te refieres a eso. He conseguido todos los nombres, pero entonces se me ha ocurrido otra cosa. —Acercó la cabeza hacia él—. La lanza. Es imposible que haya transitado desde mi tiempo. —Hablaba en voz baja, casi en un susurro; seguía habiendo poca gente en la biblioteca, pero a medida que había pasado la mañana, cada vez había ido llegando más.

Knox volvió a arquear las cejas.

—¿Cómo lo has sabido? —Entonces frunció el ceño y Nikita casi pudo leer lo que le estaba pasando por la cabeza—. Orgánico. Dijiste que todo tenía que ser orgánico o imitar la composición orgánica.

—Exacto, y las lanzas que había en el museo eran anteriores a los viajes en el tiempo, por lo tanto todavía no existía la tecnología para fabricarlas de materiales que hubieran permitido que transitaran, si es que alguien hubiera querido gastarse el dinero en eso. Si no recuerdo mal, las lanzas del museo tenían mangos de fibra de cristal y puntas de cerámica.

—A mí me pareció de madera. Bueno, el mango. La punta estaba clavada en la espalda de Taylor Allen.

—No, he visto esas lanzas. Y los mangos no se parecen en nada a la madera.

—Entonces, nuestra lanza no proviene de tu museo.

—Alguien robó una lanza del museo —dijo ella, despacio, mientras repasaba los hechos e intentaba colocarlos en un escenario verosímil—. Cuando McElroy informó que a Allen lo habían matado con una lanza, la conclusión más lógica fue pensar que lo habían hecho con la que había desaparecido del museo.

—Y ¿no sabrían todos que no podía tratarse de esa lanza?

—Solamente si habían visto la colección. Si se denuncia que ha desaparecido una lanza y luego un agente dice que se ha producido un asesinato con una lanza en el tiempo en el que se desarrolló el principio de la tecnología para viajar en el tiempo, en el mismo lugar donde se desarrolló, y si dicha lanza tiene un valor simbólico para los grupos contrarios a los viajes en el tiempo, entonces es lógico que todos asumiéramos que el viajero no autorizado había robado la lanza y había transitado con ella con el objetivo de matar a la persona que, supuestamente, fue el principio de todo.

—Vaya —dijo Knox—. Hablas muy rápido y me ha parecido que todo eso ha sido una única frase. Retrocede un poco y ve más despacio.

Nikita respiró hondo y contuvo su impaciencia. Más despacio, imitando su ritmo de discurso, repitió los puntos más importantes.

—Vale, ya lo entiendo —dijo él—. O sea, que ese otro agente, McElroy, no podía saber qué aspecto tenía la lanza, ¿no?

—No necesariamente. Yo me he pasado mucho tiempo en los museos por mis otros estudios.

—Entiendo cómo se llegó a esa conclusión. Seguramente, en tu tiempo todos están tan acostumbrados a la regla de «sólo productos orgánicos» que a nadie se le ocurrió comprobar de qué estaba hecha la lanza.

Ella asintió.

—Es algo que sabe todo el mundo, no sólo los encargados de seguridad.

—Entonces, ¿por qué usar una lanza que no tiene ningún significado específico? Hay otras maneras más fáciles de matar a alguien. ¿Por qué no le disparó?

—Es lo que yo estaba pensando. Sólo tiene sentido si hay alguien que quiere que creamos que es obra de los grupos contrarios a los viajes en el tiempo. Alguien se tomó la molestia de robar la lanza en mi tiempo y localizó o bien fabricó otra en este tiempo. Pero... ¿por qué? Si se trata de algún grupo organizado, no tienen que usar una lanza, sólo tienen que cometer el asesinato y reclamar la autoría. Es como si la lanza se hubiera utilizado para convencernos de forma deliberada que el asesinato fue obra de un grupo organizado.

—Más despacio —le dijo Knox—. Aunque debo de estar escuchando más deprisa, porque esto último lo he entendido todo. Parece como si alguien de tu tiempo estuviera intentando destruir los grupos contrarios a los viajes en el tiempo provocando una gran represalia contra ellos o bien desviando la atención hacia otro lado.

—Pero ¿quién? Y ¿con qué objetivo? —Se quedó callada un momento y luego añadió—: El «quién» está claro; es alguien del FBI, posiblemente incluso alguien de mi unidad. Eso lo sabemos. Pero ¿cuál sería el objetivo, a menos que el responsable de esto tenga algo personal en contra de dichos grupos? Y, en cualquier caso, ¿por qué matar a un inocente por ello? ¿Por qué enviar a tus propios agentes para que los maten?

—Porque tiene que hacerlo —respondió Knox, muy despacio, mientras pensaba—. Enviar agentes es lo que haría en una situación normal, así que no puede desviarse de su comportamiento normal sin llamar la atención. Sin embargo, de alguna manera pone sobre aviso a su cómplice, para que los agentes acaben en un callejón sin salida o muertos. Mi opinión es que ese McElroy no debe de ser un agente brillante, porque jamás se acercó al asesino o él también habría acabado muerto.

—Tiene que ser uno de mis superiores. —Nikita se preguntó si estaría tan pálida como pensaba que estaba—. Imagino que el FBI se habrá hecho con el control del Laboratorio de Tránsito durante esta misión, cosa que facilitaría que esa persona enviara información al pasado o incluso transitara él mismo si necesitaba tener una comunicación directa con su cómplice.

—¿Se te ha ocurrido que quizá los asesinatos no tengan nada que ver con la tecnología de los viajes en el tiempo? Si la lanza es una trampa, puede que el razonamiento detrás de todo esto también lo sea.

—La cápsula del tiempo ha desaparecido —señaló ella—. Y la ha robado alguien que viajó desde mi tiempo sólo para eso. Pero ¿para qué la querían si no era para guardarla a buen recaudo?

—Das por supuesto que la tiene uno de los buenos.

—Sigo viva —se limitó a responder ella.

Knox volvió a darle vueltas a la cabeza mientras la miraba.

—Si hubieran destruido el contenido de la cápsula, y si algo de lo que hubiera en ella fuera crucial para el desarrollo de esa tecnología, los viajes en el tiempo no existirían y no estarías aquí.

—Exacto. Si estoy aquí significa que el papel o lo que sea todavía existe.

Knox se quedó horrorizado.

—¿Quieres decir que podría estar besándote y tú... desaparecerías?

—En teoría.

—¡Ni se te ocurra! Me daría un ataque.

—Eso si estuvieras besándome, cosa que no sucederá.

—No estés tan segura. Pero pensemos: ¿quién más, aparte de los grupos contrarios a los viajes en el tiempo, quieren evitar la existencia de esta tecnología? ¿Qué consiguen con eso? Y ¿por qué matar a Taylor Allen y al ex alcalde Forbes cuando ninguno de los dos sabía nada de los viajes en el tiempo? Por lo que sé sobre el alcalde Forbes, jamás habría admitido la existencia de estos viajes aunque alguien se materializara encima de su culo. Tampoco se creyó que el hombre había pisado la Luna.

Nikita parpadeó, atónita.

—¿En serio?

—Lo juro —respondió él, levantando la mano derecha.

Ella se quedó callada un segundo mientras interiorizaba la magnitud de aquella negativa haciendo caso omiso de la avalancha virtual de acontecimientos.

—Todavía hay quien cree que la Tierra es plana —añadió Knox.

—He oído hablar de ellos. Aparecen en los libros de historia. Cuando establecimos la primera colonia en la Luna, llevamos a uno de los líderes de la sociedad. Él se convenció, pero sus seguidores no. Durante un buen tiempo, siguieron insistiendo en que se trataba de un escenario, que no había estado en la Luna.

—Y ¿cómo los convencisteis?

—Llevando al Papa a la Luna.

Él se la quedó mirando, sonrojándose por momentos. De repente, se levantó y se fue corriendo hacia el baño, con los hombros encogidos. Consiguió contenerse hasta que llegó y, una vez dentro, la puerta cerrada amortiguó el ruido de sus carcajadas.

Nikita ladeó la cabeza. ¿Qué tenía de gracioso que el Papa hubiera ido a la Luna?

Cuando Knox volvió, tenía los ojos llorosos y una sonrisa dibujada en la cara.

—Perdón —dijo, en un tono ahogado—. Es que… me lo he imaginado sentado en una roca, con las vestiduras… —se le apagó la voz y meneó la cabeza.

—No seas tonto —dijo ella—. Llevaba un traje espacial, como todo el mundo.

Knox empezó a reírse y se marchó.

Nikita pensó que era la persona que tenía más facilidad para desviarse de un tema que jamás había conocido. Podían estar manteniendo una conversación seria sobre la investigación y, al cabo de dos segundos, estaba explicándole que los viajeros en el tiempo llegaban desnudos si llevaban poliéster.

Mientras él estaba en el baño, ella siguió repasando las notas que había tomado en la libreta electrónica y dándole vueltas al asunto. ¿Cuál era el objetivo de todo esto? El por qué y el quién siempre iban casi de la mano; si descubría lo uno, podría descubrir lo otro.

Obviamente, el asesino, o asesinos, porque sabían que había dos, como mínimo, aunque podían ser más, no había encontrado lo que buscaba, y estaba visitando a las personas que habían tenido algo que ver con esa cápsula.

Al final, Knox volvió y Nikita previno cualquier otro ataque de risa señalando la lista de nombres.

—Alguien de esta lista es el próximo objetivo del asesino. ¿Qué podemos hacer para mantenerlos con vida?

Esa pregunta eliminó los últimos restos de diversión del rostro de Knox. Se quedó de pie mirando la lista, y al final dijo:

—No mucho. Hay demasiados nombres. El departamento del sheriff y la policía local juntos no tienen el personal necesario para hacer frente a estas necesidades. Algunos de aquí ya han muerto —sacó el lápiz, se inclinó sobre la mesa y tachó varios nombres—, pero todavía nos quedan doce. Lo único que el sheriff Cutler podría hacer sería avisarlos. Y eso siempre que alguno de ellos se creyera que alguien quiere matarlos por una cápsula del tiempo que enterraron hace veinte años.

—Pues tenemos que ir a hablar con ellos en persona —dijo ella.

—No. Yo tengo que ir a hablar con ellos. Tú tienes que quedarte escondida. La agente Stover se ha marchado de la ciudad, ¿recuerdas? Eres Tina, mi nueva novia, que vive conmigo.

—Ni lo sueñes —dijo ella, con frialdad.

—Yo sé la verdad. —Apoyó una mano en la mesa y la otra en el respaldo de su silla, y se inclinó hacia delante—. Pero es exactamente lo que Ruth pensó esta mañana cuando nos vio en Wal-Mart, y así es como nos comportaremos cuando estemos en público. Es el único modo que se me ocurre de mantenerte a salvo y, al mismo tiempo, involucrada en el caso. La otra opción es que te escondas en algún sitio.

Nikita se levantó tan rápido que Knox tuvo que apartarse para que sus cabezas no chocaran.

—Está bien. Pero si te aprovechas de la situación, la próxima vez que te pegue, te romperé la mandíbula. Te lo juro.

—Jamás lo he dudado, ni por un segundo —dijo, y sonrió.

Capítulo 20

Knox había ido a comprar un móvil y un cargador nuevo para Nikita, con cargo a su cuenta, y también había comprado una batería ya cargada. Como suponía que cuando ella se marchara se lo quedaría, porque como no era orgánico no podría llevárselo de vuelta a su tiempo, se mostró un poco espléndido y compró uno con cámara de fotos, sólo porque le gustaban esos aparatos. Eso significaba que tendría que ampliar la memoria del ordenador para poder descargar las fotografías e imprimirlas, pero ¡qué demonios!, tendría que ampliarla de todos modos.

Después de recoger a Nikita en la biblioteca, la llevó a una hamburguesería en la que se recogía el pedido sin bajar del coche, porque supuso que así resultaría más anónimo y, mientras estaban aparcados bajo la sombra de un roble muy grande, masticando las pringosas hamburguesas y las patatas fritas, le enseñó todas las funciones del móvil y cómo funcionaban. Estaba en medio de una entusiasta explicación sobre la función de cámara de fotos digital cuando levantó la cara y vio la expresión de infinita paciencia en su cara.

Se detuvo a media frase.

—Te estoy aburriendo hasta la saciedad o ya sabes hacer funcionar cosas de estas con los ojos cerrados. ¿Cuál de las dos?

—La última —respondió ella, muy amable.

—Bueno, pues si no te importa, deja que te lo termine de explicar porque algunas de estas cosas son tan impresionantes que tengo que enseñárselas a alguien.

Nikita no pudo evitar sonreír.

—Te escucho.

Cuando Knox terminó de jugar con el teléfono, después de seleccionar la melodía que a ella le gustaba, «Toreador», y de ponerlo en modo vibrador, con lo que el proceso de seleccionar la melodía había sido inútil, y grabarle su teléfono en la agenda, y el de ella en el suyo, ella ya se había comido la hamburguesa y la de él se había quedado fría.

Entonces, mientras él estaba ocupado con la comida y tenía la boca llena, Nikita sacó un tema que sabía que a Knox no le gustaría:

—He estado pensando; no hace falta que dependa de ti para todo. Nos limita a los dos. Puedes alquilarme un coche, ponerlo a tu nombre y, ¿quién va a enterarse? Te lo pagaré después con el dinero que tengo.

No fue una sorpresa que Knox frunciera el ceño y tragara la comida demasiado deprisa.

—Supongo que me gusta saber dónde estás —admitió—. Después de la metida de pata de ayer, tengo miedo que te marches antes de que pueda arreglarlo.

Nikita suspiró y miró por la ventana. No quería hablar de aquel devastador comentario porque el motivo de ser tan devastador era que no era asunto de él. Lo miró, vio la seriedad en sus ojos azules y sintió cómo se le encogía el corazón. Otro motivo por el que le había dolido tanto ese comentario era porque Knox le gustaba demasiado. Si surgiera el momento y la oportunidad, cosas de las que no disponía, pensó que posiblemente llegaría a enamorarse de él. Tenía esa calidez interna que ella siempre había admirado, era fiel a sí mismo y emanaba esa sexualidad tan relajada que la atraía como un faro.

Sin embargo, si lograba cumplir su misión, se marcharía a un lugar donde él no podía seguirla. Y si no lo lograba, acabaría muerta o «desaparecería», como él había dicho. Estaría en casa con su familia y nada de eso habría pasado, porque no existirían los viajes en el tiempo que la trajeran aquí y ahora.

Pensaba que ojalá fuera el tipo de persona que se lanzaba de cabeza a una aventura amorosa sólo porque se sentía atraída por un hombre, pero no lo era. Siempre tenía que ir con cuidado. Hasta que se decidiera su situación legal, nadie en su sano juicio se plantearía casarse con ella, y se negaba a ocultárselo a alguien a quien quisiera. En un giro de la situación un tanto perverso, si después de explicarle la verdad a un hombre, él todavía quisiera casarse con ella, sabía que no sería capaz de confiar en su sentido común nunca más y entonces se preguntaba: ¿quería unirse legalmente a una carga como esa? Sí, puede que fuera injusto, pero era la verdad.

—Di algo. —Knox dejó la bebida en el posavasos, alargó el brazo y le tomó la barbilla en la mano. Tenía los dedos fríos y húmedos de la bebida, pero Nikita percibió igual la calidez que tenía bajo la piel. Fue un contacto suave, más bien una caricia, pero la sensación le caló hasta los huesos.

—No deberías tocarme —susurró ella—. Es una distracción que no podemos permitirnos. —Se giró y lo miró. Sus miradas se encontraron en la sombra del coche y se le volvió a encoger el corazón, aunque esta vez con más intensidad. El hombre que tenía delante, con aquellos ojos azules intensos y penetradores, no estaba relajado. Se le podían aplicar otros adjetivos, como discreto, pero no relajado. Estaba concentrado y decidido; concentrado en ella y decidido a conseguir lo que quería. Se acordó del hombre serio y amenazador que se había encontrado en el jardín de Taylor Allen y, de repente, supo que aquella era la auténtica naturaleza de Knox.

Podía ser paciente, comprensivo, pero, debajo de todos los rasgos de su carácter, era de acero. Lo había estado conteniendo; la había estado cortejando.

Una primitiva emoción la recorrió de arriba abajo y le hizo venir a la mente una frase particularmente indicada:

—Estás jugando conmigo.

Jugaba con ella como el pescador con el pez, lanzándole el anzuelo, dejándole que nadara en libertad mientras le daba hilo, aunque lentamente, muy lentamente, mientras el pez se cansaba y él lo iba recogiendo. Dominaba tanto aquella técnica que incluso ahora, después de haber descubierto de repente lo que estaba haciendo, Nikita no tenía ninguna intención de soltar el anzuelo y marcharse. ¿Sería lo suficientemente bueno como para pescarla? El reto hizo que se quedara, porque quería descubrir la respuesta.

Podía decirse que estaba allí por el trabajo, y era cierto. Necesitaba su ayuda. De momento, estaba atrapada. Pero no tenía que quedarse en su casa, donde la quería él. Ahora que había cambiado su aspecto, tenía otras opciones. Muchas no, pero sí algunas, como la pensión que él le había mencionado.

La comisura de los labios de Knox se curvó mientras le seguía acariciando la cara, recorriéndole la línea de la mandíbula.

—No estoy jugando, Nikita.

No, no lo hacía. Había aventuras pasajeras, pero la atracción entre ellos era demasiado intensa para limitarse a eso.

Nikita comprendía la química a flor de piel que compartían, el deseo que hacía que las manos casi le dolieran de ganas de tocarlo. Pero también comprendía las circunstancias: que ella no era como las demás mujeres y que si decidía aceptarlo como amante, él tenía derecho a saber que nada de lo que pudieran crear juntos sería permanente, aunque los dos lo quisieran. Había leyes que controlaban los viajes en el tiempo, y existían por unos motivos coherentes y sólidos. Por mucho que a ella le gustara este tiempo, no quería quedarse, y a él no le permitirían ir al futuro con ella. Si, por algún milagro, él quisiera regresar con ella, una cuestión hipotética ahora, no podía hacerlo porque lo devolverían de inmediato y a ella la meterían en la cárcel. Incluso peor: su acción ilegal quizá convencería a los expertos legales de que, dentro de los que eran como ella, incluso los más cumplidores con la ley, eran inherentemente inestables y merecían ser destruidos.

Temblorosa, apartó la mirada y se giró hacia la ventana.

—Hay varias razones por las que la respuesta debe ser no.

Él dejó caer la mano.

—¿Una de ellas es que no te sientes atraída por mí?

—No —admitió ella, frustrada, al tiempo que sabía que, independientemente de las otras razones que le diera, él sólo escucharía esta admisión y se comportaría como si eso le diera derecho no sólo a continuar con su cortejo, sino a intensificarlo.

—Esa es la más importante. ¿Puedes explicarme las demás?

Nikita pensó que Knox ya conocía las razones circunstanciales. Era consciente que podía «desaparecer» en cualquier momento. Así que decidió explicarle las demás, aquellas de las que no habían hablado, aunque la más importante se la guardaría para ella.

—No soy un hombre. No me siento cómoda con… —Agitó la mano en el aire mientras buscaba una frase más contundente que «sexo esporádico», puesto que esa ya la había utilizado antes y él se le había abalanzado encima sin darle ni un respiro. No entendería muchas de las frases que se utilizaban en su tiempo, pero había una expresión que se había mantenido igual—. Con los polvos de si te he visto no me acuerdo.

—Bueno, eso me pone en mi lugar —murmuró él—. ¿Sería eso, para ti? ¿Nada más?

—¿Qué otra cosa podría ser, dadas las circunstancias?

—No estoy hablando del tiempo que podamos tener, sino de la emoción que se esconde detrás de él. Sí, soy un hombre, pero igual podemos hablar de emociones. Lo que hay entre nosotros no es esporádico, al menos no por mi parte. Pero si para ti no es suficiente, sólo tienes que decirlo. Pero no mientas, porque eso significa tirar por la borda algo realmente bonito.

Nikita se tomó su tiempo para pensar en aquellas palabras. Lo había entendido casi todo, menos una frase. La repasó mentalmente varias veces y movió los labios mientras la repetía.

Knox se echó a reír.

—Intento ser serio y cada vez me sorprendes más. Sé perfectamente lo que estás pensando. «Si para ti no es suficiente» significa que te caigo bien pero que no sientes nada especial por mí.

Y le había pedido que no le mintiera, lo que no significaba que no pudiera hacerlo, pero estaba siendo sincero con ella y se merecía lo mismo.

—No —dijo ella, al final—. No puedo decir eso.

—Es lo que necesitaba saber. —Recogió los restos de comida, metió las servilletas y los vasos en la bolsa de papel y salió del coche para tirarlo todo en el contenedor rojo. Nikita lo observó y sintió un nudo en el estómago. Igual que ella, era un policía, y siempre tenía aquella aureola de autoridad a su alrededor, algo que otorgaba el entrenamiento, la experiencia y el hecho de ir armado. Lo demás era únicamente atribuible a la naturaleza de Knox, un hombre cómodo en su piel y que se tomaba su tiempo. Si hacía el amor igual que caminaba… Dios mío.

Y, como era policía, cuando volvió al coche ya estaba pensando en el trabajo.

—¿Tienes el escáner de ADN aquí? —le preguntó mientras subía al coche.

Aliviada por el cambio de tema, Nikita colocó la mano encima del bolso.

—Sí.

—Me cuesta un poco acordarme de aplicar tu tecnología a esta investigación, porque yo no dispongo de ella y siempre me olvido —admitió—. Pero la misma noche que robaron la cápsula del tiempo, un ciudadano denunció que le habían reventado las cuatro ruedas del tractor y le habían matado a varios pollos. No creo que eso tenga nada que ver con tu viajero no autorizado, pero también dijo haber visto varios destellos en el bosque. No es el mismo lugar donde tú transitaste, pero está bastante cerca. ¿Podrías recoger muestras de ADN, incluso después de cuatro días?

—¿Ha llovido?

—Ni una gota.

—Entonces, puede que sí. —La invadió la emoción—. En un lugar apartado, es imposible que haya demasiadas muestras, y cualquiera que transitara tiene que aparecer en las bases de datos. ¡Sabremos a quién estamos buscando! No tenía ni idea que supieras el punto exacto donde había transitado.

—Como te he dicho, me cuesta un poco adaptarme a la aplicación práctica del escáner. Me siento estúpido por no haberlo pensado antes.

Ella le sonrió.

—Teniendo en cuenta lo que ha pasado en las últimas veinticuatro horas, creo que es muy comprensible.

—¿Veinticuatro horas? ¿Sólo? Parece que hayan pasado semanas.

Nikita lo entendía perfectamente. Desde que se habían conocido el día anterior, habían estado casi todo el tiempo juntos. Habían pasado muchas cosas, incluyendo el hecho de que Knox había cruzado una línea invisible al no informar de la muerte de Luttrell. Puede que se equivocara, pero tenía la sensación que lo conocía mejor que a algunos compañeros con los que había trabajado y con los que se había entrenado durante años.

Mientras Knox conducía hacia el campo a las afueras de la ciudad, le habló del carácter cascarrabias de Jesse Bingham.

—No dejes que te afecte nada de lo que diga; es desagradable con todo el mundo. Si nos ve al otro lado de la carretera, puede que venga a entrometerse en lo que estamos haciendo. En realidad, puedo asegurarte que lo hará. Así que ignora todo lo que diga.

Ella asintió y frunció el ceño para protegerse del sol que entraba por la ventana. Cogió las gafas de sol, se las puso y casi suspiró de placer. Este estado montañoso no era tan cálido como Florida, pero tampoco hacía frío; incluso sus ojos querían sombra.

Sin embargo, el paisaje era muy bonito. Las montañas no eran tan impresionantes como las Rocosas o el Himalaya; estas eran mucho más viejas, desgastadas por los millones de años de lluvia y constante erosión que habían pasado desde que las placas tectónicas que tenían debajo habían chocado y habían arrugado la tierra por encima del mar. Todo lo relacionado con los Apalaches era antiguo, y ligeramente misterioso, como si los años que habían pasado y las personas que habían caminado por allí hubieran dejado tras ellos su esencia para susurrar en el viento y vigilar los viejos árboles.

Ella jamás había estado en Kentucky, pero se prometió que cuando volviera a casa, haría lo posible por volver a esta zona y ver cómo había cambiado en doscientos años.

Y quizá también para ver la tumba de Knox.

Casi gritó ante la punzada de dolor que aquel pensamiento le provocó. Si ella volvía a su tiempo, Knox habría muerto. Lo miró, casi incapaz de soportar la idea de imaginárselo frío e inmóvil, desintegrándose por momentos.

Por eso los viajes en el tiempo eran tan peligrosos; no sólo por el riesgo físico o la tentación de cambiar cosas que no tendrían que cambiarse, sino porque eran seres humanos que cuando transitaban no podían dejar atrás sus sentimientos. Los humanos formaban vínculos de pareja; era una de las realidades básicas de la vida. Si dos personas de tiempos distintos tenían el suficiente contacto, establecerían vínculos. ¿Y qué podían hacer para evitarlos? No se podía traer al futuro a nadie del pasado. Y las leyes también prohibían que un viajero se quedara en el tiempo que estaba visitando. Si alguien no regresaba de forma voluntaria, se enviaría a un agente de rescate para hacerlo volver a la fuerza.

De hecho, las leyes habían creado, potencialmente, una nueva clase criminal. Todavía nadie había roto las normas; habían tenido que ir a rescatar a algún viajero, porque se le habían estropeado los vínculos, o los había perdido, o por cualquier otra circunstancia, pero nadie se había quedado voluntariamente en el pasado. Que alguien quisiera hacerlo, o que alguien del pasado quisiera viajar al futuro, sólo era cuestión de tiempo. Y como sabían el caos que se podía generar a consecuencia de eso, el Consejo había creado unas normas y unas leyes muy estrictas que prohibían quedarse en el pasado o traer a alguien al futuro.

Ella no podía quedarse, y Knox no podía acompañarla.

Volvió a la realidad cuando este aparcó en el arcén de la carretera. Nikita miró a su alrededor y vio una casita blanca a su izquierda, a la que se llegaba por un camino de tierra, con unos edificios adyacentes igualmente blancos y un tractor con las ruedas reventadas.

—Es la casa de Jesse —dijo Knox, y luego señaló hacia la derecha—. Nosotros vamos allí arriba. —Le miró los pies—. Tengo que conseguirte unas botas. Por aquí hay demasiadas serpientes como para adentrarte en el bosque sólo con zapatillas deportivas.

Él llevaba botas, igual que ayer. Pero, por si tenía la intención de pedirle que se quedara en el coche, ella le dijo:

—Ayer, cuando nos adentramos en el bosque, tampoco llevaba botas. Creo que me arriesgaré.

Él refunfuñó entre dientes, pero no discutió. Era una persona adulta y policía, igual que él. Y ambos sabían que, si fuera necesario, él se metería en el bosque hasta descalzo.

Salieron del coche y Knox lo cerró con llave antes de cruzar la cuneta y adentrarse en el bosque. Los arbustos y las espinas se les engancharon en los vaqueros hasta que llegaron donde los árboles grandes ya eran muy frondosos y apenas había maleza en el suelo. Nikita notó cómo el aroma de la tierra rica y el perfume de cientos de plantas distintas le llenaban los pulmones. Los pájaros iban de árbol en árbol y sus cantos invadían el aire. De vez en cuando, un leve crujido revelaba la presencia de una ardilla, o quizá era un ratón que corría a refugiarse, o un insecto concentrado en sus labores. El crujido también podía ser una serpiente que se alejaba cuando veía que los humanos invasores le perturbaban su caza diaria.

Knox tenía un buen sentido de la orientación, y la guió por la pendiente sin detenerse ni un segundo. No dejaba de mirar hacia delante y hacia atrás mientras buscaba señales a su alrededor. Nikita era una chica de ciudad, y estaba más en su salsa sobre asfalto que sobre tierra, pero disfrutó mucho de la diferencia entre eso y su entorno habitual. Ella también tenía un buen sentido de la orientación, pero como no tenía ni idea de adónde iban, su brújula interna no servía de nada. Se limitó a seguir a Knox, aunque mentalmente iba tomando nota del camino.

—Aquí —dijo Knox. Señaló un punto en el suelo donde las hojas parecían revueltas.

—Puede que alguien enterrara aquí sus vínculos —dijo ella, intentando contener la emoción que sentía. Sólo necesitaba un juego entero de vínculos, y así podría volver a casa. Tenía tres de Luttrell, pero necesitaba el cuarto.

Sin embargo, ya se ocuparía de sus preocupaciones personales cuando acabara de escanear el ADN porque no quería borrar ninguna muestra. Sacó el escáner, lo abrió y realizó una lectura. En la pantalla aparecieron numerosas localizaciones de muestras.

—Seguramente estarán las mías —dijo Knox—. Y las de Jesse. Si el análisis te dice que son de un capullo bajo y con muy mala leche, ese es Jesse.

—El escáner no define el carácter —dijo ella, muy seria.

—Ya lo sé. Era una broma.

—Ya lo sé —respondió ella y, con una dulce sonrisa, añadió—: Has picado.

Él sonrió, sin molestarse porque, por una vez, ella le hubiera dado la vuelta a la tortilla. Nikita se puso a trabajar, localizó cuidadosamente las distintas muestras y las guardó en el escáner. Algunas estaban duplicadas, claro; los humanos repartían ADN como semillas. Reconoció la descripción de Knox cuatro veces y otra de un sujeto desconocido ocho veces; supuso que serían del «capullo bajo y con muy mala leche». Encontró ADN de McElroy, algo que debía de haber supuesto, y una gran cantidad de ADN de Houseman. Con tristeza, se dijo que debió de morir aquí. Sin ninguna duda, era el lugar de las transiciones iniciales. No vio ninguna mancha de sangre, pero los láseres producían heridas sin derramamiento de sangre. La zona con las hojas aplastadas debía de ser donde Houseman había caído.

Se arrodilló junto al humus para leer otra muestra, y se quedó allí arrodillada mirando la pantalla.

Knox se colocó a su lado.

—¿Qué pasa?

—Es otro agente. Hugh Byron. Es el mejor amigo de McElroy.

Capítulo 21

Knox se agachó junto a ella y leyó la información de la pantalla.

—¿Es posible que haya transitado después de la muerte de Luttrell?

—No creo. Era la muestra más débil que el escáner ha podido leer, así que seguramente será la más antigua.

Knox hizo un ruido seco con la garganta.

—Si es la más antigua, fue el primero en transitar. Él es tu viajero no autorizado.

Nikita se quedó mirando la pantalla y estaba totalmente concentrada en la situación que aquello definía.

—Por eso McElroy no hizo ningún progreso: sabía que era Hugh Byron y ni siquiera intentó investigar.

—O puede que sean cómplices.

Ella asintió, un poco deprimida ante aquella posibilidad.

—O puede que sean cómplices —asintió ella. Se estremeció de miedo. Eso significaba que Hugh había matado a Houseman, a uno de sus colegas agentes, y que posiblemente McElroy era su cómplice. La traición era asombrosa. Si los agentes no podían confiar en sus colegas, cada misión estaba en peligro, porque si no confías en el agente que te tiene que cubrir la espalda, no puedes hacer tu trabajo.

Identificar a Hugh como el viajero no autorizado explicaba cómo se había podido atravesar tan fácilmente el arco de seguridad del Laboratorio de Tránsito y por qué McElroy, que era un agente más que competente, no había podido hacer ningún progreso en el caso. Seguro que ese era el plan: poder volver para controlarlo todo desde el otro lado. Y sólo Dios sabía la información y ayuda que le había podido dar a Hugh cuando ambos habían coincidido en este tiempo.

La única ventaja con la que contaban, que Nikita supiera, era que McElroy no podía estar en contacto con Hugh a menos que transitara él mismo en persona. De modo que, si un superior había enviado a alguien para que trasladara la cápsula del tiempo y la guardara a buen recaudo, McElroy no tenía ninguna forma de comunicarle a Hugh que ya no estaba allí. Hugh seguiría buscándola, así como a la persona que había colocado el objeto deseado en ella.

Aquello también cambió su percepción sobre otros acontecimientos.

—Cuando estaba aquí, no podía saber que yo sería la próxima agente en transitar —murmuró—. Me refiero a McElroy. Ni siquiera las coordenadas. De modo que no pudo alertar a Hugh, pero de todos modos Hugh debía de saber que habían enviado a otro agente y debía de estar vigilando la casa de Taylor Allen. Era mi destino más probable, el mío y el de cualquier agente, a pesar de que tu gente ya había desinfectado el lugar tan a fondo que seguramente no podría obtener ninguna información del escenario del crimen. Pero tenía que intentarlo. Me conoce —añadió—. Reconocería a cualquiera de la Unidad Investigadora de Tránsitos, porque no somos tantos. Pero entonces, ¿por qué utilizar un rifle? ¿Por qué no recurrir al láser?

—¿Cuál es el radio de eficacia de un láser? Quizás estuviera demasiado lejos.

—Un láser es una luz —respondió ella, muy seca—. Sigue su trayectoria hasta que algo lo detiene o si la tierra hace una curva que se aleja de él, lo que suceda primero.

—Joder. ¿Quieres decir que, si fallas el disparo, sigue adelante y chamusca lo primero que se cruza en su camino?

—Bueno, he exagerado un poco, pero se han realizado experimentos que han demostrado que es efectivo a más de un kilómetro y medio. Eso en las pruebas en la tierra porque, obviamente, nadie quiere un arma sin limitaciones de distancia. En el espacio…

—Espera, no me lo expliques ahora. Quiero preguntarte muchas cosas y no quiero desviarme del tema. Volvamos a algo que has dicho antes. ¿Qué quieres decir con eso de que mi gente había «desinfectado» el escenario del crimen?

—Quiero decir que los forenses habían estado allí, habían utilizado productos químicos, y había entrado y salido tanta gente que…

—No lo desinfectaron, lo contaminaron.

—Digamos que es una combinación de ambas cosas. —Nikita frunció el ceño—. Sin embargo, McElroy podría haber entrado cuando descubrió el cadáver y utilizó el escáner de ADN para averiguar la identidad del viajero no autorizado. Seguro que se inventó alguna excusa para justificar no haberlo hecho; quizá dijo que escuchó cómo se acercaban las sirenas de las ambulancias.

—Dime otra cosa: ¿por qué no transitaste dos o tres días antes, esperaste al asesino y evitaste que matara a Taylor Allen?

—Porque ya había matado al señor Allen cuando supimos de su existencia. Es una de las leyes: no interferir ni resucitar a nadie. Ya te lo expliqué. No sabes qué puede pasar. Hemos descubierto que los pequeños detalles, las cosas periféricas, puede que no parezcan tan importantes, pero algo como la vida y la muerte puede cambiar la historia.

—En teoría.

Ella lo miró un buen rato sin decir nada.

—¿Quieres ser el que lo compruebe?

—No, gracias. —Se rascó la mandíbula—. Ya entiendo a qué te refieres. El Consejo pecó por exceso de precaución.

—E incluso la decisión de empezar los viajes en el tiempo fue tan controvertida que se produjeron manifestaciones en casi todos los países desarrollados. Hay mucha gente que cree que no deberíamos hacerlo, que estamos flirteando con el desastre.

—Y puede que sí.

—Ya lo sé. Por eso somos tan cuidadosos. Lo que estamos haciendo ahora es el equivalente de meter los dedos de los pies en el agua.

—A lo grande. Si no he contado mal, habéis transitado seis personas. Seguro que habéis provocado unas enormes olas cósmicas, o algo así.

—Algo así. Dos de ellos están muertos: Houseman y Luttrell. —El cuerpo de este último no estaba demasiado lejos de allí, recordó Nikita mientras se estremecía—. McElroy regresó. Yo estoy aquí y Hugh Byron está aquí. Creo que sería de esperar que McElroy volviera a transitar, siempre que encuentre una excusa razonable para hacerlo. Sin embargo, no sabe que he perdido mis vínculos, así que debe de creer que no he terminado la misión o que no he hecho ningún progreso, porque si no ya habría regresado.

—Sin embargo, sabe que tienes un escáner de ADN. Entonces, ¿no debería de plantearse la posibilidad de que hubieras descubierto algo? ¿No debería esperarlo?

—Por lo que él sabe, estoy muerta. El plan era ese. Al fin y al cabo, aquel tiro pasó muy cerca. Hasta que vuelva, si es que vuelvo, o él venga aquí, no sabrá que las cosas han salido de otra manera. Hugh lo sabe, pero McElroy no. Y sigo pensando que me disparó alguien de aquí, porque Hugh no domina tanto este tipo de armas, aunque hubiera podido comprarla. ¿Qué leyes tenéis para controlar la venta de armas?

—Las leyes no significan nada para aquel que quiera romperlas. Siempre puedes conseguir un arma en la calle, o comprársela a alguien a título individual sin tener que pasar la verificación de identidad. Sin embargo, no entiendo por qué Hugh no utilizó el láser, por qué tuvo que recurrir a ayuda local.

Ella se encogió de hombros.

—¿Porque no ha encontrado la cápsula del tiempo y está demasiado ocupado buscándola? No lo sé. Cuando lo encontremos se lo preguntaremos. Pero lo importante es que yo también sé qué aspecto tiene, así que ya no vamos dando palos de ciego.

Knox se levantó y miró a su alrededor, al claro en el bosque.

—Tenemos que montar una gráfica del caso, para poder analizar todas las piezas al mismo tiempo. Este caso es tan enrevesado que me temo que pasaremos por alto algún detalle importante. También nos iría bien un gráfico temporal como el que dibujaste el primer día en mi despacho.

—Puedo hacerlo cuando volvamos a tu casa. ¿Podrías enviar una orden de búsqueda y captura para Hugh o tendrías que explicar cosas que no quieres?

—Tengo que justificar todas las acciones que hago o no hago. El sheriff Cutler es muy estricto cuando se trata de gastarnos el presupuesto del condado. Podría enviar la orden, pero esta misma tarde llegaría el justificante. El anterior sheriff tenía más manga ancha cuando los agentes investigábamos asuntos personales.

Por lo tanto, por ahí no iban a conseguir nada. Knox no podía utilizar los recursos del departamento sin dar explicaciones, y no tenía ninguna explicación razonable que ofrecer; por desgracia, la verdad no siempre era razonable.

Para asegurarse, removió un poco de tierra con la esperanza de que Hugh también hubiera enterrado sus vínculos, pero no encontró nada. Les enseñaban que enterrarlos era lo más seguro, pero puede que las circunstancias dictaran una localización más accesible, de modo que el lugar donde un agente guardaba sus vínculos quedaba a su libre decisión. Quizás Hugh prefería tenerlos siempre a mano.

Mientras bajaban la colina hacia el coche, Knox dijo pensativo:

—Me extraña que Jesse no haya venido a ver qué estábamos haciendo, pero puede que esté en el jardín y no nos haya visto. Me pregunto si habrá visto algo más desde el lunes por la mañana, cuando estuve aquí. Vayamos a preguntárselo.

Subieron al coche y Knox condujo por el camino de tierra que llevaba hasta la casa de Jesse. Frente a la casa, había una camioneta y, a la derecha, estaba el granero. Knox gruñó cuando vio que las ruedas del tractor seguían reventadas.

—Cualquiera pensaría que, a estas alturas, ya las habría arreglado. —De repente, su expresión cambió y frenó de golpe, deteniendo el coche a poca distancia de la casa.

—Desenfunda el arma —le dijo a Nikita, pausadamente.

Sin hacer preguntas, ella desenfundó el arma, con los instintos en alerta máxima, igual que los de Knox. Había algo que a Knox le parecía raro, y a ella eso ya le bastaba.

En la granja, todo estaba inmóvil excepto las hojas de los árboles, que se agitaban con la ligera brisa.

—Jesse tiene gallinas —dijo—. El corral está detrás, pero siempre hay alguna corriendo por aquí suelta.

Nikita jamás había visto una gallina viva, pero sabía cómo eran. Muy despacio, los dos abrieron las puertas del coche y salieron, afinaron los sentidos por si captaban algo en alguna dirección, pero no se veía ni oía nada fuera de lo normal.

—¡Jesse! —gritó Knox—. ¡Jesse Bingham! ¡Departamento del sheriff!

—¿Cómo es? —preguntó ella.

—Como Papá Noel, pero más bajo y con más mala uva. —Hizo una pausa—. Conoces a Papá Noel, ¿no?

—Personalmente, no.

—Ja ja. Muy graciosa. —Le hizo una señal para que fuera por la derecha, mientras él iba por la izquierda.

Ella asintió y se separaron, ambos agarrando la pistola con las dos manos. Nikita iba mirando hacia delante y hacia atrás mientras lo observaba todo. No tenía experiencia en granjas, pero si veía a alguien que no pareciera una Papá Noel bajito y malvado, sabía lo que tenía que hacer.

Con cuidado, avanzó hasta la parte posterior del granero, pero todo estaba tranquilo y vacío. Jamás había estado en un granero; desprendía un olor que le resultaba interesante compuesto, por lo visto, de polvo, paja y máquinas, combinado con algún que otro olor de la tierra. Sin embargo, lo importante era que no le parecía desagradable y que, en cualquier otro momento, no le habría importado explorarlo.

Knox y ella se encontraron en la puerta trasera de la casa. Junto a la valla había un pequeño corral de gallinas, y dentro había varias aves blancas picoteando comida del suelo. El corral también estaba cerrado por la parte de arriba, para evitar que las gallinas volaran, o al menos eso asumió ella.

—La noche del domingo le mataron seis gallinas —dijo Knox—. Siempre abre el corral durante el día para que puedan revolotear por ahí, y por la noche las encierra para protegerlas de los búhos y demás depredadores.

Ya era media tarde y las gallinas todavía estaban en el corral.

Fueron hasta la puerta principal. Cuando pasaron junto a la camioneta, Knox puso la mano encima del capó.

—Frío —dijo.

En el porche, Knox llamó a la puerta con fuerza.

—¡Jesse! ¡Departamento del sheriff! —No oyeron nada—. El tractor tiene las ruedas reventadas y la camioneta está aquí, así que debería estar en casa. No es propio de Jesse no haber arreglado enseguida las ruedas del tractor.

—¿Tiene algún amigo al que haya podido ir a visitar?

Knox se rió.

—Jesse no tiene amigos, sólo enemigos. —Colocó la mano en el pomo de la puerta y maldijo entre dientes cuando pudo girarlo sin esfuerzo—. Y por nada del mundo se marcharía y dejaría la puerta abierta.

Entraron, primero Knox y luego Nikita, cubriéndose mutuamente. El aparato de aire acondicionado que había en la ventana funcionaba a todo trapo y dentro de la casa hacía frío, lo que evitaba que la peste fuera peor. Sin embargo, era inequívoca y Knox cogió la radio. Luego dudó y miró a Nikita. Ella no tenía por qué estar allí, y primero tenían que averiguar la identidad de quien quiera que desprendiera ese olor, y asegurarse de cómo había muerto. Casi con toda seguridad, la víctima era Jesse Bingham, pero tenían que verificarlo.

La casa tenía dos pisos. Nikita subió por las escaleras, con cuidado de no tocar nada, y miró en todas las habitaciones. Todo estaba increíblemente limpio y arriba no había nadie ni ningún signo de violencia.

El cuerpo estaba en la cocina, tendido justo delante de la puerta. Cualquiera que hubiera intentado entrar no habría podido abrirla. No había ni una gota de sangre porque el enorme surco en el pecho de Jesse se había hecho con el intenso calor de un láser.

—Mierda —dijo Knox—. ¡Mierda!

—¿Cómo puedes informar de esto? —preguntó Nikita, muy despacio—. ¿Cómo vas a justificar que estabas aquí?

—Vine el lunes por la mañana cuando denunció el caso de vandalismo. No sería extraño que quisiera seguir con ello, aunque debería estar trabajando en el caso de Taylor Allen, a pesar de que ya sé quién mató a Taylor Allen; lo único que no sé es dónde está ese cabrón y no dispongo de los recursos habituales para localizarlo y, además, tampoco puedo demostrar que fuera él. Joder, me encanta este caso. —Su tonó reflejó la frustración que sentía y parecía que quisiera golpear cualquier cosa que se le pusiera delante.

Antes de pensarlo, Nikita alargó la mano y le acarició el brazo, ofreciéndole todo su apoyo.

—Me gustaría señalar que esto deja perfectamente claro por qué necesito un vehículo propio, pero ahora ya es demasiado tarde para hacer algo al respecto. ¿Dónde puedo ir para que no me vean?

—A ningún sitio —dijo él, muy seco—. Tengo que llevarte a casa. Luego tendré que informar por radio que vengo a ver cómo le van las cosas a Jesse, y entonces tendré que informar de su muerte cuando vuelva aquí.

A Nikita no se le ocurrió ninguna alternativa razonable, aparte de no informar de la muerte de Jesse, pero sabía que Knox no lo permitiría. No informar de la muerte de Luttrell lo había torturado bastante, así que en lugar de discutir dijo:

—Limpia tus huellas del pomo de la puerta, por si alguien lo encuentra antes de que puedas volver.

Maldiciendo en voz baja, Knox limpió el pomo cuando salió al porche.

—Esto es una bomba de relojería, preparada para explotarnos en las manos. ¿Cuántos coches habrán pasado por la carretera y habrán visto mi coche aparcado al otro lado de la carretera? ¿Cuántas personas habrán pasado por aquí mientras hemos estado en la casa?

—No lo sé —respondió ella—. Unas cuantas. ¿Seguro que lo reconocerán?

—Es un coche del condado. Todo el mundo sabe cómo son.

Sólo podían esperar que nadie descubriera a qué hora Knox había informado de la muerte de Jesse. Si alguien pasaba por allí y veía el coche del condado y luego, por lo que fuera, volvía a pasar y no lo veía, tendrían un problema. La situación se estaba poniendo tan peligrosa para Knox que Nikita estuvo a punto de decirle que informara ahora mismo, que ella volvería a pie a la ciudad. Era un trayecto largo, y encima bajo el sol de la tarde, pero no se moriría por eso.

En realidad, volver a pie era justo lo que debería hacer.

—Volveré a pie… —empezó a decir.

Knox la miró.

—No, te juro que no volverás a pie. Hay alguien que intenta matarte, y no es Hugh, así que no sabes contra qué prevenirte. Te llevaré a casa lo antes posible y rezaremos para que todo salga bien.

No colocó la luz portátil en el techo ni encendió la sirena, pero condujo lo más rápido que pudo sin llamar más la atención, y llegó a su casa al cabo de quince minutos. Ni siquiera salió del coche, sólo sacó un llavero y un juego de llaves del bolsillo y se los dio a Nikita.

—Esta es la de casa. La del extremo plano. El procedimiento de siempre: no abras la puerta y contestes al teléfono. Si tengo que llamarte, lo haré al móvil.

Ella asintió y salió del coche. Él se puso en marcha antes de que ella cerrara la puerta y tuvo que darle un buen empujón antes de que estuviera demasiado lejos.

Con las llaves que le había dado, Nikita abrió la puerta trasera y, con mucho cuidado, la cerró. Si las cosas se ponían feas para Knox, si se descubrían detalles que no pudiera explicar, ella tendría que dar la cara. El secretismo de las misiones era una cosa, pero aquí no se trataba de un asunto de seguridad nacional y no iba a permitir que él cargara con todas las culpas.

Aunque la gran pregunta era si serviría de algo, si la creerían.

Capítulo 22

Nikita estaba en la cocina, mirando a su alrededor. El escenario era el mismo que el día anterior, pero las cosas habían cambiado tanto que ni siquiera sentía que fuera la misma persona. En realidad, lo único que había cambiado era ella y la percepción que tenía de sí misma.

«¿Eres un robot?» El sarcasmo habría sido suficientemente malo, pero la cautelosa seriedad de su tono había sido lo peor.

Quería odiarlo, pero sabía que era imposible. No podía hacerlo. Odiaba la posición en la que la habían obligado a vivir, odiaba la jaula emocional en la que vivía, odiaba el miedo que la obligaba a hacer todo eso, pero jamás podría odiar a Knox.

Era… especial, y estaba segura que él no sabía lo especial que era para un montón de gente. Cuando le dispararon y él pidió refuerzos, y se presentaron el equipo de operaciones especiales y medio departamento del sheriff, él le había dicho en broma que era porque lo adoraban, y era la verdad. Quizás ellos lo dirían de otra manera; quizá dijeran que era un buen tipo, que les caía bien y los demás eufemismos que la gente utilizaba para confesar que se preocupaba por otra persona, pero el significado era el mismo.

El afecto que la gente le tenía provocaría que, si surgían cuestiones extrañas, le concedieran el beneficio de la duda. De modo que gran parte de la situación dependía de la suerte: de quién hubiera pasado por la carretera y hubiera visto el coche, si es que había pasado alguien; si se fijaron en la hora; si mencionaron ese detalle incriminatorio a la persona equivocada. Todavía estaba por ver si pasaban por alto esos detalles problemáticos. Si todo salía bien, estarían salvados. Si no, ella y su misión quedarían expuestas.

Se quedó pensando qué pasaría entonces. Había varias posibilidades. La primera era que no la creyeran y tendría que hacer algunas demostraciones, aunque puede que no convencieran a la gente de nada. Knox se había mostrado intrigado, pero no se lo había creído hasta que había presenciado la transición de Luttrell. Por desgracia, cualquier demostración del láser convencería al sheriff de que ella había matado a Jesse Bingham.

En cambio, si la creían, los acontecimientos se escaparían de su control en seguida. Lógicamente, contactarían con el gobierno federal. Concretamente, con el FBI. Su propia agencia, aunque ahora era una agencia doscientos años anterior a la suya, la retendría. La interrogarían, la estudiarían, la someterían a todo tipo de pruebas psicológicas y la encerrarían en una celda por su propia seguridad. Tenía un permiso de conducir y una tarjeta de crédito falsos. Llevaba mucho dinero en efectivo encima. Además, en este tiempo la gente tenía números de la seguridad social, y ella no. Ella tenía un número de serie, pero grabado en la piel. Era el número 233 704272177. Las cuatro primeras cifras eran el número de pedido: el número 2.337. Las demás cifras eran las de su «nacimiento»: Abril, 27, 2177.

El FBI se lo pasaría muy bien con eso.

Sin embargo, podía explicarles tantas cosas. Podría hablar con los científicos, explicarles lo que sabía acerca de los láseres de estado sólido, de la propulsión antigravedad, de los viajes en el tiempo, de la transmisión combada, algo que no era nada en comparación con lo que podría explicarles un científico de su tiempo, pero era una mujer inteligente y culta que había sacado unas notas excelentes en ciencias. Podía dibujar planos de naves espaciales, vehículos personales, pero no sabía si podría conseguir que la creyeran.

Sin vínculos, sin pruebas positivas, no podía demostrar nada. Se quedarían con el láser y el escáner de ADN, e imaginaba que despertarían gran interés, pero ¿qué podían demostrar? No podía señalar a ningún edificio y decir: «Los fabricaron aquí».

No obstante, todas aquellas preocupaciones eran una pérdida de tiempo porque, hasta que supiera por boca de Knox lo que se había descubierto, no sabría a qué tendría que enfrentarse. Mientras tanto, volvía a estar abandonada, sin poder ayudarlo ni continuar con su investigación. Si conseguía pasar la noche sin que la arrestaran, por la mañana se encargaría de que la situación se solucionara lo antes posible.

La tarde estaba llegando a su fin y ella se sentía cansada. Los últimos días habían sido realmente agitados: dos días, dos cadáveres. Para Knox, tres cadáveres, porque había estado en casa del antiguo alcalde, y ella no. Y también había investigado el asesinato de Taylor Allen. Seguro que estaba saturado de muerte y violencia.

Nikita podía llegar a imaginarse lo que le había pasado al pobre Jesse Bingham o, mejor dicho, por qué había pasado.

Seguro que debía de estar husmeando por donde vio los destellos y, por alguna razón, Hugh volvió y Jesse vio o escuchó algo que no debía. Quizá los vínculos de Hugh estaban enterrados allí y había decidido guardarlos en otro sitio para mayor seguridad, y Jesse lo descubrió cuando volvía a buscarlos. Lo que estaba claro era que a Jesse lo habían matado con un láser. La herida era inconfundible.

Una simple descarga de energía sobre un objeto inmóvil producía un agujero, pero el método más habitual era descargar un rayo de energía mientras seguías al objetivo. El hecho de definir una trayectoria era lo que provocaba un surco alargado y profundo. La carne que entraba en contacto con el láser se evaporaba y el tejido de alrededor acababa chamuscado. Jesse había muerto al instante, pero ¿había invitado a Hugh a pasar o este había entrado a la fuerza?

La predisposición de Hugh a matar le indicó a Nikita que tenía que estar dispuesta a matarlo porque, si no, sus posibilidades de sobrevivir se reducían muchísimo. Hugh había recibido el mismo entrenamiento que ella y, además, había demostrado ser despiadado. Tenía un aliado desconocido. Por otro lado, ella contaba con Knox como aliado, y puede que su cambio de aspecto le permitiera coger a Hugh desprevenido. Sí, tenía a Knox, siempre que no lo detuvieran y a ella no la metieran en la cárcel.

Sonó el teléfono.

Nikita se sobresaltó; estaba totalmente perdida en sus pensamientos y el timbre tan repentino le había puesto los nervios de punta.

No era Knox; le había dicho que la llamaría al móvil.

—¡Maldita sea! —Maldijo mientras abría el bolso y cogía el móvil. Sí, estaba encendido. Respiró tranquila. Knox lo había encendido para enseñarle cómo funcionaba y jugar él mismo un rato, y no lo había apagado antes de dejárselo en el regazo.

Pasados cuatro tonos, saltó el contestador. Una voz femenina, dijo:

—Soy Ruth Lacey. Coge el teléfono, por favor. —Algo que Nikita no hizo, claro, y al cabo de unos segundos la llamada se cortó.

«Ruth Lacey», pensó Nikita. Era la madre de la prometida de Knox. ¿Qué quería? Y ¿no era una coincidencia que llamara justo hoy, después de haberlos visto comprando juntos esa mañana?

Nikita en seguida se sintió avergonzada. Por lo que sabía, Knox hablaba con ella habitualmente.

Solamente para saber el teléfono de la señora Lacey, Nikita descolgó el inalámbrico y miró la pantalla; ya estaba en blanco y no sabía cuál era el botón para recuperar el número.

Un poco nerviosa, Nikita comprobó que las puertas y ventanas estuvieran cerradas y luego decidió aprovechar aquellos momentos de intimidad para darse una ducha y ocuparse de sus cosas personales, como hacer la colada. Todas las cortinas estaban cerradas, tenía las dos armas a mano y el móvil encendido. Seguramente no podría encontrar un momento mejor.

—No ha respondido —dijo Ruth Lacey mientras colgaba el teléfono. Byron había alquilado una habitación de motel en Pekesville para poder estar más cerca de ella, pero se hallaban en casa de Ruth. Edward estaba en algún bar, claro. Casi nunca llegaba antes de medianoche y si, por casualidad, se presentara mientras Byron se encontrara allí, no le importaría. Estaban en el salón y totalmente vestidos, pero aunque Edward los pillara desnudos en la cama, tampoco le importaría. No significaba nada para ella, literalmente nada.

—Está ahí —dijo Byron—. La he visto entrar en la casa.

—No quiero dejar un mensaje que no pueda explicar —respondió ella, preocupada—. Lo primero que hace la policía es escuchar los mensajes del contestador. A nadie, ni siquiera a Knox, le extrañaría que llamara para hablar con él, pero si digo: «Tina, coge el teléfono, por favor», eso sí que levantaría sospechas.

—Ya lo sé. Has sido muy prudente al no decir ningún nombre. Pero es que no pude verle bien la cara cuando entró; llevaba una gorra. Tengo que oír su voz o verle mejor la cara.

—Supongo que podría acercarme hasta la casa de Knox, y llamar a la puerta. Pero ¿qué pasará si me ve algún vecino? —preguntó Ruth.

—No te preocupes —dijo él, mientras la abrazaba y le daba un beso en la frente—. Si no descubrimos hoy si esa tal Tina es la agente Stover, ya tendremos más oportunidades mañana.

—No sé si puedo esperar mucho más. —Se le humedecieron los ojos—. Sí, sí que puedo. Lo que haga falta. Siento no poder serte de más ayuda.

—Has sido de más ayuda de lo que te imaginas. —Le tomó la cara entre las manos y la miró con ternura. Con la yema de los pulgares, le secó las lágrimas que se le acumulaban en las pestañas y le dio un suave beso en la boca.

Ruth apoyó la cabeza en el hombro de Hugh. Hacía una semana, estaba hundida en la desesperación, pero desde que Byron y ella se habían conocido en el cementerio, su vida entera había dado un vuelco. Byron le había confesado que el lunes por la mañana la había visto junto a la tumba de Rebecca hablando con Knox, aunque entonces no sabía quién era él, y que había vuelto al día siguiente con la esperanza de volver a verla. Y ella había vuelto, porque hablar con Knox había reabierto la herida y necesitaba estar lo más cerca posible de su hija. Él se había presentado, después fueron a tomar un café y, a las pocas horas, era su amante.

La velocidad con la que se habían sucedido los eventos era desconcertante, y excitante.

Cuando le dijo que era un policía del futuro al que sus superiores habían enviado al pasado para atrapar a unos asesinos que estaban intentando evitar la invención de los viajes en el tiempo, a Ruth casi se le partió el alma. Le había abierto el corazón, hambriento de cariño, sin dudarlo, y ahora descubría que era un esquizofrénico delirante. Ella se echó a llorar y él, a reír.

—Te lo demostraré —le dijo, con una sonrisa relajada. Y lo hizo. Esa misma noche se la llevó al monte y le demostró el funcionamiento de algunas de sus armas y también le presentó a su compañero, un hombre con aspecto frío llamado McElroy, que ratificó todo lo que Byron había dicho. Entonces, McElroy la acabó de convencer colocándose lo que ellos llamaban «vínculos», había cuatro, en las cuatro extremidades y... desapareciendo. Totalmente. Ante sus ojos.

En ese momento, Byron también le había dado un beso en la mejilla y la había abrazado.

—Necesito ayuda —le había dicho—. Si detengo a ese asesino, te enseñaré cómo volver al día antes de la muerte de tu hija.

—No quiero revivirlo —respondió ella, con dolor en la mirada.

—No, no. Volverás sabiendo todo lo que sabes hoy, todo lo que ha pasado. Los viajes en el tiempo no borran la memoria. Si puedes convencerla para que... no sé, para que vaya al médico y se haga unas pruebas, quizá puedas salvar su vida.

—¿Quizá? —repitió Ruth, angustiada. «¿Quizás?» ¿Era posible que tuviera que revivir la muerte de Rebecca? No podría soportarlo.

—Hay algunas cosas que no se pueden cambiar —le había dicho él, con ternura—. Puede que Rebecca no te escuche. O puede que no haya tiempo para hacerle las pruebas. Yo te recomendaría que regresaras un mes antes de su muerte.

—Pero, ¿no estaré allí, ya?

—No, claro que no. Si caminas un kilómetro, das media vuelta y regresas al mismo punto, no te encontrarás contigo misma esperándote. Si vuelves antes de su muerte, sabrás todo lo que ha pasado en estos años, pero físicamente sólo habrá una Ruth.

La tentación era un monstruo encantador y la esperanza una tierna flor casi temerosa de asomar la cabeza. Volver a ver a Rebecca, volver a tenerla viva y sana...

—Y ¿si no me hace caso? ¿Volverá a este tiempo conmigo?

—Podría hacerlo, pero ¿por qué ibas a querer eso? Cuando cambias algo así, la realidad... se reajusta sola. Es la única manera en que puedo explicártelo. Habrás creado una realidad paralela en la que tu hija vive, se casa y tiene una familia. Y tú estarás allí con ella.

Y allí estaba, la espina que llevaba clavada en el corazón. Volvió a sentirla.

—Y ¿qué pasará contigo? —preguntó, llorando.

La sonrisa que él le ofreció fue tierna y triste al mismo tiempo.

—Yo no estaré allí.

Así que aquella era la opción que le daba: podía volver atrás en el tiempo y recuperar a Rebecca, pero el precio que debía pagar era perderlo a él. Byron no podía quedarse en este tiempo, no podía esperarla. Tenía que hacer su trabajo y, después, debía volver a su tiempo. Si decidía no volver para salvar a Rebecca, podría ir con él al futuro. Sin embargo, no se lo propuso, no le hizo más daño pidiéndole que eligiera entre su hija y él. Sin embargo, se lo decía su mirada; sabía que si le daba a Ruth lo que más deseaba, jamás volvería a verla.

Sin embargo, por el momento ella lo amaría con cada latido de su corazón. Valoraría cada segundo que pasaban juntos, guardaría cada detalle en su memoria: cómo hablaba, cómo se movía, el aroma de su piel, el hoyuelo que se le formaba en la mejilla cuando reía. Lo querría, con toda su alma, durante el tiempo que les quedara.

Estaba dispuesta a pagar cualquier precio con tal de recuperar a Rebecca.

Byron se había comprado un captador de señales radiofónicas y siempre escuchaba la frecuencia de la policía. Ruth no conocía el significado de los códigos, pero Byron sí. Le dijo que se había informado de la muerte en casa de alguien, pero a ella le costaba entenderlo y aquel ruido constante la ponía de los nervios, de modo que intentó apagarlo.

—¿Tienes que escuchar eso todo el rato? —preguntó, intentando no parecer enfadada.

—La actividad policial me da información —dijo, aunque bajó un poco el volumen—. No puedo dar por sentado que Tina es la mujer que estoy buscando. Puede que Stover siga por ahí y esto, al menos, me da una idea de lo que pasa en el condado.

—Lo sé. Y lo siento. Es que estoy un poco nerviosa. —Se frotó los ojos y suspiró—. ¿Quieres que vuelva a llamar? A veces, la insistencia hace que alguien conteste.

Hugh asintió y Ruth volvió a marcar el número de Knox. El teléfono volvió a dar señal y, después de cuatro tonos, saltó el contestador. Esta vez no dejó ningún mensaje, sólo colgó.

—Nada.

—Cuando anochezca, iremos a esa casa —dijo Byron. Miró por la ventana; el sol se estaba escondiendo, pero todavía quedaba como mínimo una hora de luz.

Ruth pensó que, en una hora, podía seguir llamando y molestar tanto a esa tal Tina que acabara respondiendo al teléfono.

«Ruth Lacey tiene problemas mentales», pensó Nikita cuando el teléfono sonó por decimocuarta vez. Volvió a mirar el número en la pantalla; efectivamente, era el mismo. Ruth no había vuelto a dejar ningún mensaje, pero no era necesario.

Nikita se había duchado y luego había puesto la ropa sucia en la lavadora. En una cesta junto a la máquina, había ropa sucia de Knox y la metió con la suya. Estaba utilizando su lavadora, su agua, su detergente, así que lavar su ropa con la de ella era lo mínimo que podía hacer.

Dejó el teléfono sonando cuando se metió en la ducha y seguía sonando cuando salió. Sonó cuando la lavadora terminó el ciclo y mientras Nikita pasaba la ropa a la secadora. Siguió sonando mientras fue a la cocina a buscar algo de comer. Quería, con todas sus fuerzas, contestar y decirle a esa mujer que se buscara otro entretenimiento, pero no lo hizo.

—¡Joder! —gritó, al final, y empezó a investigar el aparato por si había alguna manera de acabar con aquel ruido infernal. Y la encontró, un pequeño botón con unas letras encima que decían «Timbre mudo». Con la uña lo apretó y el ruido cesó; al menos en ese teléfono, porque el de la habitación de Knox seguía sonando.

Fue corriendo a la habitación y encontró el mismo y maravilloso botón en esa terminal, y lo apretó. El silencio que invadió la casa fue magnífico. Si esa chalada quería dejar algún mensaje, ella lo oiría, pero al menos no tenía que aguantar el timbre del teléfono continuamente.

Por desgracia, el móvil no había sonado ni una sola vez.

Más tranquila, abrió la nevera de Knox y descubrió que estaba vacía. Por la mañana, él le había dicho que no tenía mucha comida, y no la había engañado. Abrió el armario de donde había sacado la lata de sopa y allí encontró más latas. Al menos no se moriría de hambre, pensó, cogiendo una cuya etiqueta decía «Ternera vegetal», fuera lo que fuera. Verduras con sabor a ternera, quizá.

Miró por la ventana de la cocina. Se estaba poniendo el sol; Knox se había marchado hacía unas cuatro horas y, seguramente, tardaría otras cuatro en regresar.

Sin nada más que hacer, se sentó en el sofá del salón y encendió la televisión.

Cuando se relajó, no tardó demasiado en quedarse dormida.

Los golpes en la puerta principal la despertaron. Las cortinas estaban cerradas y la puerta de Knox era toda de madera, así que no sabía quién era. La televisión estaba encendida, pero no bajó el volumen porque, si lo hacía, delataría la presencia de alguien en la casa. Knox le había dicho que, cuando tenía que salir de noche, dejaba las luces encendidas, así que no estaba preocupada por eso, pero los televisores no bajaban el volumen solos.

Más golpes, esta vez más insistentes.

—Tina. —Era la voz de Ruth Lacey—. Sé que estás ahí. Quiero hablar contigo.

Capítulo 23

«Humm —pensó Nikita—. Abrir o no abrir. Esa es la cuestión.»

Tendría que ser idiota para abrirle la puerta a una señora que, obviamente, tenía problemas mentales y emocionales porque el hombre con el que su hija muerta iba a casarse hacía siete años estaba saliendo con alguien. Y no es que Knox y ella estuvieran «saliendo», pero Ruth Lacey creía que sí y esa situación la había vuelto psicótica.

Por otro lado, si llamaba a la puerta con la misma insistencia que por teléfono, Nikita quizá tuviera que actuar para salvar su propia cordura.

Resbaló del sofá hasta el suelo y no se levantó para que su sombra no se reflejara en las cortinas. En el mejor de los casos, la señora Lacey estaba loca y, en el peor, posiblemente se pondría violenta. Si a eso le añadía que ella no conocía la identidad de la persona que había intentado matarla, tenía que contemplar la posibilidad, por remota que fuera, que la señora Lacey podía ser esa persona.

No, no iba a abrir la puerta.

En lugar de eso, se puso a cuatro patas, cogió el móvil que tenía en la mesita delante del televisor y gateó hasta su oscura habitación. Si alguien disparaba por la ventana, ella estaría por debajo de la trayectoria de la bala.

El bolso estaba encima de la cama. Lo agarró por el asa, lo arrastró hacia ella y sacó el láser para después guardárselo en el bolsillo. La pistola automática estaba dentro de la pistolera en la mesita de noche, y justo detrás de la mesita había una ventana que daba al porche delantero.

Con mucho cuidado, se acercó a la mesa y cogió la pistola. Miró a su alrededor; como la única luz de la casa venía de la lámpara de la mesita del comedor y de la televisión, por la puerta de la habitación no entraba demasiada, pero si corría las cortinas seguro que desde fuera la verían.

Cerró los ojos para que se acostumbraran a la oscuridad, gateó a tientas hasta la puerta y la cerró sin hacer ruido, con lo que consiguió dejar la habitación totalmente a oscuras. Cuando abrió los ojos, seguía sin poder ver nada, pero al cabo de pocos segundos pudo distinguir los rectángulos de las ventanas y la luz de la calle que entraba por una pequeña rendija entre las cortinas.

Escuchó pasos en el porche y, de repente, la luz de la calle desapareció.

Nikita se quedó inmóvil. Con la habitación a oscuras y la luz viniendo de la calle, pudo adivinar la forma de alguien en el porche frente a la ventana, con un punto mucho más oscuro ahí donde dicha persona tenía la cara pegada contra el cristal para ver lo que había dentro.

Sabía que no podían verla, puesto que la habitación estaba más oscura que el porche. El ojo humano no estaba hecho para funcionar mejor cuando intentaba ver la oscuridad desde la luz. Mientras no se moviera, nadie podría verla. Sin embargo, incluso sabiendo eso, tenía el corazón acelerado y la adrenalina corría por sus venas. La habían entrenado para actuar, pero, al mismo tiempo, la clave estaba en escoger el momento para actuar. «No os limitéis a actuar —les había advertido uno de los instructores—. Hacedlo con cabeza.»

En este caso, lo más inteligente era evitar cualquier acción. Enfrentarse a Ruth Lacey seguro que no traería nada bueno.

De repente, la situación había pasado de ser una molestia a ser potencialmente violenta. Para ser exactos, rectificó para sí misma, la violencia potencial había estado allí desde el principio, pero no la había reconocido hasta ahora.

La sombra se alejó de la ventana, escuchó cómo los pasos se marchaban y luego, cómo esa persona bajaba las escaleras del porche. Identificó la voz de una mujer, pero estaba demasiado lejos para entender lo que estaba diciendo. ¿Con quién estaba hablando?

Nikita gateó hasta la ventana, con mucho cuidado de no golpear nada ni hacer ruido en el suelo con las rodillas. Cuando se colocó debajo de la ventana, no tocó las cortinas, porque cualquier movimiento la delataría. Se colocó de manera que pudiera mirar por aquel diminuto lugar en que los extremos de las cortinas no se tocaban y, lentamente, levantó la cabeza.

Vio un coche aparcado encima del bordillo y la señora Lacey estaba hablando con alguien que estaba dentro del coche. Nikita tenía tan poco campo de visión que sólo podía ver la mitad de la espalda de la señora Lacey y su brazo derecho. La mujer estaba haciendo gestos hacia la casa.

Y luego, después de haber decidido que era una pérdida de tiempo pasarse la noche llamando a la puerta de Knox, se subió al coche y, muy despacio, el vehículo se alejó.

Nikita cambió de posición e intentó ver mejor a la persona que estaba con la señora Lacey, pero el campo de visión que tenía era demasiado limitado.

Se quedó donde estaba, agachada en el suelo y mirando por la ventana, por si la señora Lacey era lo suficientemente astuta como para volver, quizá con la esperanza que quien fuera encendería otra luz y así ella podría comprobar que en casa de Knox había alguien. Nikita no podía estar segura de que el coche no estuviera aparcado en la calle con sus ocupantes esperando para ver si había algún tipo de actividad.

Se sentó en el suelo y abrió el móvil; la pantalla y los botones de los números se iluminaron inmediatamente, y ella bloqueó la luz con la palma de la mano mientras con la otra marcaba el número de Knox.

—Davis —respondió él, después del segundo tono. Seguro que había reconocido su número, pero a juzgar por cómo había respondido, Nikita sabía que seguramente no estaba solo en el escenario del crimen.

Ella habló en voz baja, casi susurrando.

—Sólo te llamo para que sepas lo que está pasando por aquí; no tienes que hacer nada. Ruth Lacey no ha dejado de llamar en toda la tarde. No he contado las llamadas, pero habrán sido entre cuarenta y cincuenta. Luego ha venido aquí, ha empezado a golpear la puerta, a llamarme por mi nombre, bueno, me llamaba Tina, y a decir que sabía que estaba aquí dentro.

—Qué extraño —dijo él.

—Creo que tiene problemas emocionales. No he cogido el teléfono ni he abierto la puerta.

—Perfecto. No lo hagas.

—¿Sabes cuánto tiempo más tienes que estar en el escenario, aproximadamente?

—Unas dos horas más.

—¿Algún problema?

—Todavía no.

—Entonces, te veo dentro de un par de horas.

Cerró el teléfono y finalizó la llamada luego volvió a arrodillarse para seguir mirando por la ventana.

El coche, con los faros apagados, volvía a estar aparcado en el bordillo.

El corazón de Nikita dio un respingo y se obligó a quedarse donde estaba. Tuvo que recordarse que ella podía verlos, pero que ellos a ella no. Sólo tenía que permanecer allí, inmóvil, y ellos jamás sabrían que los estaba observando. Habían dado la vuelta, y ahora el conductor estaba en primer plano. Todo estaba muy oscuro y Nikita sólo podía distinguir dos figuras en el coche; le pareció que el conductor era un hombre. ¿El señor Lacey, quizá?

Se preguntó qué pretendían. ¿Decirle que se marchara y dejara a Knox en paz? O quizá la señora Lacey estaba tan fuera de sí que, sencillamente, la habría atacado, en cuyo caso ella habría tenido que defenderse, y no tenía ninguna duda de quién sería la vencedora en cualquier enfrentamiento físico con aquella otra mujer.

Las personas celosas cometían estupideces cada dos por tres; los doscientos años que habían pasado entre el ahora y su tiempo no habían cambiado eso. Sin embargo, la señora

Lacey no estaba celosa en el sentido clásico; más bien estaba desesperada porque todo permaneciera igual, porque Knox siguiera enamorado de su hija muerta y así ella poder aferrarse a una pequeña parte de la vida tal y como había sido.

Nikita se preguntó qué harían si apareciera Knox. Ella sabía que todavía tardaría un poco, pero ellos no. ¿Habían pensado qué le dirían o sencillamente estaban actuando por impulsos?

En algún momento, tendría que imponerse el sentido común y se marcharían. O, al menos, eso esperaba.

—No había otro coche —dijo Byron—. Knox vino a casa esta tarde, la dejó y volvió a marcharse. Ella abrió y entró.

—No creo que esté ahí dentro —dijo Ruth, con reservas—. He estado escuchando y no se oía nada, excepto la televisión. No había ningún movimiento. Y sólo había una luz encendida; si hubiera alguien en casa, la luz de la cocina también estaría encendida.

—¿Por qué? —preguntó él, con curiosidad.

—Porque la gente que mira la televisión va a la cocina durante los anuncios a comer o beber algo. Y dejan una luz encendida, normalmente la que hay encima del fregadero o la del horno, una iluminación mínima que les permita ver y no darse golpes. Es lo que la gente hace.

—Pero ¿cómo puede haberse marchado? No tiene coche.

—Puede que haya llamado a alguien para que la venga a buscar. Tú viniste a buscarme y la estuve llamando durante dos horas, o más. Ha tenido tiempo de sobras para marcharse. Incluso puede que haya llamado a un taxi.

—Necesito verla mejor —dijo Byron, con pesar, mientras repiqueteaba con los dedos en el volante y vigilaba la casa con atención. Había observado detenidamente y no había visto ni el más ligero movimiento en las cortinas. Incluso si esa tal Tina era Nikita Stover, no tendría ningún motivo para sospechar de Ruth y seguro que la curiosidad propia del ser humano la habría llevado, como mínimo, a asomarse. Así que tal vez Ruth tenía razón y no había absolutamente nadie en casa.

No le gustaba que la presa se le escapara de las manos. No le gustaban los cabos sueltos. Y, sobre todo, no le gustaba tener a una agente tan capacitada como Nikita Stover por ahí suelta y sin localizar. Tenía las mismas habilidades que ella, pero él estaba obligado a llevar a cabo dos búsquedas, mientras que ella sólo debía concentrarse en una. Él tenía que encontrar la cápsula del tiempo y a la persona que había depositado la información crucial en ella. Nikita, en cambio, sólo tenía que localizarlo a él.

Si McElroy había hecho bien su trabajo, Nikita no tenía ni idea de la identidad del viajero no autorizado, lo que suponía el mayor salvavidas para él. Aunque Nikita lo viera, creería que la agencia había enviado refuerzos. Jamás se le ocurriría sospechar de un agente.

Por otro lado, traer a Ruth quizá no había sido lo más inteligente, pero no lo había pensado. Utilizarla le había parecido razonable; era una mujer y, como tal, suponía una amenaza menor para otra mujer. También era posible que la multitud de llamadas telefónicas se le hubieran girado en contra y la hubieran hecho parecer poco menos que inestable.

Capítulo 24

Cuando el coche se marchó, Nikita esperó media hora en la oscuridad, vigilando por si volvía. Todavía no podía estar segura que no lo hubieran aparcado en algún otro lugar de la calle para seguir vigilando la casa, arriesgándose a alertar a los vecinos, pero al menos ya no los tenía aparcados delante de casa de Knox.

Después de media hora, empezó a moverse por la casa, aunque sin encender ninguna otra luz. Ya había comprobado que todas las ventanas estuvieran cerradas, pero ahora comprobó que las cortinas también lo estuvieran de modo que nadie pudiera ver lo que había dentro.

Los acontecimientos de esa noche la habían hecho llegar al límite. Primero el teléfono, sonando una y otra y otra vez, y después la sensación de ser perseguida, y nada menos que en el lugar donde se suponía que iba a estar más a salvo, la habían puesto de los nervios. La noche le había dado una nueva perspectiva sobre los cargos de acoso; los agentes federales no se encargaban de esos casos, pero a veces el acoso formaba parte de un patrón que iba en aumento y que casi siempre terminaba violando alguna ley federal, como el secuestro. Después de soportarlo una noche, Nikita ya estaba preparada para responder con violencia. No se imaginaba cómo vivía la gente que tenía que soportarlo de forma continuada.

Después de una hora sin incidentes, fue con cautela hasta el salón, donde el televisor seguía encendido. Quizás estaba siendo demasiado precavida, pero siguió gateando para no reflejar ninguna sombra en las cortinas. Tampoco había soltado el bolso y las armas, y se metió el móvil en el bolsillo. Se estiró en el sofá e intentó ver la televisión y relajarse, pero cada vez que escuchaba un coche, se tensaba y se olvidaba de lo que estaba viendo mientras escuchaba atentamente para asegurarse que el coche no se detenía frente a la casa.

Aproximadamente una hora después, un coche redujo la velocidad y entró en el jardín delantero. Nikita esperó; por lógica tenía que ser Knox, que volvía a casa, pero no estaba dispuesta a asumir nada. Hasta que el coche no fue a la parte de atrás, ella no caminó hasta la cocina y se asomó para comprobar que realmente fuera su coche antes de abrir la puerta.

Cuando él entró en la oscura cocina, Nikita se acercó el dedo índice a los labios. Knox era policía, así que asintió y el cansancio que llevaba se convirtió en cautela. Cerró la puerta con llave y susurró:

—¿Por qué está a oscuras la cocina?

—Porque estaba así cuando esa mujer se presentó aquí. Si hubiera encendido más luces, me habría delatado. Pero ahora, como estás en casa, puedes encender todas las que quieras. Por cierto, he dejado las llaves en la mesa.

Knox se acercó al fregadero y encendió el fluorescente que había encima, detrás de una pantalla de madera. Las cortinas de la ventana del fregadero también estaban cerradas, aunque sólo tapaban la mitad inferior de los cristales.

—Explícame, exactamente, qué ha pasado. —Mantuvo el tono suave mientras abría la nevera y sacaba un refresco.

—No, tú primero. El asesinato es más importante que el acoso.

Fueron al salón y se sentaron en el sofá, para poder hablar más tranquilos sin el peligro de que los escucharan.

—Hasta ahora, todo bien —dijo, agotado, mientras se deslizaba un poco hasta que pudo apoyar la cabeza en el respaldo—. El juez instructor está muy interesado en la herida, porque nunca ha visto nada parecido. Han enviado el cuerpo al forense para que le haga la autopsia. Lo difícil para nosotros será mañana, cuando tengamos los resultados, porque es entonces cuando la gente empezará a llamar diciendo que vieron un coche en casa de Jesse tal y tal día, a tal y tal hora. No obstante, creo que todo va a salir bien, porque Jesse lleva muerto al menos dos días. Puede que lo mataran el mismo lunes, con lo que seguramente yo seré la última persona que lo vio con vida. Buscaremos información sobre coches que rondaran su casa a principios de semana.

Ella asintió. Debería haberlo pensado antes; los dos deberían haberlo hecho. Aunque alguien hubiera reconocido el coche de Knox esa tarde, la hora de la muerte convertía esa información en inútil.

—Explícame lo de Ruth. —Giró la cabeza para mirarla. Tenía los ojos cansados y los párpados se le cerraban.

—Ya sabes lo de las llamadas y que luego se ha presentado aquí. Ha llamado a la puerta, bueno, más bien la ha aporreado durante unos cinco minutos mientras decía que sabía que Tina estaba aquí. Luego ha intentado mirar por las ventanas, después se ha marchado y entonces es cuando te he llamado.

—¿Eso es todo?

—No. Había alguien con ella; creo que era un hombre. No lo he podido ver lo suficientemente bien como para darte una descripción, pero ella ha ido hasta el coche y estaba hablando con alguien y, por el tamaño de la silueta, estoy casi convencida que era un hombre. Luego han vuelto, han aparcado sobre el bordillo, han vigilado la casa un rato y se han vuelto a marchar. —Miró la hora—. De eso hará como una hora y media. Desde entonces, todo ha estado muy tranquilo.

—Dios —dijo Knox, con los ojos cerrados—. Jamás imaginé que Ruth se pondría así si creía que iba en serio con otra persona. Después de la muerte de Rebecca, incluso me dijo que siguiera con mi vida. Mañana hablaré con ella. Le diré que uno de mis vecinos se ha quejado del jaleo.

—¿Tus vecinos la reconocerían?

Knox se quedó pensativo.

—No. Buena reflexión. Debo estar más cansado de lo que imaginaba.

—Porque nunca cometes errores, ¿verdad? —dijo ella, como si nada.

—No entremos en eso —respondió él con una leve sonrisa—. He cometido algunas meteduras de pata de primera y, normalmente, siempre por abrir la boca cuando no debería.

Ella parpadeó.

—¿Qué es, exactamente, «de primera»? Entiendo el significado general por el contexto pero... —Se encogió de hombros y arqueó las cejas en un gesto que lo invitaba a responder.

—Vaya, pues no lo sé. En el contexto que acabo de usar, significa errores muy graves. Si un hombre tuviera un ojo morado. Por cierto, gracias por no pegarme en el ojo, diría que tiene un moretón de primera. Si alguien es una cocinera de primera quiere decir que es muy buena cocinera. O sea, que es un superlativo normal.

—He notado que en el caso del ojo morado era un hombre y, en el caso de la cocinera, era una mujer.

—Denúnciame por discriminación sexual —respondió él, muy tranquilo, hundiéndose todavía más en el sofá.

Parecía que iba a quedarse dormido donde estaba.

—¿Has cenado algo? —le preguntó ella antes de que se le cerraran del todo los ojos.

—Sí, uno de los agentes ha venido a la ciudad y ha comprado hamburguesas. —Abrió los ojos de golpe—. ¡Mierda! Lo he olvidado. Aquí no tengo demasiada comida. ¿Has encontrado algo?

—Sopa. Estoy bien. Pero esto no funciona. Necesito poder operar independientemente de ti. Y tú no puedes quedarte aquí, con Ruth Lacey histérica y vigilando la casa porque no puede soportar la idea de que tengas otra relación.

—¿Dónde vas a quedarte?

—Dijiste algo de una pensión en régimen de alojamiento y desayuno. Supongo que eso quiere decir que te dan una cama y desayuno.

—Exacto, pero no me gusta esa idea. —Bostezó y se levantó—. Voy a ducharme. Hablaremos de todo esto cuando tenga la cabeza más despejada.

Ella lo observó alejarse, dirigiendo la mirada inmediatamente a su culo. «Ñam», como había dicho un personaje de la tele. Era una expresión muy descriptiva.

Sin saber por qué, ya no estaba enfadada con él. No había cambiado nada de su situación personal, pero durante el día el dolor y la rabia habían ido desapareciendo gradualmente. En realidad, no estaba tan enfadada como dolida, pero era imposible que él supiera lo que removería aquella sencilla pregunta.

Volvió a estirarse en el sofá, con la cabeza apoyada en la mano. Los dos estaban muy cansados; seguramente dormiría como un tronco, a menos que Ruth les hiciera otra visita. Cerró los ojos y, cuando los abrió, el salón estaba a oscuras y Knox la estaba levantando en brazos.

—Estoy despierta —dijo e, instintivamente, se agarró a él para no caerse. Sus dedos se clavaron en una carne cálida y húmeda y unos músculos tensos.

—Me alegro. Siempre es mejor hacer el amor cuando los dos están despiertos.

A Nikita se le aceleró el corazón y se le acumularon las ideas.

—Pero… ¿Qué…? Yo no…

—Shhh —dijo él, y la besó.

Olía a jabón y agua, a hombre y a calor. Sus labios se mostraron lentos y persuasivos y, de repente, ella pensó: «Sí». Había muchas razones por las que no debería intimar con él, pero le importaban un rábano. Lo quería, quería ese cuerpo largo y esbelto encima de ella, lo quería tener entre las piernas y dentro de su cuerpo.

Se separó y él le dijo:

—No digas nada.

—Sólo iba a decir «sí».

—Ah. —Hizo una pausa—. Entonces, perfecto —y se rió antes de volver a besarla mientras la llevaba a la habitación. Ella se aferró a él mientras la dejaba encima de la cama, sin interrumpir el beso hasta que perdió el equilibrio y cayó encima de ella.

Los dos se echaron a reír como niños mientras se revolcaban en la cama a oscuras, con las manos buscando y aprendiendo. Ella le acarició la musculosa espalda, acercó la cara a su pecho ligeramente peludo, localizó los duros pezones y se los apretó y luego se dirigió hacia la zona caliente. Le desabrochó los vaqueros y descubrió que no llevaba nada más debajo, de modo que introdujo las manos entre la piel y la tela, le agarró una nalga con cada mano y las apretó. La carne musculosa estaba fría y suave bajo sus manos, y enseguida se calentó.

Knox volvió a reírse mientras intentaba apartarla. Le costó porque ella no quería soltarlo. Al final, lo consiguió, pero Nikita aprovechó la situación para meter las manos en la abertura frontal de los vaqueros. El pene casi le saltó delante; estaba muy duro y curvado hacia arriba, y Knox gruñó cuando lo tocó. Ella lo rodeó con una mano, impaciente, deleitándose en el grosor, en cómo se sacudía cada vez que lentamente subía y bajaba la mano, mientras con la otra le había agarrado los testículos.

—Jesús. Dios. Quítate la ropa —gruñó Knox mientras se dejaba caer en la cama.

—Quítamela tú —respondió ella, concentrándose en lo que estaba haciendo.

—No puedo. Me tienes cogido por las pelotas. Literalmente. —volvió a gemir cuando ella volvió a subir la mano—. No hagas que me corra. Todavía no.

—No te preocupes —le susurró mientras lo soltaba y se quitaba la ropa a toda prisa. Él le ayudó y sus manos chocaron varias veces, interponiéndose en el camino del otro, pero al final consiguieron quitarle toda la ropa, él se quitó los vaqueros y se quedaron en la cama desnudos.

Ella se movió con la rapidez de un gato, lo apretó contra el colchón y se sentó a horcajadas encima de él. Knox emitió un grave gemido de placer cuando ella se colocó frente a la punta de su verga y lo envolvió con la cálida humedad de su entrepierna. Levantó las caderas, intentando ponerse en el ángulo bueno para penetrarla, pero ella se apartó.

—No tan deprisa. Me gusta sentirte así. —Volvió a colocarse encima de él, deslizándose hacia delante y hacia atrás.

—Te gustará más desde dentro —dijo él con cierta urgencia, clavándole los dedos en las caderas.

—Ya llegaremos a eso —susurró ella—. ¿No te gusta jugar un poco? —Provocarlo era muy divertido. Y la sensación para ella también era placentera, tanto que sabía que podía llegar al orgasmo restregándose contra él de aquella manera.

Él gruñó otra vez.

—Primero el sexo, ya jugaremos luego.

Ella se rió y él se levantó, la rodeó con los brazos y rodaron en la cama, aunque esta vez él quedó encima y colocó la punta de la verga en la entrada del cuerpo de Nikita.

Todas las risas desaparecieron y él se quedó ahí, encima de ella, en la oscuridad, esperando. Nikita contuvo la respiración y sintió cómo la invadía una oleada de calor, se le encendió todo el cuerpo mientras todo lo que era, todos sus sentidos, se concentraban en aquella intrusión. Y entonces lo notó, cálido y lento, cómo se abría paso en su interior mientras su propio cuerpo clamaba por acogerlo y retenerlo dentro.

Él se retiró, casi por completo, y volvió a penetrarla. Nikita arqueó la espalda y gimió de placer.

—Sí. Así.

Él obedeció y, al cabo de un minuto, ella se estaba retorciendo, a punto de alcanzar el orgasmo, cuando él se detuvo, jadeando.

—No puedo —dijo ante la protesta entre dientes de Nikita—. Estoy demasiado a punto. Hazlo tú.

Se retiró de su interior y se tendió sobre la espalda, y Nikita se colocó ansiosa encima de él. Esta vez no hubo provocaciones; quería tenerlo dentro otra vez. Descendió y acopló sus cuerpos mientras él le agarraba los pechos, y ella adquirió el ritmo que imponía él, un lento ascender y descender que envolvía, soltaba y envolvía otra vez.

Notaba cada vez más cerca el orgasmo. Estaba desesperada por alcanzarlo, pero, al mismo tiempo, quería alargar aquello lo máximo posible. Cada embestida era desesperadamente lenta y la sensación resultaba tan intensa que casi no podía soportarlo. Cada vez que descendía y él la penetraba profundamente, se sacudía, su ritmo se alteraba y perdía la coordinación.

—Más rápido —gimió él mientras la agarraba por las nalgas y levantaba la cadera para penetrarla.

Aquello lo hizo llegar todavía más adentro, hasta el terreno de lo molesto. Ella gritó y se aferró a él cuando sintió las oleadas del orgasmo apoderarse de su cuerpo; arqueó la espalda y dejó que los gritos fluyeran por su garganta.

Él levantó la cadera, la atrajo hacia él con fuerza, una, dos veces, hasta que se sacudió debajo de ella. Temblorosa, Nikita se dejó caer encima de él mientras Knox le mantenía las caderas pegadas a las suyas y gemía mientras su verga seguía latiendo en su interior.

Lentamente, su fuerte cuerpo se fue calmando y acabó temblando como ella. Su pecho se levantaba en un esfuerzo por respirar y ella intentó apartarse para dejarle más aire, pero él la rodeó con los brazos.

—Quédate aquí —dijo él con un tono seco.

Inesperadamente, la emoción la invadió y le llenó los ojos de lágrimas. Intentó contenerlas hundiendo la cara en su pecho y aferrándose a él. Furiosa, se preguntó por qué quería llorar. Había sido… maravilloso. Sus cuerpos estaban en la misma onda sexual, sin un solo movimiento equivocado que arruinara la experiencia. Le encantaba tenerlo dentro, su olor, y quizás estaba tan emocionada por la perfección del acto.

Sus respiraciones se calmaron y adquirieron un ritmo normal. Somnolienta, se quedó acurrucada encima de él. Pensó que tenía que levantarse, que lavarse y que estaban manchando la cama, pero estaba tan bien en ese momento; además, siempre podían cambiar las sábanas.

—Eh, despierta —le susurró él contra el pelo. Le estaba acariciando el pelo, el culo y Nikita pensó que, si de verdad quería que se despertara, debería dejar de acariciarla de aquella forma—. Humm, ya sé que no es un buen momento para preguntarlo, pero ¿estás tomando algún tipo de anticonceptivo?

Ella sonrió contra su cuello.

—¿Quieres decir que te has olvidado de ponerte preservativo?

—Sí —respondió él, con sequedad—. ¿Tomas algo?

—Sí, todavía me quedan cuatro meses para renovar mi dosis anual.

Sintió que aquellas palabras habían despertado el interés de Knox.

—¿Dosis anual? ¿Sólo tienes que tomarla una vez al año?

—Exacto.

—Pero ¿eso no incrementa la posibilidad de olvidarlo?

—Recibo una notificación automática. Todo el mundo que acepta la dosis anual recibe una notificación un mes antes del final de la dosis, dos semanas antes y, por último, el día antes. La decisión de seguir tomándola depende de ti y, si alguien decide dejar de tomar anticonceptivos, debe comunicarlo al sistema para que así no pierda el tiempo con notificaciones inútiles.

—Y ¿es sólo para mujeres, o también para hombres?

—Para mujeres. El sistema masculino es distinto. Hasta ahora, el sistema anticonceptivo más duradero que se ha inventado para hombres dura aproximadamente un mes. —Y había, y de lejos, muchos menos hombres que mujeres que accedían a tomar anticonceptivos; sin embargo, por mucho que dijeran los científicos sociales, los hombres no se quedaban embarazados, así que los anticonceptivos eran mucho más importantes para las mujeres. No parecía justo, pero era así.

Nikita prácticamente percibía las preguntas en la punta de la lengua de Knox, pero le colocó la mano en los labios antes de que empezara.

—Tengo mucho sueño —susurró—. Ya hablaremos mañana. Ahora quiero lavarme y dormirme.

—Está bien, podemos hacer eso —dijo él, soltándola para que pudiera rodar hasta su lado de la cama—. Es una pérdida de tiempo pero da igual. Tengo mucha agua caliente.

Capítulo 25

Knox la despertó dos veces más durante la noche para hacer el amor. Después de la tercera vez, cuando volvió a la realidad tras el placer físico, la conciencia se le despertó de golpe.

No era justo que se aprovechara de la ignorancia de Knox. Había determinados aspectos de su vida que tenía derecho a conocer, que cualquier persona que intimara con ella, ya fuera una amistad o una pareja, debería saber. Si después de decírselo, él decidía no continuar con la relación, era mejor hacerlo ahora, al principio, cuando la carga emocional era menor. Había aprendido a no esperar lo peor posible.

Después de lavarse, otra vez, volvieron a la cama. Él se acomodó en su almohada y la atrajo hacia sí, haciendo que apoyara la cabeza en su hombro mientras él la rodeaba con el brazo izquierdo. Ella escuchó el potente y rítmico latido de su corazón y rezó en silencio para que no fuera la última vez que estuviera así de cerca de él para poder escuchar el latido de su corazón.

—Tengo que decirte algo —dijo, antes de arrepentirse.

—Eso nunca es bueno —respondió él después de una pausa de varios segundos.

—¿El qué?

—Las conversaciones que empiezan con esas palabras. Lo que sigue es algo que nunca quiero escuchar. ¿Va a ser distinto esta vez?

—Seguramente, no —susurró ella, puesto que el miedo le había cerrado la garganta.

—Nikita, si estás casada te juro por Dios que… —empezó a decir él, con un tono de rabia.

—¡No, no! No te mentí, jamás he estado casada.

—Entonces, ¿qué quieres decirme? No me convencerás de que eres lesbiana.

Ese término tan pasado de moda le proporcionó unos segundos de diversión, pero fueron muy breves.

—No. Soy una Copia —dijo, con voz firme, decidida a soltarlo antes de que él desviara la conversación.

—¿Una… qué?

—Una Copia —repitió ella. Con los años, había aprendido a mantener un tono de voz neutro al confesar sus orígenes—. No nací, me… sembraron. Como a una verdura.

—Joder. ¿En serio? ¿En fila, como las zanahorias? ¿Qué salía de la tierra, la cabeza o los pies?

La imagen era tan ridícula que Nikita se incorporó, muy enfadada.

—¡Lo digo en serio! No es para burlarse.

—No me estoy burlando —respondió él, al tiempo que la atraía otra vez hacia sí—. Sólo te he hecho una pregunta.

—No puedes… —Se interrumpió porque, obviamente, Knox podía pensar eso. Seguro que su mente había hecho un esfuerzo enorme para llegar a la analogía de las zanahorias.

—Has dicho «verdura». ¿Qué se supone que debía imaginarme? ¿Vainas de guisantes? ¿Tomateras?

—¿Quieres callarte? ¡No soy una vaina de guisante! Ni un tomate.

Él le dio un pellizco en una nalga.

—¿Qué me dices de un melocotón? Eres dulce y jugosa.

Desesperada, dijo:

—Me crearon para reproducir órganos de repuesto para mi... hermana. Pero no era mi hermana, en realidad, porque yo soy ella. Soy su copia. Soy idéntica a ella, pero yo estoy viva y ella no.

Se produjo un largo e intenso silencio y Nikita tuvo la sensación de estarse ahogando en aquella oscuridad. Estiró un brazo para girarse y encender la lámpara de la mesita de noche para verle la cara y para no sentir como si las paredes se le vinieran encima. Él la detuvo y le agarró el brazo suavemente con la mano.

—No enciendas la luz —le dijo—. Vuelve aquí y explícamelo todo. ¿En tu tiempo, se clona a las personas y luego las matan por sus órganos? No te ofendas, cariño, pero me parece un comportamiento de bárbaros.

—No, no funciona así. —Reconoció la nota de rabia en su voz e intentó recuperar el tono neutro.

—Entonces, ¿cómo funciona? ¿Cómo te crearon para reproducir órganos? No creo que seas como una salamandra, capaz de regenerar partes de tu cuerpo.

—¿Quieres dejar de compararme con verduras y lagartijas, por favor?

—El melocotón es una fruta.

Exasperada, le agarro los pelos del pecho y se los estiró.

—¡Au! —gritó él—. ¡Eh! Deja en paz mi vello corporal.

—La próxima vez, te tiraré de las pelotas —le advirtió ella—. ¿Y ahora vas a escucharme o vas a dedicarte a hacer comentarios graciosos?

—Después de esa amenaza, escucharé lo que tú quieras.

Para su sorpresa, Nikita se dio cuenta que estaba sonriendo y ahora se alegraba de no poder verle la cara. El sentimiento de pánico se había atenuado un poco; quizá no sería tan terrible, quizás él no se horrorizaría tanto como la gente de su tiempo. Cuando Knox la agarró con los brazos y la atrajo hacia sí, ella no opuso resistencia.

—La clonación es ilegal —dijo—. Los resultados de los experimentos de clonación nunca fueron del todo satisfactorios; parecía que los clones resultaban genéticamente debilitados. Enfermaban con mucha facilidad, casi siempre morían jóvenes y, si llegaban a la edad madura y procreaban, casi todos sus hijos nacían con anomalías graves. Así que se prohibió, pero se habían invertido millones y millones de dólares para desarrollar la técnica para reproducir órganos de repuesto a partir de las células de un ser vivo. El único problema era reproducirlos lo suficientemente deprisa, porque puede que el donante estuviera muy mal de salud o no dispusiera del tiempo que tardaba un órgano en madurar. Así que se siguió implementando un programa de crecimiento de órganos acelerado a espaldas del gobierno y…

—Espera —la interrumpió él—. Cualquier órgano creado a partir de las células de alguien enfermo tendría las mismas debilidades genéticas que estaban atacando al donante, ¿no?

—Si el problema fuera genético, sí. Pero imagina que fueras propenso a sufrir una enfermedad cardiaca y, cuando cumplieras los cincuenta años, desarrollaras una afección coronaria grave. ¿Qué pasaría? Un corazón nuevo podría ofrecerte otros cincuenta años de vida, o incluso más, porque tienes que confiar en los avances de la medicina. ¿No aceptarías el corazón, aún sabiendo que era propenso a sufrir la misma afección dentro de medio siglo?

—Claro que sí. Visto así, no hay discusión.

—La mayor parte del mundo piensa igual. El programa de crecimiento de órganos acelerado alcanzó su punto álgido hace unos treinta y cinco años, cuando mis padres tuvieron a su primera hija, Annora Tzuria. Era preciosa y sana, pero a los dos años contrajo un virus que le dañó el corazón y el hígado hasta tal punto que necesitaría un transplante antes de un año para sobrevivir. Mis padres enseguida la apuntaron al programa, le extrajeron células sanas para reproducir los órganos y esperaron.

—Y, en lugar de eso, les entregaron otra hija: tú —intervino él.

—Básicamente, sí, pero no te adelantes. Dentro del programa, había distintos grupos compitiendo por el presupuesto…

—Algunas cosas nunca cambian.

—Eso seguro que no. Los investigadores de un grupo creyeron haber perfeccionado el proceso de clonación y haber eliminado el factor que hacía que cada copia fuera más débil que la anterior. Se suponía que estaban reproduciendo órganos. En lugar de eso, y durante dos años, reprodujeron personas. Éramos poco más de cuatro mil cuando los descubrieron y anularon el programa.

—Es difícil esconder a cuatro mil personas.

—Cuatro mil bebés. Crecimos con normalidad; no salimos de la tierra totalmente desarrollados. Nos marcaron con unos números de serie que consistían en el número de creación más la fecha de nacimiento. El mío es el 233704272177. Lo llevo permanentemente grabado detrás de la oreja izquierda. Si intentara borrarlo, ya sea mediante la cirugía o cualquier otro método, saltaría una alarma en la agencia de seguridad que controla las copias y me detendrían de inmediato.

—Pero eres una agente del FBI, no una criminal —respondió él, enfadado por ella.

—Pero también soy una Copia. La situación legal de las Copias está en el aire. Hasta que no se decida, la ley prohíbe que se nos discrimine. En concreto, las agencias federales tienen que ser totalmente imparciales en la aplicación de las políticas de contratación, pero a mí me aceptaron en la Academia por mis calificaciones. Pero eso fue más tarde. Volvamos al principio.

—Vale, eras un bebé gritón.

—Y se descubrió lo que aquellos investigadores habían estado haciendo. Se cerró el centro de experimentación y todos los experimentos quedaron bajo custodia federal hasta que se pudiera determinar quién era culpable de qué y quiénes habían sido los donantes originales para aquellos cuatro mil y pico bebés.

Él la abrazó con más fuerza.

—Debió de suponer un golpe tremendo. Crees que estás salvando tu vida, o la de tu hijo, y, en su lugar, hay otro ser humano distinto. ¿Qué hicieron? Bueno, tus padres, en particular, y los demás en general.

—Algunos no pudieron soportarlo y dieron a sus hijos en adopción o quedaron bajo custodia del gobierno federal como vigilantes de la nación. Otros se llevaron a sus hijos a casa. Eso fue lo que hicieron mis padres. Aunque mi madre no me hubiera parido, genéticamente era su hija, y además era idéntica a Annora cuando tenía mi edad. Sin embargo, el hecho de que las Copias fuéramos seres humanos completos, significaba que la gente que se suponía que tenía que salvarse murió, ya que cuando descubrieron el experimento, no hubo tiempo para desarrollar órganos de repuesto nuevos.

—Dios —fue todo lo que pudo decir, pero en su voz había una nota de comprensión. En una sola palabra.

—Me pusieron el mismo segundo nombre que a mi hermana, Tzuria, en su honor. Murió tres meses después de que mis padres me llevaran a casa con ellos. No la recuerdo y, durante mucho tiempo, cuando veía hologramas de ella, creía que eran míos.

—No me imagino lo que debieron sentir tus padres —dijo Knox, pensativo—. Habían enterrado a su hija y, a pesar de todo… ahí estabas tú, la misma hija, aunque sana.

—Mi madre dijo que le había mantenido la cordura, que podía mirarme y veía a esa hija que la necesitaba y dependía de ella. Era igual que Annora, pero, al mismo tiempo, era una persona distinta. Annora se pasó casi toda su vida enferma, y yo era una niña sana y enérgica. Sin embargo, Madre siempre fue muy protectora y, como los asuntos legales todavía son una patata caliente y la gente tiene problemas morales con las Copias… siempre he tenido mucho cuidado con lo que digo y hago. Cuando fui lo suficientemente mayor como para comprender, Madre me dijo que no podía permitirme meterme en ningún lío.

—Es una responsabilidad muy grande sobre las espaldas de un niño. —Le besó la frente—. No me extraña que parezcas tan...

—¿Robótica? —sugirió ella, con sequedad.

—Iba a decir «serena» —chasqueó la lengua—. He aprendido la lección. Esa palabra jamás volverá a salir de mi boca.

—Pero es que soy exactamente eso, robótica, y me dolió tanto cuando lo dijiste porque me di cuenta de lo mucho que he tenido que controlarme en la vida. Jamás me he permitido enfadarme de verdad, nunca he gritado ni he bailado. Me lo guardaba todo para mí, porque cualquier cosa que pudiera considerarse demasiado violenta, o demasiado entusiasta, o demasiado lo que fuera, podía utilizarse para declararnos legalmente un peligro para nosotros mismos y los demás.

—No te imaginas lo mucho que lamento haberlo dicho. —La besó otra vez, aunqueen esta ocasión le levantó la barbilla para poder alcanzar sus labios—. Cuando vi el daño que te había hecho, quería darme una paliza.

—Y tenías miedo de haber tirado por la borda cualquier posibilidad de llevarme a la cama —añadió ella.

—Eso también.

Nikita bostezó, agotada de repente. Todavía no acababa de creerse la naturalidad con la que Knox había aceptado su situación, ya que la gente de su tiempo estaba horrorizada ante los resultados de ese experimento.

—Algunas Copias no lo han llevado demasiado bien —admitió—. Los desórdenes de personalidad parecen más la norma que la excepción. El índice de crímenes violentos entre las Copias también es muy elevado. Todavía se está discutiendo en los juzgados si deberían internarnos para nuestro propio bien.

—No creo que a nadie se le haya ocurrido que convertir a un niño en vigilante de la nación, impedirle tener una familia de verdad, señalarlo siempre con el dedo y buscarle anormalidades pueda provocar desordenes de personalidad y cierta tendencia hacia la violencia, ¿eh? Mírate. Te criaste en una familia con dos personas que te querían. El principal problema es el entorno durante la infancia y no algo intrínseco a las Copias.

—El prejuicio con la clonación está tan arraigado, y con motivo, que cuando la gente se entera que soy una Copia primero reaccionan a nivel emocional. Siempre se lo he dicho a las personas con las que empezaba a establecer vínculos, para que pudieran escoger si querían seguir siendo amigos míos o no. Y la mayoría escogió no serlo.

—Ellos se lo pierden —dijo Knox—. Me atrevería a decir que es el auténtico motivo por el que no estás casada, y no las presiones del trabajo.

—Bueno, también está lo del control de fertilidad —dijo y, a pesar de sus esfuerzos, reconoció la nota de dolor en su voz. Respiró hondo y recuperó la compostura—. Las Copias no pueden tener hijos. Por ley, tengo que someterme al programa de anticonceptivos indefinidamente. Si no me presento a la renovación del control, me detendrán y me esterilizarán.

Pegada a él como estaba, percibió cómo a Knox se le tensaban los músculos y la oleada de rabia que le recorría la piel.

—Perdona que te diga esto, pero me da la sensación que la civilización ha involucionado en lugar de evolucionar. Independientemente de la tecnología, tu sociedad da asco.

—Y, sin embargo, si hubieras vivido durante aquella época y hubieras visto las horribles anomalías físicas provocadas por la clonación, seguramente serías más comprensivo con ellos.

—Seguramente no. Soy de Kentucky; casi seguro que formaría parte de alguna milicia de incógnito que intentara derrocar a los tiranos. Para los habitantes de las regiones montañosas, la guerra civil fue ayer y la Revolución, anteayer. La palabra «impuestos» todavía nos irrita.

—Entonces, te aseguro que no te gustaría vivir en mi tiempo —admitió ella.

—Puede que no, pero sí que me gustaría visitarlo. ¿Cómo es? —Se colocó de lado para estar de frente e, igual que había percibido su rabia, ahora Nikita percibía su curiosidad—. ¿Cuál es la población del planeta? ¿Seguimos teniendo el mismo sistema de gobierno? ¿Cuántos estados hay? Y ¿qué me dices de los coches?

Ella se rió y le pasó la mano por encima del cuello.

—Deja de preocuparte por los coches. Ahora se llaman vehículos personales y se alimentan de varias fuentes: propulsión magnética, hidrógeno, electricidad. Hay vías libres y vías reguladas. Si eliges las reguladas, la velocidad y el flujo de tráfico están controlados, de modo que no vas demasiado deprisa, pero tampoco te quedas atrapado en ningún atasco. Programas tu ruta en el ordenador de a bordo del vehículo personal y ya puedes sentarte y leer o entretenerte en lo que quieras mientras el vehículo te lleva hasta tu destino.

—Y ¿se puede hacer el amor? —preguntó, riendo.

Ella no pudo evitar reír.

—Sí, la gente sigue siendo humana, así que a veces hacen el amor en el vehículo. Si ves alguno con las pantallas de seguridad, puedes estar casi seguro que es lo que están haciendo. A veces, incluso se ha detenido a alguna pareja por no accionar las pantallas de seguridad.

—Y ¿qué hay de esas vías libres?

—Son lo que su nombre indica: el tráfico no está regulado. Tienes pleno control de tu vehículo. Eliges a qué velocidad quieres ir. En estas vías, se producen unos accidentes de tráfico horribles, pero cada vez que alguien saca el tema de una ley para convertir todas las vías en reguladas, surgen muchas quejas y ese político es expulsado del gobierno en las siguientes elecciones.

—Ya me imagino. Y ¿el gobierno es el mismo? ¿Bipartito: demócratas y republicanos?

—Ahora hay tres partidos, pero ninguno es demócrata o republicano. Esos dos partidos murieron a principios del siglo veintiuno. Bueno, «murieron» no es la palabra adecuada. Su identidad cambió y se convirtieron en otra cosa. ¿Murphy?

—¿Murphy? —repitió Knox—. ¿Quién es ese Murphy? ¿O acaso quieres decir que se morfosearon?

—Exacto. Morfosearon y adquirieron su identidad política actual.

—Y ¿el resto del mundo?

—Algunas naciones cambian, y otras no. En la actualidad, el planeta tiene ocho mil millones de habitantes. Seríamos más, pero los virus de finales del siglo XXI mataron a millones de personas. El resultado en número de víctimas de los virus contribuyó a cambiar el clima político y acabó con los demócratas y los republicanos.

—Y ¿las guerras?

—Siempre hay guerras.

—Supongo que sí. La naturaleza humana no cambia tanto. Háblame de los viajes al espacio. ¿Tenéis una colonia en la Luna?

—Y otra en Marte. La colonia marciana es subterránea, en un sistema de cuevas; era la única forma de estar suficientemente protegidos. La de la Luna es la más popular, debido a las vistas sobre la Tierra. Creo que viven allí unas cuatrocientas mil personas, pero la Luna tiene una población de más de dos millones. Ahora se ha establecido un control para evitar la llegada de nuevos habitantes.

—Me encantaría ir a la Luna y ver la Tierra —susurró—. ¿Tú has estado?

—No, son unas vacaciones muy caras. Y los que trabajamos para el gobierno no ganamos tanto.

—Otra cosa que tampoco ha cambiado —comentó él.

—Me temo que no.

—¿Ninguna colonia más? ¿Ningún contacto con otras especies? ¿Ningún viaje más rápido que la velocidad de la luz?

—No, no, y no. Si tuviéramos lo último, quizá podríamos conseguir lo primero. Pero nadie ha contactado jamás, de ninguna forma, con otra especie inteligente.

—Qué decepción. Uno esperaría que, en doscientos años, la humanidad hubiera ido más allá de la casa del vecino… en términos metafóricos, claro.

—Claro. Pero hemos llevado al Papa a la Luna, así que no nos niegues el mérito.

—Eso sí que habría pagado para verlo. La cobertura mediática debió de ser de pared a pared.

«De pared a pared» era una expresión que se utilizaba con referencia a las moquetas, de eso estaba segura. Repasó la frase varias veces para ver si podía extraer el significado por el contexto. Pared a pared, moqueta... ¿Que podían empapelar la pared con los artículos de prensa? Sí, eso tenía sentido.

—La cobertura fue ininterrumpida —asintió, y luego no pudo evitar un bostezo que le humedeció los ojos y casi le dislocó la mandíbula, ante lo cual Knox no pudo contener la risa.

—No queda mucho para que suene el despertador, pero quizá podamos dormir una hora —le dijo, junto a la sien—. Dejaré el resto de preguntas para después.

—Sí, buena idea. —Volvió a bostezar—. Knox, gracias.

—¿Por qué?

—Por no enfadarte por lo que soy.

—Eres una mujer —dijo, lentamente, en la oscuridad—. Y yo soy un hombre. Estamos juntos y es todo lo que importa.

Capítulo 26

Nikita se quedó en la cama, somnolienta y mirando a su alrededor, mientras Knox se daba otra ducha antes de irse a trabajar. Acababa de amanecer, pero las cortinas cerradas mantenían la habitación en la penumbra. Estaba ligeramente dolorida, muy relajada y totalmente enamorada. En el terreno físico, se había visto abrumada por las feromonas masculinas de Knox durante todo el contacto de sus cuerpos desnudos y, en el terreno emocional, estaba sorprendida por la naturalidad con que él había aceptado sus circunstancias. Sospechaba que la combinación de esos factores había sido demasiado para sus defensas.

No podía hacer desaparecer sus sentimientos hacia él; ya era demasiado tarde. Ahora sólo podía disfrutar de él el tiempo que le quedara, independientemente del que fuera. Todavía tenía una misión que cumplir, una misión que estaba llena de complicaciones. Aunque lograra capturar a Hugh Byron, sus vínculos seguían desaparecidos; se los había robado alguien que no tenía ni idea de lo que tenía en las manos y el peligro que corría dicha persona con los vínculos y sin saber cómo funcionaban le puso los pelos de punta.

Lo mejor para olvidar la alegría poscoital era una pequeña dosis de realidad, pensó. El deber la atormentaba. Le hubiera encantado poder dar media vuelta y seguir durmiendo durante horas, pero se obligó a destaparse y levantarse de la cama. Sin dejar de bostezar, fue a la otra habitación y se puso su *sanssaum*; le gustaba estar desnuda con Knox, pero eso era totalmente distinto a estar desnuda frente a él mientras él estaba vestido y haciendo otras cosas. Todavía no estaba tan cómoda con él.

Knox había hecho café y Nikita siguió el olor hasta la cocina. Cuando pasó por delante del baño, se abrió la puerta y la invadió una nube de vapor cálido y húmedo. Knox estaba dentro, totalmente desnudo, secándose el pelo con una toalla.

—Buenos días —dijo, bajando la mirada mientras la repasaba de arriba abajo—. Joder, me encanta eso que llevas. Es más sexy que un bikini.

Al darse cuenta que él no tenía ningún problema en estar desnudo delante de ella, respondió:

—Buenos días. —Le lanzó un beso y continuó hacia la cocina.

Sirvió dos tazas y las llevó al baño. Knox estaba de pie frente al lavabo, con la toalla alrededor de la cintura, mientras se echaba una montaña de espuma de afeitar en la palma de la mano. Nikita le ofreció una taza:

—¿No quieres beberte un sorbo de café antes de ponerte eso en la cara?

—Buf, sí. —Dejó el bote de espuma en el lavabo, alargó la mano para coger la taza y dibujó una expresión de placer al tragarse el primer sorbo de líquido caliente—. Hay gente que no bebe café —dijo—. No lo entiendo.

Nikita no pudo resistir meter la mano por debajo de la toalla y darle una palmadita en el culo, con lo que recibió un apasionado beso; bueno, todo lo apasionado que podía ser teniendo en cuenta que ambos tenían una taza de café en las manos y él tenía la otra llena de espuma de afeitar.

—¿Quieres que empiece a preparar el desayuno? —le preguntó ella cuando volvió a tener los labios libres. Le dio un beso en el hombro—. Si me dices qué hay que hacer y cómo hacerlo, seguro que me las apaño.

Él puso cara de culpabilidad.

—Creo que no tengo nada para desayunar.

—¿No hay comida?

—No. Desayunaremos fuera. Y te prometo que hoy haré la compra.

«Si tienes tiempo», pensó ella. En los dos últimos días, no había tenido ni un minuto libre. Quizá pudiera hacerlo ella, cuando Knox le hubiera alquilado un coche. Tenía otros casos abiertos; debía prestarles algo de atención. Dependía de él para desenvolverse en el presente, pero hasta que tuviera un poco de tiempo libre lo mejor sería que ella también se mantuviera ocupada.

Mientras esperaba que terminara del baño, fue hasta el salón y se colocó delante de la librería. Le llamaron la atención una serie de libros grandes y relativamente delgados; sacó uno y, sin mirar la tapa, lo abrió. Estaba lleno de fotografías.

Miró la tapa. Era de piel blanca y tenía grabadas las palabras «Instituto Pekesville» y el año 1986. Era el anuario del instituto de Knox. Con una sonrisa, empezó a pasar páginas hasta que lo encontró: un adolescente larguirucho y de expresión seria. Debía de tener unos dieciséis años, y ya empezaba a dar muestras de la potencia de su cuello y sus hombros, y la sombra en su mandíbula significaba que ya había empezado a afeitarse, y de forma regular.

Dejó el anuario y cogió otro. Era el del año 1985, el mismo en que enterraron la cápsula del tiempo. Volvió a encontrar la fotografía de la clase de Knox y percibió el cambio que se había producido en tan sólo un año. Aquí parecía más joven, más crío, sin la sombra en la mandíbula del año siguiente.

Por curiosidad, fue al principio del anuario y empezó a hojearlo. Se detuvo en las fotos de los profesores y buscó al entrenador de fútbol que se había suicidado, Howard Easley. Era un hombre de aspecto agradable, pensó Nikita, y su rostro no revelaba ningún signo de la tristeza que lo llevó a terminar con su vida. Intentar adivinar la edad de alguien a partir de una fotografía era complicado, pero le pareció que quizá debía de haber acabado de estrenar la cuarentena, con una mata de pelo negro y grueso y unos ojos sorprendentemente pálidos.

Leyó su currículo; tenía varios títulos, entre los que destacaba un máster, y había dado clase de educación física y de física. Había estudiado en la Universidad de Kentucky y en el Instituto Tecnológico de California.

Estaba leyendo todo eso cuando Knox entró en el salón, varios minutos después, afeitado y parcialmente vestido. Al menos, llevaba vaqueros.

—¿Qué lees?

—Tu anuario del año 1985. —Lo miró—. El entrenador, Howard Easley. Fue al Tecnológico de California. Creo que los estudiantes mediocres no obtienen un máster del Tecnológico, ¿verdad? Daba clases de física y de educación física.

Hasta ahora, es la única persona que se acerca un poco a poder escribir lo que sea que estamos buscando.

Él se colocó junto a ella y bajó la cabeza para leer el currículo del entrenador.

—No lo conocía tanto. Yo estaba en segundo cuando se suicidó y, en cualquier caso, jugaba a baloncesto, no a fútbol. No me parecía ningún genio, pero, claro, ¿qué sabe un chaval? Me interesaban las chicas y el baloncesto, no los tíos de cuarenta y pico años. Y, no, el Tecnológico no acepta a estudiantes mediocres.

—¿Tiene algún familiar por aquí cerca con quien podamos hablar? ¿Alguien que sepa si es posible que estuviera trabajando en alguna afición o alguna teoría?

Knox colocó la mano izquierda detrás del cuello de Nikita y la acarició.

—Me parece que no era de por aquí, pero puedo averiguarlo. Algunos de los que lo conocieron bien siguen vivos. Y también puedo descubrir en qué proyectos trabajó en el Tecnológico. —La miró—. Has dicho «el Tecnológico» en lugar de Instituto Tecnológico de California, que es lo que pone en el anuario. Supongo que sigue existiendo, ¿no es así?

—El Tecnológico es el principal centro de investigación sobre los viajes espaciales. Está estrechamente relacionado con la NASA.

—Los viajes espaciales y los viajes en el tiempo son cosas muy distintas.

—No tanto, en realidad. Los VRVL y los viajes en el tiempo tienen mucho en común.

Knox entrecerró los ojos mientras intentaba descifrar el acrónimo.

—Ya lo tengo. «Los viajes más rápidos que la velocidad de la luz». ¿Existen?

—Todavía no —respondió ella, apenada—. Pero, por casualidad, el equipo que trabajaba en ellos desarrolló los viajes en el tiempo cuando una investigación previa los condujo hacia una dirección inesperada.

Se miraron, con los ojos brillantes a medida que iban interiorizando el momento de alegría. A veces, incluso sin tener todas las piezas del rompecabezas, sabes con total seguridad la forma que tendrá cuando esté terminado. Y ese fue uno de esos momentos, y supieron que Howard Easley era la clave. El problema era que llevaba muerto veinte años.

—En la ciudad, todavía hay personas que lo conocieron —dijo Knox—. Como Max Browning, por ejemplo; cubrió todos los partidos de fútbol.

—El nombre del señor Browning ha salido mucho —comentó Nikita. Los policías no creían en las coincidencias; ¿acaso tendrían que vigilarlo más de cerca?

—Durante años, el periódico local sólo contaba con dos reporteros, e incluso se encargaban de sacar las fotos ellos mismos. Puede que Max tenga archivos y fotografías que jamás se publicaron, así que es el primero de mi lista de entrevistas. —Frunció el ceño—. Tengo que hablar con Ruth y averiguar qué demonios estaba haciendo ayer. Habrá llamadas referentes al asesinato de Jesse y tendré que atenderlas…

Se fue a la habitación sin dejar de murmurar para sí mismo, con la cabeza llena de cosas mientras intentaba pensar en todo lo que tenía que hacer hoy. Sonriendo, Nikita lo siguió, aunque sólo para recoger la ropa limpia en su habitación y entrar en el baño para darse una ducha rápida. Tenía que lavarse el pelo, con lo que el rubio desapareció por el desagüe. Sin embargo, sólo era cuestión de aplicarse un nuevo color y secárselo.

Cuando salió, Knox la vio y se atragantó con el café. Ella, muy atenta, se acercó y le dio unos golpecitos en la espalda. Con los ojos llorosos, Knox se fijó en su pelo pelirrojo.

—Vaya —dijo, al final—. Creo que me gustas más así que de rubia. ¿Cuántos colores tienes?

—Tres. Rubio, pelirrojo y negro. —Le encantaba poder cambiarse de color de pelo con tanta facilidad, y el pelirrojo le gustaba especialmente porque consideraba que le quedaba muy bien con sus rasgos cálidos—. Los vecinos creerán que eres un don Juan.

—Quieres decir que creerán que soy un buscón. —Le cogió unos mechones de pelo entre los dedos y observó cómo se filtraba la luz a través de ellos.

—Siento volver a insistir en esto, pero necesito un vehículo. No puedo quedarme sentada aquí todo el día, y tampoco puedo acompañarte a tu oficina.

—Maldita sea. ¿Sabes cambiar las marchas?

Ella le lanzó una mirada de perplejidad.

—Un coche con transmisión manual. Con cambios de marchas.

Ella arqueó las cejas.

—Puedo cambiar tus marchas, hombretón.

Él chasqueó la lengua y le dio un rápido beso.

—Ni que lo jures; me pusiste la quinta enseguida. Pero no es a lo que me refería. Algunos coches, sobre todo los deportivos y las camionetas, tienen una transmisión manual. Significa que tienes que cambiar de marchas tú mismo.

—Si es así, no. Jamás he visto uno de esos.

—Entonces no te puedes llevar la camioneta vieja de mi padre. Está bien, te conseguiré uno; esperaba no tener que recurrir a una empresa de alquiler, pero no veo otra opción.

—¿Qué tiene de malo alquilarlo?

—Que los coches son reconocibles. Todos llevan una pegatina de la empresa. En cambio, por aquí hay mil camionetas como la de mi padre; nadie se fijaría en ti.

—Y ¿no podrías enseñarme a conducir con transmisión manual?

—Bueno, podría enseñarte lo básico, pero requiere práctica. Que se te cale el coche cada vez que aceleres llamaría mucho la atención, y es precisamente lo que queremos evitar.

—No saber quién intentó matarme es un rollo —comentó ella.

Knox gruñó:

—No te atrevas a quitarle importancia.

Nikita puso los brazos en jarra y lo miró.

—¿Acaso le he quitado importancia? He seguido todas tus instrucciones al pie de la letra. Anoche no abrí la puerta cuando te juro que me moría de ganas de hacerlo y darle una patada a esa mujer.

—Y te agradezco que te contuvieras. Supongo que sólo quiero decir que vayas con cuidado. ¿Tienes el móvil?

—Tengo el móvil.

—¿Tienes la pistola?

—Tengo la pistola.

—¿Tienes el láser?

—Jamás voy a ningún sitio sin el láser.

—Entonces, estás lista. —Se agachó y le dio un beso, con la boca cálida. Un beso muy lento—. Aunque, si pudiera, te pondría una armadura. Vamos a desayunar; luego iremos a la empresa de alquileres de coches a ver si tienen alguno disponible.

Nikita se recogió el pelo y lo ató con el coletero; luego se puso la gorra y las gafas de sol. Estaba hambrienta, así que se alegraba que Knox hubiera puesto el desayuno en el primer lugar de la lista. Sin embargo, no comería huevos. Había descubierto que no le gustaban.

Hugh Byron aparcó en la calle, unas casas más abajo. Se arriesgaba a que saliera alguien a quejarse por su presencia, pero había varios coches aparcados encima del bordillo, así que tenía la esperanza de quedar camuflado entre ellos. Tenía unos prismáticos en el asiento de al lado y vigilaba cualquier movimiento en casa de Knox Davis. El inspector jefe del condado saldría en cualquier momento; Ruth le había dicho que solía irse a trabajar pronto, y ya eran casi las siete.

Al final, vio movimiento en la parte trasera de la casa y cogió los prismáticos. Ya los tenía ajustados, así que sólo tuvo que enfocarlos hacia las dos personas que salieron de la casa.

Murmuró una maldición; Davis estaba entre la mujer y él. Sin embargo, y a pesar de la gorra, le vio el pelo pelirrojo; las gafas de sol le escondían los ojos. Le dijo algo a Davis y le sonrió, y él le acarició el culo y la besó. Luego, le abrió la puerta del coche y dio la vuelta hasta el otro lado.

Byron se dijo que Ruth tenía razón en una cosa: Davis se estaba acostando con una mujer. Sin embargo, habían visto a una rubia y esta era pelirroja. O Davis tenía más de una amante o la mujer se había teñido.

Cambiarse el color del pelo era tan fácil como cambiarse de ropa. Entre la gorra y las gafas, no había podido verla demasiado bien para poder identificarla, pero su instinto le decía que era Nikita Stover. Tenía la misma altura y complexión física, y estaba con Davis. La última vez que habían visto a la agente Stover, salía de los juzgados con Davis y luego él informó que se había marchado de la ciudad. Byron sabía que Stover jamás haría algo así, de modo que Davis mentía.

Stover lo había convertido en su aliado. Quizá lo había atraído con el sexo. Lo que le había explicado nadie lo sabía, pero seguramente no había sido mucho; era una de esas agentes que seguían las normas a rajatabla, que no tenían imaginación suficiente para improvisar o tenían miedo de romper las reglas. Por otro lado, quizá la estaba subestimando, pero resultaba obvio que había improvisado con Davis. Lo estaba utilizando para tener un techo y, seguramente, también estaba utilizando sus recursos para la investigación.

Por un momento, pensó en eliminarlos a ambos, pero los policías tendían a perder la perspectiva cuando alguien asesinaba a uno de los suyos. Y los de esta ciudad ya estaban suficientemente ansiosos, con tres asesinatos en una semana en un lugar donde, normalmente, sólo se veía uno al año. La población también se pondría en alerta y se fijaría en cualquier cosa fuera de lo normal.

No, era mejor dejarlo para un momento y un lugar más privados. No importaba. Ya sabía dónde se escondía. Ella creía que estaba a salvo, pero, evidentemente, Davis tenía que salir muchas noches por motivos de trabajo y Stover se quedaría sola en casa. Ahora ya la tenía.

Capítulo 27

Knox avanzó muy despacio por la calle bordeada de árboles mientras iba mirando de un lado a otro. Ya tenía el teléfono en la mano, y lo abrió para marcar un número.

—Dime a nombre de quién está esta matrícula —recitó el número y añadió—: Es urgente.

Se giró hacia Nikita y le dijo:

—Fíjate en ese coche, el verde oscuro. ¿Es el mismo que viste anoche?

Ella le echó un vistazo rápido, aunque no era necesario.

—No, el de anoche era de color claro; gris o blanco.

—Entonces sería el de Ruth.

—¿Qué le pasa al coche verde?

—Por lo que sé, no es de nadie de esta calle.

A Nikita no le sorprendió que conociera todos los coches de sus vecinos. Los policías, sencillamente, se fijaban en las cosas. Sin pensarlo, se fijaban en la ropa, el lenguaje corporal, los alrededores. Si fueran por una autopista con retenciones de tráfico, estaba segura que Knox sería capaz de enumerarle los coches a los que había adelantado en los últimos cinco minutos, así como los que llevaba delante y detrás y, seguramente, también algunos de los que iban en dirección contraria. Trabajar en la calle desarrollaba aquel sentido de la hipervigilancia. Ella también lo tenía, aunque no con coches, sino cuando se trataba de analizar pruebas e informes. Sabía de inmediato lo que era falso y lo que era importante.

Para ella, en su tiempo, el cumplimiento de la ley dependía demasiado de la tecnología. Las cámaras controlaban el tráfico casi en todas partes, excepto en las largas y vacías autopistas del oeste y, como consecuencia, no conocía a ningún agente de policía de su tiempo que prestara atención al tráfico. Seguían fijándose en la gente, eso sí; podían interpretar el lenguaje corporal, pero parte de su vigilancia la habían confiado a las atentas cámaras.

La humanidad se veía obligada a aprender las mismas lecciones una y otra vez; muchas de las batallas de la guerra contra los terroristas que había durado décadas se habían librado en el ciberespacio. El objetivo había sido la información y los satélites de comunicación, y no los habían destruido con misiles, sino con bombardeos de información inútil, inhibidores de señal y virus tecnológicos. Se habían pirateado sitios web de protección. Cuando las redes se desplomaron, el comercio se vio afectado, y luego desapareció. Tener tecnología avanzada era excelente; confiar ciegamente en ella era estúpido.

A Knox le sonó el móvil y una voz femenina dijo:

—Esa matrícula está registrada por la empresa Enterprise.

—De acuerdo, gracias.

Enterprise era la empresa de alquileres de coche donde había acudido Nikita cuando transitó.

—¿Es de alquiler? —preguntó.

—Sí, y ten por seguro que voy a averiguar quién lo ha alquilado.

Nikita suspiró. Por lo visto, el desayuno tendría que esperar. Por otro lado, había algo que tenía preocupado a Knox, y ella había estado pensando que sus instintos eran mucho más fuertes que los de los agentes de su tiempo, así que decidió prestarles atención. Seguramente, uno de sus vecinos tenía invitados o había llevado el coche al taller, pero tenían que investigarlo.

Aunque no le sorprendió, la oficina de alquileres de coches a la que la llevó era la misma a la que ella había ido, así que pensó que debía de ser la única de la ciudad. Una ciudad tan pequeña como Pekesville, sin aeropuerto comercial, no era un núcleo de negocios natural para las empresas de alquileres de coches. El edificio de una planta estaba hecho de ladrillo y pintado en amarillo, con un involuntario crimen contra el paisaje en forma de una especie de arbustos plantados a cada lado de la puerta. La zona de aparcamiento que tenía delante estaba protegida del sol por unos grandes árboles, mientras que la zona de detrás, donde estaban los coches de alquiler, estaba vallada. Por desgracia, esa zona se encontraba vacía.

Knox se quitó las gafas de sol cuando entraron, y Nikita hizo lo mismo, colgándolas por una varilla del cuello de la camiseta.

—Hola, Dylan —le dijo él al chico que había detrás del mostrador, que le llegaba hasta la altura del pecho—. ¿Está Troy?

—Está en la parte de atrás, señor Davis. ¿Quiere que vaya a buscarlo? —Dylan lanzó un rápido vistazo a Nikita, y luego otro. Ella le sonrió y él se sonrojó mientras apartaba la mirada.

—Sí, tengo una duda y creo que podrá ayudarme. —Knox se apoyó en el mostrador, con actitud relajada—. Sólo tardaré un minuto.

Dylan desapareció por una puerta. Nikita se apoyó en el mostrador junto a Knox.

—Obviamente, lo conoces.

—Sí, le eché una bronca monumental por fumar marihuana cuando tenía alrededor de doce o trece años. Lo asusté muchísimo. Pero jamás he vuelto a tener ningún problema con él.

—Buen trabajo —le dijo ella, dándole una palmadita en el culo.

Knox arqueó una ceja mientras le lanzaba una de esas interminables miradas azules suyas.

—Siempre haces lo mismo. ¿Estás obsesionada con mi culo o qué?

—Es un culo muy bonito —susurró ella, porque escuchó que Dylan se acercaba. Apoyó ambos brazos en el mostrador, como si fuera el decoro personificado.

Detrás de Dylan entró un hombre bajo y fornido con una camisa blanca de manga corta y corbata, secándose las manos con una toalla.

—Estaba limpiando uno de los coches —dijo, y Nikita se preguntó por qué el propietario estaba haciendo esa clase de trabajo, pero quizás era de los que preferían hacer cosas al aire libre en lugar de quedarse sentados en un despacho—. Dylan dice que quieres comentarme algo. Pasa a mi despacho y veré si puedo ayudarte.

No podía ser tan fácil, se dijo Nikita mientras Knox y ella seguían a Troy hasta su oficina. En su tiempo, nadie entregaba ni una pizca de información o prueba sin la debida autorización. Por insignificante que fuera el objeto, y aunque el policía se lo estuviera pidiendo a alguien de su familia, todo tenía que autorizarse.

—Tina, te presento a Troy Almond. Fuimos al colegio juntos. Troy, ella es Tina.

Si Troy se fijó en que Knox no le había dicho el apellido, lo disimuló muy bien, sonrió y dijo:

—Encantado de conocerla, señora —y esperó a que ella le ofreciera la mano para ofrecerle él la suya.

En su tiempo, las encajadas de mano ya no existían; era una costumbre que había desaparecido durante las pandemias virales que habían matado a millones de personas. Sin embargo, Nikita había leído sobre aquella práctica habitual y que los hombres educados no tomaban la iniciativa en una encajada con una mujer; esperaban a que lo hicieran ellas, porque quizá no se sintieran cómodas con ese gesto. Nikita creyó que las mujeres se volvían tan cautas a la hora de tocar a un hombre que no conocían, por muy informal que fuera el contacto, por el tema de la transferencia de feromonas.

Troy se sentó en su mesa y Knox y Nikita se sentaron en las sillas de los invitados. Le dijo a Knox:

—¿Qué puedo hacer por ti, tío?

Nikita parpadeó. Estaba segura que aquellas palabras, por separado, eran comprensibles, pero volvió a sentirse como un pez fuera del agua. Knox, en cambio, estaba de lo más cómodo.

—Tengo la matrícula de uno de tus coches; puede que sea de aquí o de otra localidad. Necesito saber quién lo alquiló.

—Knox, sabes que no puedo darte esa información sin una orden.

Knox se frotó la mandíbula.

—Bueno, puedo ir a buscar la orden; pero pensé que podría ahorrarme algo de tiempo. Se trata de una pista que tengo sobre estos asesinatos.

Troy tragó saliva.

—¿Crees que le alquilado un coche a un asesino? ¿Un asesino ha estado aquí?

—Debo admitir que es posible. Sólo necesito un nombre y un número de carné. Por ahora, no tienes que enseñarme los papeles, pero si la pista se confirma te aseguro que traeré la orden para cubrirte las espaldas.

—Joder, no puedo creérmelo —dijo Troy, incrédulo—. Disculpe, señora. ¡Un asesino!

—No es seguro; sólo es una pista —dijo Knox pacientemente.

—Joder, Knox, te conozco y sé cómo funcionas. Disculpe, señora. Si vas detrás de algo así es porque estás seguro de lo que persigues, jod… Disculpe, señora. Muy bien, a ver qué nos dice el ordenador.

Troy giró la silla para colocarse frente al teclado y abrir un programa del ordenador.

—Dime el número —dijo, y Knox le recitó la matrícula mientras Troy la introducía en el programa. Apretó el «Enter» y esperó—. No reconozco el nombre. Debió de encargarse Dylan.

—¿Cómo se llama?

—Byron Hughes. Un carné de California. —Leyó el número de carné y Knox lo anotó.

—Gracias, tío, es lo que necesitaba saber —dijo Knox y le dio una palmada a Troy en el hombro—. Y ahora, dime, ¿tienes algún coche? Tina necesita uno.

—Ahora no tengo nada —dijo Troy, apenado—. Pero me tienen que devolver uno a última hora de la tarde. Hasta entonces, nada.

—¿Puedes llamarme cuando te lo traigan? —le preguntó Knox mientras le escribía un número de teléfono en un papel en blanco.

—Claro. Eh… Y no diré nada sobre lo que me has preguntado.

—Te lo agradezco.

—Demasiada coincidencia —dijo Nikita cuando subieron al coche de Knox—. Hugh Byron. Byron Hughes.

—Ya —dijo él, muy serio—. Y estaba aparcado en mi calle.

—Sabe que estoy ahí. —Nikita miró por la ventana—. Déjame bajar en la siguiente esquina. Si estoy contigo, corres peligro. —Su voz era tranquila y neutra. La cacería había empezado y notaba cómo cada partícula de su cuerpo comenzaba a concentrarse en lo que tenía entre manos. Puede que Hugh supiera dónde estaba, pero ahora ella también sabía dónde estaba él o, al menos, dónde había estado. Y si había estado vigilando la casa de Knox, volvería a hacerlo y esperaría su oportunidad para tenerla a tiro. Sin embargo, Nikita sabía qué coche conducía, y él no sabía que ella lo sabía. Ahora ella jugaba con ventaja y, de hecho, tenía más posibilidades de pillarlo si iba a pie.

—No voy a dejarte bajar en ningún sitio. —Él le lanzó una mirada furiosa—. Ni siquiera lo sugieras.

—Acabo de hacerlo así que, ¿no es un poco tarde para esa advertencia?

—Pues no vuelvas a sugerirlo. Tengo que llevarte a algún sitio donde estés a salvo y…

—Perdona —dijo ella, con suavidad—. ¿No estás olvidando algo?

—¿El qué?

—Que esto es mi trabajo. He venido a detenerlo.

Él se quedó perplejo unos segundos, y luego exclamó:

—¡Mierda! —Condujo en silencio dos calles más antes de añadir—: Esto es un asco.

A juzgar por la frustración en su tono, Nikita dedujo que Knox había olvidado por qué había venido y, sencillamente, estaba reaccionando con la actitud protectora que todos los hombres exhibían. Alargó la mano y le acarició la pierna. Era complicado cuando el instinto y la costumbre iban por separado. Por eso los agentes casados con otros agentes jamás trabajaban en la misma división.

Cuando se hubo recuperado del golpe de darse cuenta que no podía sencillamente encerrarla en algún sitio y que, a nivel táctico, ella sabría mejor los pasos que daría Hugh, dijo:

—Muy bien, sabemos que conduce un coche. Debería haberme parado cuando vi el coche; quizás estaba agachado para esconderse mientras pasábamos junto a él. ¿Cuál crees que será su próximo movimiento?

—Da gracias de no haberte parado —dijo Nikita, al tiempo que se le helaba la sangre cuando pensaba en lo que podía haber pasado—. Ya has visto lo que puede hacer un láser. Te aseguro que no iría desarmado.

—Me sorprende que fuera él. Hubiera esperado que enviara a su cómplice, sea quien sea. —Entrecerró los ojos—. Puede que el disparo sólo quisiera distraerte y dificultarte la investigación, que es exactamente lo que ha pasado. Mientras tanto, él ha podido buscar la información que quiere sin ningún problema.

Ella analizó la frase mentalmente y asintió. Si el disparo pretendía dificultarle el camino, es lo que había conseguido. La habían obligado a esconderse, a no poder trabajar como lo que era, una agente del FBI, porque no sabía en quién podía confiar, excepto en Knox. Si el disparo la hubiera matado, mucho mejor, porque entonces Hugh tendría vía libre durante al menos un mes antes de que enviaran un equipo de salvamento a buscarla.

De repente, los detalles se volvieron borrosos, como si algo no encajara. Se frotó la frente, como si así pudiera poner en orden sus pensamientos. Aquello no explicaba la presencia de Luttrell. ¿Por qué lo habían enviado, evidentemente con instrucciones de acabar con ella? Era imposible que McElroy supiera lo que estaba pasando, porque Hugh no tenía ningún modo de comunicarse con él mientras estuvieran en tiempos distintos. Seguramente, habían planeado matar a la persona que el FBI enviara, pero ¿cómo se había enterado McElroy que el intento de asesinato había sido fallido?

Quizá Luttrell también formaba parte del plan, fuera el que fuera. A estas alturas, no le importaba por qué lo estaban haciendo; sólo quería detenerlos. Ya descubriría el por qué más adelante. Quizá Luttrell sólo era un seguro, un refuerzo para Hugh, y había tenido la mala suerte de transitar casi encima de ella, literalmente. Eso explicaría su reacción inmediata: intentar matarla.

Aquello tenía sentido y, en cierto modo, la tranquilizaba, porque eso significaba que no había matado a un inocente. La muerte de Luttrell la había atormentado desde ese día, aunque sabía que no había tenido otra opción.

Tenía sentido que Luttrell no transitara al mismo tiempo que Hugh. Si esperaban y enviaban al tercer cómplice más tarde, podría transmitir mensajes y preocupaciones. Sin embargo, si había sido así, debían de haber establecido la manera de ponerse en contacto. Hugh debía de estar preocupado por la no aparición de Luttrell.

—¿Qué? —preguntó Knox, como si le hubiera leído el pensamiento.

—Luttrell debía de formar parte de la trama —respondió ella, y le explicó su teoría.

Knox asintió.

—Tiene sentido. Y como Luttrell no ha aparecido, Hugh habrá empezado a ponerse nervioso. Quiere eliminarte. Pero ¿no se da cuenta que habrás confiado en mí?

—No, para nada. Por lo que sé, eres la primera persona del pasado que lo sabe todo.

Knox dibujó una expresión de satisfacción.

—La primera persona, ¿eh? Qué guay.

—No te lo habría dicho si no hubieras estado a punto de detenerme —dijo Nikita.

—Nada de «a punto»; te detuve. Sólo te solté sin cargos.

Entró en un restaurante de comida para llevar.

—Pediré un par de bollos y dos cafés e iremos a hablar con algunas personas acerca de Howard Easley. Buscamos lo mismo que Hugh, pero vamos por delante; ahora tenemos ventaja. No queremos toparnos con él, porque él también tiene un láser, como amablemente me has recordado. Necesitamos un plan.

Capítulo 28

—Claro que recuerdo el día en que el entrenador Easley se suicidó —gruñó Max Browning. Nikita pensó que debía de ser su tono habitual. Incluso parecía una raza canina especial, con la papada de bulldog, las cejas pobladas y los hombros encorvados—. Cubrí la historia. 1 de enero de 1985. Hacía un frío de mil demonios. Disculpe, señora.

—Si no recuerdo mal, no dejó ninguna nota de suicidio, ¿verdad?

Max Browning se reclinó en la silla. Estaban en su casa, en un despacho diminuto y repleto de cosas que se comunicaba con el resto de la casa a través de una puerta de acordeón doble. Su mujer, una señora con el pelo blanco y delgada como un alfiler, les había abierto la puerta y había ido a prepararles una taza de café, por si no estaban suficientemente cargados para el día. Knox y Nikita estaban sentados en un sofá que estaba hundido en el medio, de modo que corrían el riesgo de caerse uno encima del otro.

—No, ninguna nota. No había señales de que se hubiera tratado de ningún crimen ni de que se hubiera resistido. Hablé con él esa misma noche —dijo Max, y suspiró profundamente—. Antes de que lo hiciera. ¿Te acuerdas cuando enterramos la cápsula del tiempo?

—Como si fuera ayer —respondió Knox con ironía.

—Dijiste que habías contado trece objetos, pero el periódico decía que sólo se habían enterrado doce. Volví al periódico y lo verifiqué; aparecían siete de los doce artículos.

—Lo sé. Nosotros también lo hemos mirado.

—Bueno, yo estaba relativamente cerca; tenía que estarlo para poder hacer las fotografías. Pero estaba muy ocupado haciendo mi trabajo, así que no anoté cada uno de los objetos que metían en la cápsula. Me despertaste la curiosidad, así que esa noche llamé al entrenador y le pregunté si se acordaba de todo lo que habían enterrado. Él me dijo que no, que sólo había ido para aportar fuerza bruta y que, si podía evitarlo, jamás escuchaba los discursos del alcalde, así que había estado pensando en nuevas jugadas de ataque para la temporada de primavera.

—¿Recuerdas a qué hora lo llamaste?

—Claro. Justo antes de que empezara el último partido, a las... no sé. ¿Las ocho, quizá? Han pasado veinte años. Pero fue antes del último partido.

—¿Está pensando en nuevas jugadas de ataque para la primavera y cuatro horas después se ahorca? —¿Qué había pasado en esas cuatro horas para provocar aquel cambio tan drástico?

—Supongo que a algunas personas se les da muy bien esconder sus sentimientos. Estaba divorciado, no era feliz; estas cosas pasan.

—He oído que él y su mujer estaban intentando arreglar las cosas.

—Sí, yo también, pero no debió de salirles bien. Recuerdo que ella vino al funeral y se hizo un hartón de llorar. Me jodió mucho. Disculpe, señora. Si tanto lo quería, podía haberle dado otra oportunidad a ese pobre cabrón... Disculpe, señora.

Primero Troy, ahora Browning. ¿Por qué todos le pedían disculpas?, se preguntó Nikita. Se movió nerviosa en el sofá, pero una rápida mirada de Knox le dijo que ya se lo explicaría después. Se preguntó cuándo había empezado a leerle la mente... y cuándo había empezado ella a leerle la suya.

—En cualquier caso —Max meneó la cabeza—, menuda forma de empezar el año.

—¿Le llegaste a preguntar a alguien más qué eran las otras cosas que enterraron en la cápsula?

—Tenía historias más importantes que cubrir. Se me fue de la cabeza con el suicidio del entrenador.

—¿Sabes si el entrenador tenía algún pariente por aquí? —Knox se reclinó en el sofá, dando a entender con la actitud que no tenía ninguna prisa, ni nada urgente que hacer. Nikita tuvo que reclinarse también, porque si no habría ido a parar a su regazo.

—Creo que no. Se mudaron aquí desde Cincinnati cuando lo contrataron.

—¿Erais buenos amigos?

—Diría que bastante. Si necesitaba una historia, siempre sacaba tiempo para sentarse conmigo y charlar. No íbamos a tomar copas juntos, si es lo que quieres saber.

—¿Iba a tomar copas con alguien? ¿Tenía algún problema con el alcohol?

—Si no recuerdo mal, se tomaba una cerveza de vez en cuando. Pero no bebía con frecuencia.

—Y ¿tenía amigos?

—Veamos. Era bastante amigo del director… ¿Cómo se llamaba?

—Dale Chantrell.

—Exacto. Dale Chantrell. Hacía siglos que no pensaba en él. Se trasladó a una escuela cerca de Louisville. Él y su mujer, Arah Jean; si la hubieras conocido entenderías por qué me acuerdo del nombre de ella y no del de él… Bueno, eran buenos amigos de Howard y Lynn. Lynn era la ex mujer de Howard.

La señora Browning entró en el pequeño despacho justo en ese momento con una bandeja de plata con una cafetera, tres tazas y tres platos, un poco de leche y un surtido de edulcorantes, entre los que había azúcar de verdad. La dejó encima de un montón de papeles que había en la mesa de Max.

—Howard y Dale eran buenos amigos —dijo la señora, tranquilamente—. Lynn odiaba a Arah Jean a muerte.

—Gracias —dijo Knox, por el café—. ¿Por qué odiaba la señora Easley a la señora Chantrell?

—Como ha dicho Max, si hubiera visto a Arah Jean, lo entendería. Era una de esas mujeres atractivas que no podían evitar exhibirse. Todo lo que llevaba era un poco demasiado ajustado, o demasiado corto, o demasiado escotado. Demasiado pintalabios, demasiado rímel. Ese tipo de mujer.

—Pero se exhibía porque podía —dijo Max, y su mujer le pegó en el brazo—. ¡Es verdad!

—No he dicho que no lo fuera. Te he pegado porque, aunque no espero que ignores a una mujer atractiva cuando te ponga un par de tetas de la talla cien ante las narices, sí que espero que te comportes como si lo hubieras hecho —dijo la señora Browning, con aspereza.

Max le sonrió, abiertamente satisfecho por poder provocarle celos a estas alturas.

—Una cien, ¿eh? —comentó Knox.

A Nikita le pareció que pegarle en el brazo sería lo correcto, así que lo hizo.

—Así aprenderás —se burló Max ante la expresión de sorpresa en la cara de Knox. La señora Browning se marchó sonriendo.

—Me alegro de que fuera el brazo y no la mandíbula —dijo Knox—. ¿Crees que había algo —preguntó, agitando la mano en el aire—, entre el entrenador Easley y Arah Jean?

—No, ella era así con todos los hombres. No era nada personal. Dudo que Arah Jean engañara a su marido; era demasiado lista para eso. Y Lynn no era de las que hubiera perdonado que algo así sucediera ante sus narices; los habría azotado a ambos con la fusta de los caballos. Guardaban las formas porque Howard y Dale eran muy buenos amigos, pero sólo era una fachada.

—¿Sabes dónde vive Lynn ahora?

—No te lo sabría decir. No he sabido de ella desde el funeral. Pero, si encuentras a Dale Chantrell, puede que él lo sepa. O quizás Edie Proctor.

—Edie Proctor —repitió Knox—. Era la conserje del instituto.

—Exacto. Ella fue quien contrató a Howard para el puesto. El comité educativo debe de tener su solicitud en algún sitio, pero si está igual que todos los documentos antiguos, estará guardado en una caja en algún sótano. Seguro que allí aparecerían sus parientes más cercanos, pero sería Lynn, y ya os he hablado de ella. —Max hizo una pausa—. ¿Vas a decirme a qué viene este interés repentino por Howard Easley, después de tantos años?

—Forma parte de la investigación del asesinato de Taylor Allen —respondió Knox—. No puedo entrar en detalles; ya lo sabes. Sólo es una pista que estoy siguiendo.

—Ya —dijo Max—. En otras palabras, que no vas a decírmelo. Está bien, lo entiendo. Pero, cuando averigües qué está pasando, la historia es mía. Será mejor que no llames a otro.

—Trato hecho. Por cierto, ¿sabes si Howard tenía alguna afición?

—Era entrenador de fútbol; no tenía tiempo para aficiones.

—Aeromodelos —dijo la señora Browning cuando pasó por delante de la puerta.

Knox se giró hacia ella.

—¿Aeromodelos?

—Es verdad —añadió Max—. Ahora me acuerdo. Los construía en su garaje. Construía pequeños motores y controles por señales de radio. Por aquel entonces, era de lo más sorprendente que jamás se había visto. Salía al campo que había detrás de su casa y los hacía volar. Aunque estrelló unos cuantos. Siempre que tenía un rato libre, estaba jugueteando con esas cosas. Él y un amigo suyo de la universidad mantenían una especie de competición para ver qué eran capaces de inventar.

—¿Qué pasó con todas esas cosas cuando murió? ¿Se las llevó Lynn?

—Eso no lo recuerdo. La casa quedó vacía durante un tiempo; luego, alguien se instaló y vivió allí un par de años.

Se ocupó y se vació varias veces en diez años; al final, estaba en tan mal estado que nadie quería vivir allí. Ahora está medio derruida y cubierta de maleza por todas partes. La vegetación a su alrededor es tanta que nadie diría que allí hay una casa.

—¿Recuerdas la dirección?

—Exactamente, no. Estaba en las afueras, por Beeson Road, después del cruce Turner. Sigues por allí unos seis kilómetros y luego giras a la izquierda.

Mientras caminaban por la acera hacia el coche, Nikita preguntó:

—¿Vamos a hablar con Edie Proctor?

—Me temo que sí. Vive en la ciudad, así que no está muy lejos. Luego podemos ir a la casa del entrenador Easley. Conozco la zona; sólo tenemos que encontrar la casa.

—¿Crees que todavía pueda haber algo allí?

—Puede que no, pero nunca se sabe. La gente se deja todo tipo de cosas cuando se muda.

—La persona que recogiera sus cosas debió de llevárselo todo.

—No lo sabremos hasta que estemos allí. Puede que haya un desván o un sótano.

Y Knox no descansaría hasta que lo revolviera todo. Aún cuando la lógica le decía que seguramente no habría nada, tenía que verlo con sus propios ojos.

La señora Edie Proctor no se mostró muy dispuesta a abrirles la puerta, incluso después de que Knox le enseñara su placa. Los miró con el ceño fruncido a través de la puerta mosquitera cerrada con llave.

—¿Cómo sé que es de verdad?

—Puede llamar al departamento del sheriff y preguntar —dijo él, sin pizca de impaciencia.

—Humm —gruñó la señora, sin moverse ni un centímetro. A juzgar por lo que podía ver a través de la puerta, Nikita juraría que la boca de la señora Proctor tenía aquella mueca de desagrado de forma permanente.

—¿Qué quieren? —preguntó la señora al final. No abrió la puerta mosquitera, pero tampoco cerró la de madera. De la casa salía aire fresco, lo que eliminó la capa de sudor que les cubría la piel. El día prometía ser bochornoso, otra vez.

—Es acerca del entrenador Howard Easley. Se suicidó hace veinte años…

—Ya sé cómo murió —lo interrumpió ella—. ¿Qué tiene eso que ver con el presente?

—Usted le contrató, ¿no es cierto?

—Estaba cualificado.

—Sí, señora. Lo estaba. Tenía un máster en física del Tecnológico de California. ¿Tiene alguna idea de por qué aceptó trabajar de entrenador de fútbol en un pequeño instituto del este de Kentucky?

—No se lo pregunté.

Por ahí no iban a sacar nada, pensó Nikita. Knox debió de pensar lo mismo, porque cambió de tema en seguida.

—Me gustaría ver su solicitud de trabajo, si sabe dónde está después de tantos años.

—No guardo papeles de esos en mi casa. No sé por qué me molesta con todo esto. Si quiere saber algo, vaya al comité de educación. Es posible que todos esos papeles viejos todavía estén en el sótano.

Y entonces cerró la puerta de madera y los dejó de pie en la acera. Knox se frotó la mandíbula.

—No ha ido mal, ¿no te parece?

—No. Todavía estamos de una pieza. ¿Vamos al comité de educación?

—Deja que antes haga una llamada. Es verano; puede que no haya nadie.

Llevaba una guía telefónica en el coche y no tardó mucho en localizar el número. Treinta segundos después, colgó.

—El horario de verano es de ocho a doce, de lunes a jueves. Hoy no hay nadie.

—Podrías llamar al conserje actual.

Knox lo intentó pero colgó sin decir nada.

—Otro contestador. Bueno, por aquí no tenemos salida. Vayamos a ver qué encontramos en casa del entrenador Easley.

Capítulo 29

La vieja casa del entrenador era un edificio ruinoso, lleno de maleza y árboles por todas partes; un lado de la casa se había derrumbado y todo estaba lleno de enredaderas, por lo que era imposible delimitar cada habitación o dónde se pisaba tierra firme.

Ya no había ningún jardín, sólo un lugar más plano para que creciera maleza. El garaje estaba en la parte de atrás y, lo que antes había sido el acceso a la casa, ahora estaba cubierto de hierbajos, madreselva y zarzamoras que llegaban a la cintura.

—Tierra de ácaros —dijo Knox, cuando bajaron del coche para ver de cerca con qué se estaban enfrentando—. Y, definitivamente, territorio de serpientes; aquí tienen un montón de escondites.

—Soy una chica de ciudad; no sé qué son los ácaros.

—Unos cabrones diminutos que se meten debajo de la piel y pican como unos condenados.

Sonaba de lo más desagradable.

—Lo que tengo que hacer por trabajo —murmuró.

Knox se quitó la chaqueta y la dejó en el asiento, luego abrió el maletero y sacó las botas. Hoy llevaba zapatillas deportivas, igual que ella.

—Toma —le dijo—. Ponte tú las botas.

Ella lo miró perpleja.

—¿Cómo voy a andar con eso? Se me saldrán. Póntelas tú; tendrás que ir abriendo camino en esta jungla, puesto que eres más fuerte. —Su caballerosidad la había emocionado porque estaba preocupado de verdad por su falta de protección y quería prestarle sus botas.

Para mayor alivio de Nikita, Knox no protestó, seguramente porque vio que ella tenía razón en lo de abrir camino. Abrió una caja que había en el maletero, sacó una lata verde y se la tiró.

—Friégatelo por cada centímetro de la piel. Es repelente de insectos. Póntelo también por encima de la ropa.

Nikita leyó las instrucciones, se impregnó con el repelente y le devolvió la lata para que él hiciera lo mismo. Mientras Knox se ponía las botas y acababa de recoger cuatro trastos del maletero, Nikita se colgó la pistolera de la cintura y se guardó el láser en el bolsillo; puede que le fuera útil cuando se adentrara en aquella jungla. Si fuera necesario, siempre podía utilizarlo para derribar un árbol que les impidiera el paso, aunque entonces cabía la posibilidad de provocar un incendio; además, los láseres no tenían una fuente de energía inagotable. No quería utilizarlo a menos que fuera estrictamente necesario. Sin embargo, no dudaría en partir por la mitad a una serpiente, si la viera.

Cuando Knox cerró el maletero, Nikita vio que llevaba un palo fino y redondo en una mano y, en la otra, un hacha.

—Un palo de escoba cortado —dijo él, cuando la vio observándolo—. Va genial para buscar en sitios donde no quieres meter la mano.

Y entonces se adentró en la jungla de maleza. Utilizaba el palo para irlo clavando en el suelo que tenía delante y el hacha para cortar arbustos tan grandes que no les permitían avanzar. Las zarzas se les enganchaban a la ropa y les pinchaban la piel; tardaban un buen rato en soltarse, pero la otra opción era tirar, lo que les provocaba unos arañazos bastante serios. Después de un minuto, ambos estaban empapados en sudor y sólo habían cubierto la mitad de la distancia que los separaba del garaje.

—Joder, lo que daría por una buena tormenta que refrescara todo esto —murmuró. Hizo una pausa para mirar el cielo, que parecía tener un color amarillento—. Por la pinta que tiene, puede que caiga una esta tarde.

—¿Por qué lo dices? —preguntó ella. Le daba mucha rabia la gente que veía un cielo claro y despejado y decían que llovería. A menos que uno viviera en el desierto, siempre acababa lloviendo, tarde o temprano. Ella no veía nada raro en el cielo; no estaba tan despejado como en días anteriores, pero tampoco estaba cubierto de nubarrones negros.

—Por el olor del aire. Es demasiado húmedo, lo que indica tormenta. Y el color amarillento es la parte delantera de un frente.

Aquello sí que lo entendió; era un comentario basado en la ciencia, no en el folclore. Y no es que el folclore se equivocara, pero ella estaba más cómoda con los datos.

Las posibilidades de encontrar algo de valor en aquella casa eran escasas, pero si quedaba algo de hacía veinte años seguramente estaría en el garaje. Era mucho más probable que hubieran vaciado la casa antes de la llegada de cada nuevo inquilino, con lo que todo lo que sobrara habría acabado en la basura. Un garaje era distinto: es el lugar donde la gente guarda las cosas que ya no quiere pero de las que tampoco quiere desprenderse. Nikita se dijo que estaban haciendo esto por testarudez, por eso y porque Knox no podía dejar de mirar debajo de cada piedra o dejar ni una propiedad sin explorar.

Molestaron a enjambres de mosquitos y a ella le pasó una rata por encima del pie y estuvo a punto de ponerse a gritar del susto. Cuando, por fin, llegaron a lo que quedaba en pie del garaje, lo miró y meneó la cabeza.

—Esto es una trampa mortal. No voy a meterme ahí.

Lo que quedaba de las destartaladas paredes crujía al más mínimo movimiento. El techo tenía tantos agujeros que parecía un queso suizo; evidentemente, allí vivía una bandada de pájaros, porque salieron disparados cuando Knox empujó una pared para comprobar su resistencia.

—Es que no quiero que entres —dijo él, pensativo—. Ya es suficientemente peligroso con una persona moviendo cosas. Pero creo que cortaré unos troncos para apuntalar las paredes, por si acaso.

—Si estas paredes están tan destartaladas que un par de palitos harían algo, nadie en su sano juicio entraría ahí. Y las palabras importantes son «sano juicio», claro.

Él le sonrió.

—Tienes que verlo como una aventura.

—Tú lo ves como una aventura. A mí me parece algo peligroso y estúpido.

—Todo el mundo tiene su función en la vida. —Mientras hablaba, se acercó a un árbol joven y dobló el tronco hasta que lo cortó cerca de la base. Con varios movimientos rápidos, quitó las ramas y la copa. Le quedó un tronco de más de dos metros, y bastante robusto. Encontró varios árboles más e hizo lo mismo.

Cuando se dio cuenta que no lo detendría apelando al sentido común, Nikita decidió ayudarlo. Los troncos que había cortado eran sorprendentemente resistentes, lo que la tranquilizó un poco porque no creía que fueran a servir de nada. Le ayudó a arrastrarlos hasta el garaje y se quedó ahí, dispuesta a clavar uno en la pared si se movía mientras Knox colocaba el primero.

Lo complicado fue encontrar un trozo de pared que no estuviera agrietado; ni siquiera les serviría una guía de hierro, porque puede que el extremo se clavara en la madera y la rompiera. En cambio, el armazón de la casa era suficientemente estable, así que apoyó allí el primer tronco.

Mientras buscaba un lugar donde apoyar el segundo, Nikita retrocedió y analizó la estructura. Era suficientemente grande como para acoger un vehículo, y no parecía que jamás hubiera habido puertas. Básicamente, era un espacio grande con tres paredes y un cuarto a modo de almacén añadido junto al muro de la derecha. Lo habían añadido después porque, a pesar del paso de los años y el abandono de la propiedad, Nikita vio que la madera de aquella zona estaba mejor y era más nueva.

Cogió el palo de escoba y se abrió camino hacia la derecha, golpeando el suelo para espantar a cualquier reptil que pudiera rondar por allí. Desde delante, parecía que la maleza había engullido aquella parte del edificio y escondía cualquier entrada. Sin embargo, cuando se acercó un poco más, vio donde antes debía de haber habido una puerta. Ahora no había ninguna, sólo el agujero de la entrada.

—Aquí hay una entrada —gritó—. Parece un almacén.

Knox apareció a su lado, secándose el sudor de la cara, muy sucia.

—Y también parece más nuevo —dijo, viendo lo mismo que ella—. Puede que aquí fuera donde trabajara en sus aeromodelos. Quédate aquí…

—Ni hablar —respondió ella—. Ya te he dicho que no entraría por el otro lado, pero esto de aquí no me parece tan peligroso.

—Esa es mi chica. —Knox la agarró y le dio un rápido y cálido beso que no fue suficiente para ninguno de los dos. Ella le agarró la camiseta y lo atrajo hacia sí, disfrutando de un beso más profundo y apasionado. Knox soltó el hacha y le agarró las nalgas, la levantó y la pegó a su endurecido pene.

—Dios —dijo, soltándola de repente—. No podemos hacerlo ahora, y mucho menos aquí.

Ella suspiró, casi jadeando.

—Estoy de acuerdo. No puedes volver a tocarme hasta esta noche, ni siquiera para un beso.

—No creo que tengamos que llegar a eso.

—Yo creo que sí. —Miró a su alrededor; si el beso se hubiera prolongado un poco más, estaría quitándose la ropa allí mismo, rodeada de ratas, zarzas y otras muchas incomodidades—. Echemos un vistazo y larguémonos de aquí. No me gusta toda esta vegetación descontrolada; es un poco espeluznante.

—¿Lo dices porque Howard se colgó de aquel árbol?

—No, lo digo porque aquí solía vivir gente, y ahora está abandonado y en ruinas, y pronto no quedará nada para demostrar que estuvieron aquí. Además, creo que estoy sangrando por una decena de sitios por culpa de estas malditas zarzas... —Se interrumpió cuando notó que tenía algo en el brazo. Bajó la mirada, hizo una mueca y aplastó un bicho—. Y no me gustan los bichos y odio las ratas.

—Vale, vale. Me daré prisa.

Se agachó, recogió el hacha del suelo y empezó a cortar y a apartar la maleza que casi tapaba la entrada. Se asomó al interior.

—Aquí hay un montón de cosas —dijo, al final.

—¿Qué tipo de cosas?

—Cajas de cartón podridas. También hay una especie de abrazadera en un tablón de madera; debía de usarlo para sujetar los modelos mientras trabajaba en ellos. También hay una pila de *Playboys* que no tocaría ni por amor ni por dinero; parece que las ratas han vivido encima de ellas un montón de tiempo.

Nikita conocía la revista, porque había existido durante casi un siglo más antes de desaparecer. De vez en cuando, algunos números muy bien conservados salían a subasta, y los coleccionistas pagaban unos precios desorbitados por ellas. Si vieran estos números abandonados y podridos, llorarían. Pensó que se ahorraría la crueldad de decirle a Knox lo mucho que pagarían por ellas en su tiempo.

—Y ¿no lo habrían vaciado cuando se suicidó?

—No lo sé. Deberían de haberlo hecho, pero por lo que tengo entendido no hubo señales de que se tratara de un crimen; así que no creo que se pusiera en marcha una investigación criminal. En un caso de suicidio, intentas ayudar a la familia todo lo que puedes.

Knox entró en el almacén y Nikita lo siguió, con mucho cuidado, vigilando dónde pisaba. El intenso olor a moho de la podredumbre le llenó la nariz. Había trastos mal puestos por todas partes: sillas de jardín metálicas plegables, ropa vieja, montones de revistas y periódicos, las cajas de cartón que Knox había mencionado. Había dos cajas, una encima de la otra; estaban cerradas con cinta aislante, aunque ya de poco serviría, porque la base se vendría abajo al más mínimo movimiento.

—¿Por qué iba alguien a tomarse la molestia de guardar algo, cerrar la caja y luego dejárselo aquí? —se preguntó ella en voz alta.

—Yo me pregunto por qué la gente hace muchas cosas —respondió él mientras apartaba una silla.

Nikita no quería tocar esas asquerosas cajas, pero no veía otra opción.

—¿Tienes alguna manta o alguna lona en el coche? Esas cajas se desintegrarán en cuanto intentemos moverlas. Si pudiéramos ponerlas encima de una lona, las sacaríamos de aquí.

Knox se sacó las llaves del bolsillo.

—Hay una lona. En el fondo de la caja que verás en el maletero.

Nikita volvió hasta el coche y abrió el maletero, rebuscó en la caja y encontró la lona verde. También cogió dos pares de guantes de plástico que había dentro.

—Toma —le dijo, cuando volvió a entrar en el almacén. Le dio las llaves y, después, los guantes.

—Gracias. —Se puso los guantes como un cirujano y luego cogió la lona. Ella también se puso los guantes y, con mucho cuidado, desplegaron la lona delante de las cajas. Knox se sirvió del hacha para apartar unas considerables telas de araña que estaban cerca de las cajas; y luego, cada uno se colocó a un lado.

Con el máximo tacto, agarraron la caja de arriba y, en lugar de levantarla, la deslizaron mientras intentaban aguantar la base con las manos. Fue inútil; en cuanto no tuvo el apoyo de la caja de debajo, se rompió y el contenido cayó a la lona.

Con la otra caja sucedió lo mismo. En cuanto la levantaron, la base se rompió. Dejándola en el suelo y empujando, consiguieron que la mitad llegara intacta a la lona. Al parecer, lo que había caído al suelo eran, básicamente, libros de texto, manchados y llenos de moho, pero en buen estado. Los empezaron a colocar encima de la lona; puede que fueran de Howard Easley, con lo que podía haber escrito algo en los márgenes o haberse dejado alguna nota entre las páginas.

Knox emitió un ruido suave y se quedó mirando una caja metálica que estaba guardada junto con los libros.

—¿Qué es eso? —le preguntó Nikita cuando vio que la cogía.

Knox la miró, con una expresión que era una mezcla de sorpresa y alegría.

—No estoy seguro, pero creo que es la cápsula del tiempo.

Capítulo 30

Nikita miró la caja. Quizás había sido una tonta, pero se esperaba algo con forma de cilindro, como los medicamentos en cápsulas. Las palabras «cápsula del tiempo» le habían hecho pensar en algo de líneas sencillas y capaz de viajar en el tiempo, no una caja metálica de cuarenta y cinco por treinta centímetros, y de unos trece centímetros de alto.

—¿Estás seguro?

—Hasta que la abra, no. La cápsula del tiempo estaba envuelta en plástico impermeable antes de enterrarla. Pero tenía esta forma; creo que la hicieron a medida en un taller de la ciudad.

La caja estaba en unas condiciones sorprendentemente buenas, teniendo en cuenta que llevaba un montón de años protegida por libros de texto. Nikita se arrodilló junto a la caja y la miró muy de cerca, aunque no la tocó.

—Ha estado aquí todos estos años; nunca llegaron a enterrarla.

—Yo vi cómo la enterraban. El entrenador debió de volver esa misma noche a desenterrarla. Era la noche de Año Nuevo, hacía frío, estaba nevando y había partido de fútbol en la televisión; dudo que hubiera alguien por las calles, de modo que si lo calculó bien, debió de esperarse hasta que el tercer turno de agentes saliera a patrullar. —Se arrodilló junto a ella—. Y esto desmonta tu teoría de que alguien había transitado antes que Hugh y se la había llevado para salvaguardarla.

—Entonces, los destellos debieron ser la transición de Hugh; con un láser pudo haber cavado un agujero en décimas de segundo, descubrió que la caja no estaba allí y se marchó antes de que las cámaras de seguridad lo captaran.

—Y debió de volver a transitar, porque allí no había huellas ni nada que demostrara cómo lo había hecho. Creía que estos vínculos eran como una carretera de doble sentido, sin más salida que el origen y el final. Si es así, habría vuelto a tu tiempo, ¿verdad?

—En teoría, depende de la programación —dijo ella, muy despacio—. Escuché que el Laboratorio de Tránsito estaba trabajando en unos vínculos que se podían programar sobre el terreno, pero creo que todavía no podían usarse. Los vínculos normales tienen dos coordenadas: la de destino y la de casa. El viajero activa la coordenada que necesita. Si Hugh está transitando distancias cortas hacia el futuro y el pasado, debe de haber robado los prototipos.

—Eso es muy interesante —dijo Knox, arrastrando las palabras—. Así se explica cómo el asesino entró en casa de Taylor Allen y salió sin tocar nada que nos diera alguna pista. Creí que había limpiado sus huellas y había salido por la puerta automática del garaje pero, si Hugh se dedica a ir arriba y abajo, podría aparecer en cualquier sitio.

A Nikita se le pusieron los pelos de punta y, automáticamente, miró a su alrededor. Después, respiró tranquila.

—Tendría que saber exactamente dónde estamos y tener las coordenadas de un GPS antes de poder transitar justo donde estamos. Y no lo haría si no estuviera seguro de poder transitar en algún lugar donde no lo viéramos. ¿Recuerdas lo que le pasó a Luttrell? El viajero está en desventaja hasta que la transición se completa.

—Si volvemos a mi casa, Hugh tiene las coordenadas exactas —dijo Knox—. No sé cómo te localizó pero…

—Yo sí —lo interrumpió Nikita—. La señora Lacey.

Knox abrió la boca, seguramente para protestar de inmediato, pero la cerró de golpe. Una mirada fría le cruzó por los ojos. Los policías no creían en las coincidencias. Primero, la señora Lacey los había visto juntos en Wal-Mart, y se había mostrado muy molesta por la presencia de Nikita; esa misma noche se había puesto de lo más pesada llamándola incesantemente, algo que a Knox no le parecía nada típico de Ruth. Y luego había hecho algo todavía menos propio de ella: presentarse en su casa y golpear la puerta. Anoche había un hombre con ella y, luego, esta mañana, el coche que Hugh Byron había alquilado estaba aparcado en la calle de Knox, unas casas más abajo. No, eran demasiadas casualidades.

—No estaba seguro de quién eras —dijo Knox, pensando en voz alta—. Si no, ya habría intentado matarte anoche, cuando te quedaste sola.

—Habría tenido más posibilidades cuando llegaste a casa y estábamos entretenidos con otras cosas —dijo ella, con sequedad—. Te juro que hubiera podido transitar encima de mí y no me habría dado ni cuenta.

—Es verdad —respondió él, y le guiñó un ojo.

—Antes de eso, estaba mucho más alerta. Si fuera una mujer llamada Tina, no tendría ningún sentido matarme. Creo que lo único que quería anoche, y también esta mañana, era verme bien para asegurarse.

—¿Crees que el disfraz habrá servido?

Ella meneó la cabeza.

—No pondría la mano al fuego. Recuerda que él es de mi tiempo y sabe lo fácil que es cambiarse el color de pelo. Y hemos trabajado en la misma división un par de años, así que me conoce. El disfraz era, básicamente, para engañar a tus chicos, ¿recuerdas? Para apoyar la teoría de que me había ido de la ciudad; seguro que Hugh no se lo creyó, pero no sabía dónde buscarme hasta nuestro encuentro casual con la señora Lacey; ella debió de decirle que nos había visto y él ató los cabos sueltos.

—Es imposible que sepa lo que pasa —dijo Knox—. No está… —Se le cortó la voz y dejó la mirada perdida en la distancia unos segundos—. Mierda —dijo, finalmente, muy bajito—. Solamente hay una cosa que la movería a hacer algo así. El muy cabrón le ha dicho que puede volver al pasado y salvar a Rebecca. Ruth haría cualquier cosa por ella. No tenía a nadie más; sólo la tenía a ella. Haría cualquier cosa por recuperarla.

Nikita cerró los ojos un momento mientras inmediatamente pasaba de estar más que molesta con Ruth Lacey a sentir una lástima tan grande por ella que apenas podía soportarlo. Por lo que había vivido en su casa, sabía lo mucho que sufría una madre que había perdido a una hija, aunque en su caso su madre tenía un marido que la quería y tres hijos más para consolarla. La señora Lacey estaba sola. Maldito sea Hugh Byron por ser un cabrón tan desalmado capaz de aprovecharse del dolor y la desesperación de una madre.

—Debió de dispararme ella —dijo Nikita—. ¿Sabes si tiene alguna experiencia con las armas?

—No. Muchas mujeres saben disparar, sobre todo las que crecieron en el campo. —Bajó la mirada hasta la caja metálica, con la expresión seria—. Propongo que averigüemos qué demonios hay aquí escondido, que es la razón por la que ese desgraciado ha matado a tres personas.

Levantó la caja y la sacó del destartalado edificio. Nikita se quedó dudando, pero al final agarró una punta de la lona y la arrastró hasta el exterior con todos los libros de texto. Knox ya se había sentado en una zona llana entre la maleza y las zarzas y estaba intentando abrir la tapa. No tenía cerrojo, pero después de tantos años cerrada, caja y tapa estaban más encajadas que de costumbre. Al final, metió el filo del hacha debajo de uno de los extremos de la tapa y la levantó; la caja quedó abierta y, su contenido, al descubierto.

Con mucho cuidado, Knox empezó a sacar los objetos de uno en uno y fue dándoselos a Nikita, que los colocó encima de la lona. Eran:

Un anuario

Un periódico

Una cinta de casete

Un radiocasete.

La carta de constitución de la ciudad

Una historia escrita del condado y la ciudad

Fotografías varias

Una carta escrita a mano del alcalde, Harlan Forbes

La guía telefónica del condado de Peke de 1985

Una lista de los habitantes del condado que habían falle-cido en la guerra.

Una bandera estadounidense, cuidadosamente doblada, que había ondeado en los juzgados del condado de Peke.

Y un catálogo de Sears

Knox se quedó boquiabierto con el último objeto, y luego se dejó caer en la maleza, riéndose a carcajadas.

—No puedo creérmelo —jadeó—. ¡Un catálogo de Se-ars! ¿Quién demonios puso eso en la cápsula? Estaban borra-chos cuando se les ocurrió o tenían un sentido del humor muy curioso.

Nikita tenía el grueso catálogo en las manos y lo estaba hojeando.

—Bueno, no sé. Creo que da una buena imagen de la vida que se llevaba en 1985. Mira, hay precios, descripciones de los objetos, fotos. Sería muy valioso, tanto como objeto de coleccionista como por la información que aporta.

—Bueno, pues a menos que contenga en algún sitio la fórmula para los viajes en el tiempo, no tenemos nada. Sé que pusieron trece objetos en la caja, pero ¿dónde está el que fal-ta? ¿Acaso el entrenador sacó algo?

—Y ¿por qué no lo cogió y dejó allí la caja? —preguntó Nikita—. Si sólo quería una cosa, no había ninguna necesi-dad de llevarse la caja entera.

—Este hombre se suicidó al cabo de pocas horas; su mente no debía de funcionar precisamente bien.

Nikita levantó el catálogo y lo agitó hacia abajo. Para su mayor sorpresa, porque realmente no esperaba encontrar nada ahí dentro, un trozo de papel cayó a la lona.

Knox lo cogió y lo leyó.

—Creo que es su nota de suicidio. Cito literalmente: «Al diablo con todo. Ya estoy harto de este lío». Y no tengo ni idea de por qué la metió entre las hojas de un catálogo de Sears, dentro de la cápsula del tiempo y luego escondió la cápsula en una caja de libros. Supongo que debió de volverse loco.

—Una especie de crisis psicológica. A veces, pasa; los componentes químicos del cerebro se alteran, pero todavía no sabemos por qué.

—Mira si hay algo más. Quizá tengamos suerte.

Nikita volvió a agitar el catálogo, pero no cayó nada. Decepcionada, se sentó en la lona y miró todo lo que Knox había sacado de la caja. Quizás el periódico… Lo examinó con cuidado, porque las páginas ya estaban un poco quebradizas, pero no había nada entre ellas. La carta de constitución era sencillamente eso, sin más hojas ni apéndices.

Knox hizo lo propio con el anuario, sin resultados. Miraron en la parte posterior de las fotografías, pero sólo había nombres, fechas y lugares. La carta del alcalde era de una página. La historia escrita sólo era una historia escrita. Frustrado, aunque sin desdoblarla, Knox miró entre los pliegues de la bandera.

—Bueno, pues sólo nos queda escuchar la cinta, a ver si hay algo más que música —dijo, mientras cogía el casete y lo miraba—. Aunque no podremos, porque las pilas no funcionarán… eso si pusieron pilas, que sería un derroche de dinero. —Dejó la cinta y cogió el radiocasete; estaba a punto de girarlo cuando se detuvo y dijo—: Hay una cinta dentro.

Condujeron hasta la tienda más cercana, compraron un juego de pilas AA y Knox las instaló en la parte trasera del radiocasete. Una vez sentados en el coche, apretó el play… y la canción de más éxito de 1984, «Thriller», empezó a sonar. Con una sonrisa, Knox paró la cinta y la sacó.

—Nunca me ha gustado esta canción —gruñó—. Mi canción favorita de Michael Jackson era «Ben». Iba sobre un ratón.

—Escalofriante —dijo ella.

—Deberías ver el vídeo de «Thriller». Entonces sabrías qué es escalofriante.

Metió la otra cinta y apretó el play.

Se produjo un silencio y luego, una voz muy calmada, dijo:

—Esto es para David Li, Marjorie van Camp y JoJo Netzer. Vosotros sabréis qué hacer. —Y la voz empezó a hablar de la modificación de la gravedad y teorías y fórmulas matemáticas que para ellos no tenían sentido, pero que seguramente era lo que estaban buscando. La cinta terminaba así—: «Siento no poder estar aquí para ayudaros. Me doy de baja».

Knox la rebobinó y la sacó del radiocasete.

—Bueno, ya tenemos el decimotercer objeto, y lo que Hugh está buscando. No obstante, no creo que pertenezca a ningún grupo ludita; está demasiado ansioso por utilizar esta tecnología. Quiere la cinta, pero no para evitar la invención de los viajes en el tiempo.

—No —asintió Nikita—. Creí, porque es lo que nos hicieron creer, que ese era el motivo, pero estoy de acuerdo con que Hugh no se mueve por eso. No es contrario a los viajes en el tiempo; fue uno de los que mostró mayor entusiasmo. No me importa demasiado por qué quiere la cinta. La tenemos nosotros y tenemos que protegerla, y debemos detener a Hugh. Todo lo demás es secundario.

—Dices que no es probable que se materialice ante nosotros. Entonces, ¿cuál será su próximo paso?

—Tiene un láser. Lo único que necesita es una buena oportunidad para disparar.

—Pues nos esconderemos —dijo Knox—. Puede que me despidan, pero voy a tomarme unos días libres, empezando ahora mismo. Ahora tenemos la ventaja de saber lo que busca, así que sabemos dónde buscará. Sólo tenemos que asegurarnos de verlo nosotros primero.

—Tengo un regalo para ti —le dijo Hugh Byron a Ruth mientras estaban tendidos encima de una manta junto al río. Estaba de buen humor; sabía dónde encontrar a Stover y, en pocas horas, liquidaría ese problema. La agente Stover sabía demasiadas cosas. No podía arriesgarse a dejar que volviera y empezara a explicar historias. Se suponía que McElroy se estaba encargando de esos asuntos desde el otro lado, pero a veces se cometían errores y, como muestra, la presencia de Stover en este tiempo.

Ruth sonrió pero no abrió los ojos. Estaba adormecida, cansada después de hacer el amor.

—¿Qué?

—Mira —dijo él, y ella abrió los ojos. Se quedó mirando fijamente los objetos que él le ofrecía.

—¿Qué tengo que hacer? —susurró, sin apartar la mirada de su regalo.

—Tienes que ponértelos en las muñecas y los tobillos. Cuando llegue el momento, ya te enseñaré a activarlos. Pero prométeme que no intentarás utilizarlos sin mí; puede ser muy peligroso.

—Te lo prometo —dijo, mientras alargaba la mano para acariciar los vínculos con los dedos temblorosos—. Parecen tan… normales. ¿Son tuyos? ¿Cómo volverás si los tengo yo?

—No son míos, son de Stover. Descubrí dónde los había enterrado.

Alguien había metido la pata con la hora de la transición de Stover; McElroy tenía que asegurarse que el siguiente agente que se enviaba transitaba a una hora y en un lugar determinados, para que Hugh pudiera encargarse de él, igual que hizo con Houseman, pero cuando iba hacia allí vio el destello y supo que había llegado tarde. Cuando llegó al lugar, Stover ya había transitado y desaparecido.

La única satisfacción que tuvo fue localizar sus vínculos y llevárselos, asegurándose así que no podría regresar. Encontrarlos no había sido demasiado complicado; el libro de los agentes decía que los enterraran en el punto de transición para que después supieran exactamente dónde estaban, y Stover siempre seguía las instrucciones. Lo único que tuvo que hacer fue encontrar la zona donde la tierra estaba removida y desenterrarlos.

—Estoy impaciente por volver a verla —dijo Ruth—. Me he estado repitiendo una y otra vez lo que voy a decirle para que vaya al médico y se haga las pruebas. Es tan… Podía llegar a ser tan testaruda, a veces. Estaba muy ocupada, organizando la boda y preparándolo todo. No querrá ir. Tendré que obligarla a escucharme.

—Ya se te ocurrirá algo. —Hugh sonrió—. Quizá tengas que enseñarle cómo funcionan los vínculos para que te crea.

—¿Me enseñarás a hacerlo?

—Sí, pero tendrás que ir con mucho cuidado y hacer sólo lo que yo te diga.

—Lo haré. —Ruth dudó un segundo—. ¿Cuándo podré volver?

—Cuando Stover muera.

El dolor se le reflejó en la cara.

—Ojalá no tuviera que morir.

—Para que pueda cumplir mi misión, tiene que morir. No es que quiera matarla, es que tengo que hacerlo. Si no lo consigo, si me mata ella primero, recuerda que querrá recuperar esos vínculos y que es una agente muy bien entrenada. Debe de sospechar que los tengo yo. Reconstruirá mis movimientos, descubrirá dónde he estado y llegará hasta ti. Ruth, si no la mato, tendrás que hacerlo tú. Es la única manera de poder salvar a Rebecca.

Capítulo 31

—Nos estará esperando en tu casa —dijo Nikita—. Preferirá la oscuridad, pero si ve una buena oportunidad para dispararme la aprovechará, independientemente de la hora.

—En ese caso, tendré que llevarme a alguien más a casa.

Ella sabía lo que quería decir. Necesitaba una mujer, pero alguien que, cuando saliera del coche, resultara obvio que no era Nikita. Hugh estaría en su coche de alquiler; Knox llamaría a Nikita al móvil y le daría la localización exacta del coche. Mientras tanto, ella se acercaría a pie. Mientras Hugh vigilaba la casa de Knox, ella se le acercaría por la espalda. Quedaría atrapado entre ellos.

El plan no estaba exento de peligro para ninguno de los dos. Todavía no se había inventado ninguna armadura, ni en este tiempo ni el de ella, que pudiera proteger de un ataque con láser. Sin embargo, ella también tenía uno y, además, una bala mataba igual. Ellos eran dos, por lo que tenían ventaja, pero no había nada seguro.

Después de la aventura en casa de Howard Easley, ambos estaban sudados y apestosos. Knox llamó a su padre y le preguntó si podían ducharse y poner una lavadora en su casa mientras Lynnette y él estaban en el trabajo. Como siempre, Kelvin no hizo preguntas.

Knox sabía dónde guardaban la llave, así que fueron hacia allí directamente.

—Como tú sabes cómo funciona la lavadora —dijo Nikita mientras salían del coche, al tiempo que se quitaba la camiseta y se la tiraba a Knox—, encárgate de eso mientras yo me ducho.

En su tiempo, en lugar de sujetadores, las mujeres llevaban bandas pectorales, porque aguantaban mucho mejor y eran más cómodas. Se abrochaban sobreponiendo los dos entremos de la banda, de modo que eran totalmente ajustables. Sin embargo, desde el paseo por la jungla llena de maleza y árboles, se notaba el cuerpo lleno de bichos, y le daba mucho miedo haber contraído alguna enfermedad infecciosa. Se quitó la banda pectoral y se la dio a Knox.

Él intentaba encontrar la llave, aunque sin apartar la mirada de ella, que ahora se había agachado para quitarse las zapatillas deportivas.

—¿Te vas a desnudar aquí fuera? —le preguntó, con gran interés.

—Si tardas mucho más en abrir la puerta, sí. —Le lanzó los calcetines y se desabrochó los vaqueros, deslizó la prenda hasta los tobillos y también se los quitó. La arenilla del suelo le hizo cosquillas en la planta de los pies y contrajo los dedos. Knox por fin había encontrado la llave, pero le costaba meterla en la cerradura sin mirar. Nikita le lanzó los vaqueros al hombro y se quitó las bragas—. ¡Deprisa!

—No puedo —respondió él.

—¡Si, en vez de mirarme, miraras lo que haces sí que podrías!

—No puedo —repitió él—. ¡Madre mía!

Ella le lanzó las bragas, lo apartó y abrió la puerta ella misma. Él tiró la ropa al suelo e intentó agarrarla. Sin embargo, ella se escabulló y, una vez dentro de la cocina, se detuvo.

—¿Dónde está el baño?

—Todo recto, gira a la derecha. La segunda puerta a la izquierda.

La sensación de los bichos en la piel era tan desagradable que se metió en la ducha antes incluso de que el agua saliera caliente. Gritó cuando su piel entró en contacto con el agua fría, pero aunque hubiera salido helada, era preferible a los bichos.

Ya se había enjabonado y aclarado cuando un hombre alto y desnudo corrió la cortina y se metió en la bañera con ella.

—Se va a mojar el suelo —dijo ella.

—Ya lo fregaré después. —Se acercó a ella, casi la acorraló contra las frías baldosas. Tenía el pene tan duro y erecto que miraba hacia el techo y a Nikita se le clavaba en la barriga.

Ella le colocó las manos en los hombros y lo detuvo.

—Yo ya voy toda limpia, y tú estás sucio y lleno de bichos. Quédate quieto y yo me encargo de todo.

Knox tenía los ojos ardientes y entrecerrados, pero la obedeció. Bajó la cabeza y la miró fijamente mientras ella se ponía una gran cantidad de jabón líquido en las manos y empezó a enjabonarle los hombros y el pecho, haciendo mucha espuma. Le lavó los brazos y la espalda, la barriga, y luego empezó por los pies y fue subiendo. Le lanzó una rápida mirada y vio que tenía la mandíbula apretada y rígida y la garganta tensa mientras se obligaba a no moverse. Después de eso, Nikita no volvió a levantar la mirada y se concentró en lo que estaba haciendo, acariciándole los testículos con las manos suaves. Él emitió un gemido ahogado y luego se quedó en silencio, a excepción del agitado ruido de su respiración.

Nikita se tomó su tiempo para lavarle el pene. Cuando terminó, Knox tenía la cabeza totalmente descolgada hacia delante y estaba temblando de arriba abajo, con un brazo apoyado en la pared y el otro pegado al pelo húmedo de Nikita. Ella se inclinó hacia delante y lo cogió con la boca, sujetándolo con la mano derecha, mientras que con la izquierda le agarró las nalgas y lo atrajo hacia sí. Knox emitió un gemido ahogado y sacudió las caderas; cuando ella percibió que estaba a punto de alcanzar el orgasmo, se apartó y se levantó.

Antes de que pudiera secarse el agua de la cara, él la tenía aplastada contra la pared; con un muslo enredado a su cadera, la penetró con tanta fuerza que ella no pudo contener el grito que salió de su garganta. Él no se disculpó, sólo salió y volvió a empujar, una y otra vez. Nikita sabía que lo había llevado hasta tal límite que ella no tendría tiempo de alcanzar el orgasmo, pero por la respuesta de Knox le pareció que valía la pena esperar para obtener su propio placer; para su sorpresa, aquel ritmo intenso la hizo llegar a un clímax tan feroz que la dejó débil y literalmente colgada de él. Knox la levantó del suelo y la embistió varias veces más, sin tiempo ya para consideraciones o sofisticaciones; ahora sólo sentía la ciega obsesión de alcanzar el orgasmo.

Lentamente, Nikita notó que el agua se había enfriado. Alargó la mano hasta el mando y lo cerró. Él estaba pegado a ella, con el pecho agitado y la cabeza apoyada en su hombro. Si no llega a estar presionada contra la pared, no habría podido mantenerse de pie. Quería jugar con él, provocarlo, pero en algún momento se habían visto arrastrados por un torbellino demasiado fuerte como para resistirse.

—Es demasiado pronto para decir que te quiero —susurró él, contra el hombro de ella—. Sólo hace tres días que nos conocemos. Así que no lo diré.

—Yo tampoco —susurró ella, como si con el silencio pudiera negar las oleadas de emoción que sentía.

—Tengo una idea —dijo Ruth.

Desde que Byron le había dado los vínculos estaba cada vez más nerviosa. Notaba cómo le ardían contra la piel, a pesar de que ahora no los llevaba. En su mente, los llevaba pegados a las muñecas y los tobillos; en su mente, estaba a escasos segundos de volver a ver a Rebecca y arrancarla de las frías garras de la muerte. ¿Por qué tenía que esperar? ¿Qué diferencia había si esa agente Stover todavía estaba viva? Ella tenía los vínculos. Tenía los medios para llegar hasta su hija. Byron tenía sus planes letales y era paciente como una araña, pero no era su hija la que estaba en una tumba.

Llevaba días borracha de pasión y encaprichamiento, pero de repente estaba tan impaciente que quería agarrarlo del cuello y sacudirlo. ¿Cómo se atrevía a ofrecerle los medios para recuperar a su hija y después hacerle prometer que no se iría hasta que él lo decidiera? No podía soportarlo.

Byron quería sorprender a esa agente cuando estuviera sola, porque se ve que no quería matar a otro policía. Se refería a Knox, claro, porque Stover también era policía, pero evidentemente ella no contaba. Ruth siempre había querido a Knox, y ahora, de repente, él tampoco contaba. Si era él quien se interponía en su camino para recuperar a Rebecca, entonces no le importaba que estuviera en la línea de fuego. Además, cuando volviera al pasado para salvar a Rebecca, él también estaría vivo, ¿no? Cuando salvara a su hija, todo cambiaría y nada de esto sucedería, así que no es como si estuviera realmente arriesgando la vida de Knox.

Se estaba acostando con esa tal Stover. Había renunciado a Rebecca.

Sin embargo, Ruth lo conocía, conocía sus costumbres y sabía lo unido que estaba a su padre. Se le ocurrió una idea y fue entonces cuando dijo:

—Tengo una idea.

Byron se giró hacia ella, muy atento. La impaciencia que Ruth había sentido hacia él desapareció, porque él siempre la escuchaba.

—Creo que sé cómo encontrar a Knox —dijo.

—¿Cómo?

—Su padre.

—Y ¿eso? Me niego a secuestrar a su padre para tenderle una trampa. Cuánta más gente esté implicada, menos posibilidades de éxito tenemos.

—No, no. No quiero que lo secuestres. Sólo tengo que llamarle y preguntarle si sabe dónde está Knox. Puede que no lo sepa, pero vale la pena intentarlo, porque están muy unidos.

Byron lo pensó un momento; Ruth veía claramente que estaba sopesando los pros y los contras. Al final, dijo:

—Normalmente, diría que es demasiado arriesgado relacionar tu nombre con el suyo, teniendo en cuenta nuestras intenciones, pero como no estarás aquí después de esto, no creo que importe.

De todos modos, no importaba, pensó ella con otra punzada de impaciencia. Lo único que importaba era salvar a Rebecca.

Buscó el número de la ferretería y llamó desde el móvil. Respondió Kelvin, aunque como tenía una voz tan parecida a la de su hijo, Ruth se llevó un buen susto.

—Kelvin, soy Ruth Lacey. Llevo todo el día intentando hablar con Knox pero no lo encuentro. ¿Sabes dónde está?

—Sí. Está en mi casa, duchándose y haciendo la colada. No he hecho preguntas —dijo, riendo—. Supongo que cuanto menos sepa, menos canas me saldrán.

Ella también se rió y dijo:

—Gracias. Lo llamaré allí. —Colgó y se giró hacia Byron con una sonrisa triunfante—. Está en casa de Kelvin, duchándose y haciendo la colada. Y si Knox está allí, seguro que Stover también.

Después de colgarle a Ruth, Kelvin volvió a colocar mercancías en los estantes y a esperar que entrara algún cliente, pero había algo que le remordía la conciencia. Cuando Knox le había llamado para preguntarle si podía ducharse en su casa, no le había dicho que no le dijera a nadie dónde estaba, pero quizá supuso que no tenía que hacerlo, que su padre ya sabría qué tenía que decir y qué tenía que callarse. Kelvin no lo sabía y aquello le preocupaba.

Al cabo de cinco minutos, cedió ante las preocupaciones y llamó al móvil de Knox.

—Hola, papá. Dime.

«Las maravillas del identificador de llamadas», pensó Kelvin.

—¿Estás duchado y con la ropa limpia?

—Duchado, sí. La ropa está en la secadora. ¿Has llamado para preguntarme eso?

—Supongo que no. No me lo has dicho, pero ¿se suponía que no tenía que decir nada de dónde estabas?

—¿Quieres decir que ahora ya es tarde para decírtelo?

—Me temo que sí. Ha llamado Ruth Lacey diciendo que llevaba todo el día intentando hablar contigo. No me ha parecido nada raro y le he dicho que estabas en mi casa. ¿Te ha llamado?

—No y, en cualquier caso, tiene mi móvil. Tampoco me ha llamado ahí.

—Bueno. Entonces, supongo que todo está en orden. Deberías ponerte los pantalones.

—Estaré preparado —dijo Knox—. Gracias por avisarme.

Colgó, se giró hacia Nikita y dijo:

—Ruth ha llamado a papá por si sabía dónde estaba. Él se lo ha dicho. Será mejor que nos vistamos.

La ropa no estaba seca, excepto la ropa interior de Nikita, que parecía secarse en minutos, así que fueron directamente al armario de Kelvin y Lynnette. Knox era una pizca más alto que su padre, así que los vaqueros de Kelvin le iban bien. Cogió la primera camisa que encontró y se la puso, luego descolgó otra y se la lanzó a Nikita.

—Ponte esto. Da igual cómo te quede. Deprisa.

Lo primero que Nikita cogió fueron unos pantalones cortos que, gracias a Dios, tenían la cintura elástica, porque Lynnette usaba dos tallas más que ella. Se los puso sin dejar de darle vueltas a la cabeza.

—No vendrá en coche hasta la puerta. Aparcará un poco más lejos y se acercará a pie para sorprendernos. Su láser no tiene por qué ser como el mío; puede ser como el de Luttrell, de mayor alcance. Ve a buscar el de Luttrell; está en el maletero. Puedo enseñarte a usarlo; el principio de apuntar es el mismo, pero no tienes que pensar en la parábola ni en el viento. Apunta directamente al objetivo y allí es donde disparará el láser.

—Su objetivo eres tú. Quédate tú con ese láser y dame a mí el tuyo más pequeño.

—Pero, es posible que espere que yo tenga el mío. No sabe qué equipo traje, porque lo escogí yo, no McElroy. Tú tienes más posibilidades de pillarlo por sorpresa que yo.

—En cualquier caso, tenemos que largarnos de esta casa de inmediato.

Nikita se calzó las zapatillas deportivas, aunque no se las ató. Cada segundo contaba. Las zapatillas de Knox estaban en el maletero del coche y no se molestó en ponerse las botas o coger un par de Kelvin. Salió descalzo por la puerta trasera y cogió la pistolera. Nikita cogió su bolso de la mesa de la cocina y salió detrás de él.

Acababa de abrir el maletero cuando escucharon, a lo lejos, el ruido de un motor, un coche que avanzaba muy despacio. El camino hasta llegar a casa de Kelvin era tan largo que, en verano, cuando los árboles y arbustos estaban repletos de hojas, desde la casa no se veía la carretera. El ruido se detuvo. Hugh había llegado.

No había tiempo para que Nikita le enseñara a utilizar el XT37; Knox lo cogió y se lo lanzó.

—Por ahí —dijo él, en voz baja, mientras señalaba un rincón a su derecha con una vegetación muy densa—. Detrás de los arbustos, al suelo. Y, por Dios, no te acerques al tanque de propano.

—¿Al qué? —susurró ella.

—¡Al tanque gris grande! —Knox señaló el tanque en cuestión, cerró el maletero y salió corriendo hacia la izquierda. Con un poco de suerte, atraparían a Hugh en medio del fuego cruzado. En aquella dirección, no había ningún arbusto, motivo por el cual había enviado a Nikita hacia el otro lado. Se estiró detrás de un roble, rezando para que fuera lo suficientemente grueso como para esconderlo, y sacó el arma.

El coche se volvió a poner en marcha. Escuchó el ruido del motor, que cada vez estaba más cerca; entonces, lo vio en lo alto de la colina. Knox retrocedió un centímetro, intentando no hacer ningún movimiento brusco que llamara la atención, pero en aquella fracción de segundo lo reconoció. Era el de Ruth Lacey.

Aparcó detrás del coche de Knox y salió. Knox la miró, alta y esbelta con sus pantalones de hilo color caqui y la camisa azul, y luego se giró hacia donde seguramente estaba Hugh subiendo por la colina a pie. Le dio mucha lástima ver a Ruth compinchada con ese asesino desalmado. Le recordaba mucho a Rebecca, por su aspecto y sus gestos, pero desde aquella distancia sintió cómo ese punto débil en su corazón se enfriaba. Por su culpa, la vida de Nikita corría peligro. Ruth se había colocado voluntariamente en el otro bando.

Subió las escaleras del porche y llamó al timbre. Si Kelvin no los hubiera llamado, si no hubieran descubierto que Ruth era cómplice de Hugh, la persona que ahora hubiera abierto la puerta sería un objetivo fácil. Knox estudió la zona donde seguramente Hugh se había escondido, en línea recta a la posición de Ruth. Seguro que le había dicho a la mujer que le facilitara el objetivo.

Nikita no habría abierto la puerta, se dijo Knox; lo habría hecho él. Entonces, ¿habían planeado dispararle en cuanto asomara por la puerta o intentarían sacarlos a los dos fuera de la casa?

No importaba. En cualquier caso, Hugh tenía planeado matarlos a los dos, y Ruth lo sabía.

Knox vio un ligero movimiento entre los arbustos. Podía ser la brisa nocturna, pensó, pero fue justo donde él creía que debía de estar Hugh.

Ruth volvió a llamar al timbre, esperó, y luego llamó con la mano insistentemente.

—¡Knox! —gritó—. ¡Knox Davis, abre la puerta! Tu coche está aparcado aquí fuera, así que no creas que puedes fingir que no estás en casa.

Esperó y escuchó y, a juzgar por sus suspiros, Knox supo que cada vez estaba más nerviosa. Se arriesgó a asomarse otra vez. La vio pasearse de un lado al otro del porche mientras jugueteaba con un par de pulseras de plata. De repente, se echó a llorar e hizo algo increíblemente estúpido; se giró y gritó:

—¡No están aquí! ¡No se oye nada dentro!

En aquel momento, Knox supo lo que Hugh iba a hacer, sabía que la oleada de rabia podría con todo lo demás y salió de detrás del árbol, disparando. Un rayo láser salió desde la colina y fue a parar a la izquierda de Ruth, y luego se movió todavía más hacia la izquierda. Nikita salió de entre los arbustos y empezó a disparar mientras corría para evitar que Hugh le disparara a Knox. Ambos se abalanzaron sobre los arbustos al mismo tiempo, y casi aplastaron al hombre, que estaba tendido de lado.

Knox no podría haber apuntado mejor ni que hubiera estado a tres metros del objetivo. La bala había entrado por un lado, justo por debajo del brazo de Hugh, y había salido por la espalda, llevándose un trozo de columna vertebral. Si vivía, quedaría parapléjico, pero sabía que no sobreviviría. Los daños en el pulmón izquierdo, y seguramente en parte del corazón, eran demasiado graves.

Sin embargo, alejó la pistola del alcance de Hugh, por si acaso. Nikita se arrodilló junto al hombre moribundo.

—No vivirás —le dijo, muy seria—. Todo ha terminado. ¿Por qué lo has hecho? ¿Qué querías?

Los ojos de Hugh se estaban apagando y sus órganos internos se estaban muriendo. Consiguió parpadear y dibujó una siniestra sonrisa.

—Dinero —jadeó—. Patentar... el... proceso. Siempre... dinero. —No cerró los ojos ni dejó de sonreír, pero ya no estaba. Knox pensó que no había nada tan vacío como los ojos de un hombre muerto.

—Dinero —repitió Nikita, incrédula—. Todo esto... porque querían la patente y hacerse ricos. No tenía nada que ver con las leyes ni los principios, sólo por... dinero.

A sus espaldas, escucharon un débil gemido. Ambos se giraron, con las armas preparadas, pero Ruth iba desarmada. Estaba allí, observando el cuerpo de Hugh y la angustia le dibujó una expresión casi inhumana en la cara. Intentaba respirar como si los músculos no le funcionaran, como si el corazón no le latiera, como si el cerebro no pudiera entender lo que sus ojos veían.

—Nooo —gritó, con una voz parecida al crujido seco de las plantaciones de maíz.

De repente, Nikita se tensó.

—Lleva vínculos —dijo.

Ruth levantó ambas manos, como si no reconociera los brazaletes que llevaba. Y entonces, muy despacio, empezó a retroceder.

—Son los tuyos —dijo, muy seca—. Byron los encontró. Me los dio él. Dijo que si estabas muerta, podría retroceder en el tiempo y salvarla. Dijo que estabas aquí para averiguar los orígenes de los viajes en el tiempo y asegurarte de que no llegaran a desarrollarse.

—¿Hugh le dijo eso? —preguntó Nikita, haciendo un esfuerzo sobrehumano por mantener una voz neutra y libre de tono amenazador.

Ruth meneó la cabeza mientras seguía alejándose de ellos.

—No dejaré que me detengáis. Esta vez la salvaré, y Knox y ella se casarán y tendrán unos hijos preciosos. No le diré que le fuiste infiel. Será nuestro secreto —le dijo a Knox, aunque en sus ojos no había odio.

—Mis vínculos no la llevarán al pasado —dijo Nikita—. Sólo la devolverán a mi tiempo. Si le dijo que la llevarían al pasado, le mintió. Los suyos podían reprogramarse, pero los míos no.

—Mentira. Byron los reprogramó para mí. Tendré tiempo de sobras de llevarla al médico para que le descubran el aneurisma. Salvaré a mi niña y vivirá feliz muchos años.

—No, esos vínculos no funcionan de esa…

—¡Mentira! —le gritó Ruth—. Quieres recuperarlos, pero nunca te los daré, nunca… —Empezó a apretar los brazaletes y, con un grito de alarma ahogado, Nikita empezó a correr hacia ella. Cuando recordó el resplandor cegador, Knox la agarró y la atrajo hacia sí, le tapó la cara y él también agachó la suya para protegerse los ojos.

En lugar del resplandor silencioso, escucharon un crujido seco; y luego una neblina roja se elevó del suelo, hasta que volvió a bajar. Nikita emitió un ruido seco, se echó hacia atrás y se llevó a Knox con ella. Sin embargo, no fueron lo suficientemente rápidos y la neblina les manchó la ropa y la piel de rojo.

En silencio, se quedaron mirando donde Ruth había estado hacía unos segundos.

—La ha matado —dijo Nikita—. Alteró los vínculos y la ha matado deliberadamente. —Miró a Knox y le resbaló una lágrima por la mejilla, dejándole un rastro blanco—. No puedo volver a casa.

Él no quería que se fuera a casa, pero dijo:

—Cuando dentro de un mes, no hayas vuelto, enviarán a un equipo de salvamento y rescate, ¿no?

Ella meneó la cabeza muy despacio.

—Los vínculos son… literalmente eso, vínculos. Mientras existan, el comité de dirección de mi tiempo sabe que todavía están aquí. Son de metal, de un metal especial. No podemos comunicarnos a través del tiempo, pero siempre pueden saber si ha pasado algo. Ahora... Ahora saben que mis vínculos se han visto envueltos en un incidente catastrófico.

Knox empezó a comprender lo que Nikita estaba diciendo.

—Creen que estás muerta.

A ella le temblaron los labios y la pantalla de lágrimas le nubló la vista.

—Sí. Creen que estoy muerta. Nadie vendrá a rescatarme. Jamás volveré a ver a mi familia.

Con suavidad, Knox la cogió de la mano y la llevó hacia la casa. Los dos necesitaban otra ducha y él tenía que pensar qué explicación daría sobre lo que había pasado allí esta noche. Sería imposible identificar a Hugh Byron, y sus huellas no estarían registradas en el sistema. Ruth... ya no existía. Estaba desorientado y sabía que cuando aquella sensación desapareciese, estaría peor, pero ya se encargaría de eso cuando llegara el momento.

Por ahora, tenía que cuidar de Nikita, que estaba muy trastornada por verse, de repente, atrapada de forma permanente, sin poder volver a casa.

—Quizá puedas conformarte conmigo —le dijo.

Una noche, siete meses después, cortaron la verja que protegía un terreno en Miami donde estaban construyendo un rascacielos. Los últimos siete meses habían sido moviditos. Al final, Knox había decidido dejar todas las preguntas sin respuesta y enterrar el cuerpo de Hugh junto al de Luttrell. Todavía no los habían encontrado.

La gente que no era de la familia creía que Ruth Lacey, sencillamente, había desaparecido. Knox era policía; sabía cómo hacer desaparecer un coche para que nadie lo encontrara. Se pasó dos semanas en el granero de su padre, desmantelándolo y destruyendo los números de identificación del vehículo y los números de serie de las piezas; en resumen, redujo el coche a simples escombros metálicos.

También volvieron a enterrar la cápsula debajo del mástil de la bandera para que la desenterraran cuando tocara. Knox le dijo a todo el mundo que la había encontrado en el viejo garaje de la casa del entrenador Easley.

A Kelvin y a Lynnette les habían dicho la verdad. Les tuvieron que explicar los daños en la casa, provocados por el láser de Hugh, y el bolso de Nikita lleno de aparatos futuristas los convenció de que ni ella ni Knox habían perdido la cordura. Era un secreto que los cuatro se llevarían a la tumba.

—¿Estás segura que este es el edificio que derruirán dentro de doscientos años? —le susurró él mientras rodeaban una carretilla que estaba de lado. Llevaba un paquete muy grande y pesado.

—Sí —susurró ella—. No reconozco nada, pero conozco el nombre del edificio. Y es este.

Él no discutió y se limitó a colocar el paquete dentro de las enormes hormas que tenían que dar forma a los pilares. Mañana por la mañana, verterían cemento en su interior.

—Espero que funcione.

—Tiene que funcionar —dijo ella. Alargó la mano para agarrar la de Knox y se la apretó con tanta fuerza que casi notaba cómo sus dedos se volvían morados.

—Quizás algún día vengan de visita —dijo él.

—Quizá. Cuando los viajes en el tiempo sean comerciales, si es que eso ocurre algún día. Y si tienen el dinero suficiente.

—Bueno, tú ya has contribuido para que eso suceda. —Knox levantó la mano y le besó los nudillos—. ¿Te he dicho que te quiero, hoy?

Ella sonrió; una sonrisa que borró las lágrimas.

—Me parece que sí —dijo y, juntos de la mano, salieron otra vez por el agujero de la verja, volvieron a colocarla bien y se marcharon.

Epílogo

Nicolette Stover cogió la mano regordeta de su nieto y lo apartó del geranio del balcón, porque había una abeja enorme alrededor de la planta. Jemi estaba fascinado tanto con la flor como con la abeja, así que era mejor alejarlo de la tentación. Se quejó en voz alta, se escapó de la mano de su abuela y volvió a la flor todo lo deprisa que sus pequeñas piernas le permitieron. Ella lo cogió en brazos antes de que llegara, lo levantó en el aire y le sopló la barriga. Al momento, las sonoras protestas se convirtieron en risas.

Tenía que estar pendiente de aquel demonio constantemente; vivían en un piso viejo, sin las protecciones modernas que lo mantendrían a salvo. Aidan y ella habían gozado de una posición estable hacía tiempo, pero se habían gastado hasta el último céntimo en Annora, y luego en Nikita. Con dos hijos más, siempre habían estado rozando el umbral de la pobreza, pero Nicolette jamás había escatimado ni un céntimo en sus hijos. Ahora todo les iba mejor, aunque todavía no habían podido permitirse un piso más nuevo.

Desde que el agente McElroy les había informado de la muerte de Nikita, Jemi era el único que alegraba la vida de su abuela. Ya había pasado por aquello antes, y había sobrevivido porque tenía a Nikita. ¿Qué iba a hacer ahora sin su querida hija, sin su milagrosa hija? ¿Cómo iba a vivir sin ella? Ni siquiera tenían sus restos físicos; según el agente McElroy, no había restos. Los accidentes con los viajes en el tiempo no dejaban ni el más mínimo resto.

Y sabía que no era la única que sufría. Aidan solía levantarse por la noche y se paseaba por el piso como si buscara a la hija que nunca volvería. Fair estaba angustiada, perdida sin su hermana mayor. Incluso Connor parecía apagado. Jemi era el único que no era consciente del dolor que se había apoderado de sus padres y abuelos, y cada día se levantaba con el mismo impetuoso fervor de su padre, porque sólo Dios sabía que Connor, de pequeño, había sido un torbellino.

La ignorancia de Jemi era un bálsamo para Nicolette; una pequeña y atareada isla donde el tiempo se detenía. El niño jugaba, parloteaba, gritaba y se reía y siempre se metía en lugares donde no debía, y si te despistabas un segundo, ya había encontrado otro rincón donde meterse. Lo tenía con ella siempre que podía, y no sólo para darles un respiro a Connor y a Enya, sino porque también les hacía mucho bien a Aidan y a ella. Los alejaba de su realidad y su pena, les recordaba que la vida seguía y que les estaba esperando frente a sus narices, en forma de un adorable bebé.

Sonó la campana de seguridad, que señalaba que alguien quería entrar. Con Jemi a cargas, Nicolette se acercó a la vídeoconsola y apretó un botón. En la pantalla apareció la imagen de un repartidor vestido de marrón. Apretó el botón del audio.

—¿Sí?

—¿Nicolette y Aidan Stover?

—Sí, soy Nicolette Stover.

—Traigo un paquete para usted. —Hizo una pausa—. Lo han descubierto por casualidad en un terreno en construcción en Wilshire. Es… eh… es muy antiguo.

—¿De quién es?

—No lo pone. Lo hemos escaneado para garantizar que fuera seguro. —Hizo una pausa, y repitió—: Es muy antiguo.

Como parecía que quería que se lo preguntara, Nicolette dijo:

—¿De qué año? —Creyendo que sería algo que había encargado hacía años y que jamás había recibido.

—Humm… de hará cosa de unos doscientos años. Los gastos de envío estaban pagados, así que nosotros sólo cumplimos con nuestra obligación. Sin embargo, me pregunto si podría explicarme cómo un paquete tan antiguo podría tener su dirección.

—No lo sé. —Desde que el agente McElroy les explicó cómo había muerto Nikita, Nicolette no podía quitarse de la cabeza el asunto de los viajes en el tiempo. Obviamente, alguien les estaba gastando una broma muy pesada, al enviar un paquete al pasado para que lo entregaran doscientos años después. Si era una broma, absolvía de cualquier malicia a la persona responsable porque la naturaleza de la muerte de Nikita no era de domino público, pero tampoco le pareció nada gracioso.

—¿Tengo que firmar algo?

—No.

Nicolette abrió el anticuado tubo de entregas, el repartidor metió el paquete, saludó a la cámara y se marchó para seguir con su acelerado día de trabajo para realizar todas las entregas.

Una campana la avisó de la llegada del paquete. Sin soltar a Jemi, que estaba intentando escabullirse por todos los medios, abrió la tapa del tubo y recogió el paquete. Era sorprendentemente pesado y lo dejó en el suelo; un ruido seco que hizo reír a Jemi.

No pareció que contuviera nada frágil.

—¿Aidan? —dijo—. ¿Quieres coger a Jemi para que pueda abrir este paquete, o quieres que me lo quede yo y tú haces los honores?

Aidan salió de su despacho. Tenía una buena mata de pelo todavía castaño y unos ojos marrones cálidos que todos sus hijos habían heredado. Después de cuarenta años de matrimonio, todavía se querían, y ella esperaba que todavía les quedaran otros cuarenta o cincuenta años juntos.

—¿Qué es eso? —preguntó Aidan.

—No lo sé. El repartidor dijo que lo han encontrado en un terreno en construcción en Wilshire, y que nos lo enviaron hace doscientos años.

Aidan tensó los músculos de la cara.

—No le veo la gracia.

—Ya lo sé —dijo ella y suspiró—. Yo tampoco lo entiendo.

Aidan cogió el paquete y lo sopesó con una mano.

—Pesa varios kilos, como mínimo —susurró. Estaba envuelto en plástico porque, si no, jamás habría sobrevivido tantos años. La dirección de entrega también estaba forrada con plástico.

Aidan intentó romper el embalaje, pero no pudo. Cogió las tijeras y lo cortó; sacó varios paquetes y dos hojas de papel, que también estaban forradas con plástico.

Cogió la primera hoja, leyó unas pocas palabras y palideció. Se tambaleó y tuvo que sentarse.

—¡Aidan! —Nicolette, muy asustada, dejó al bebé en el suelo para atender a su marido. El niño, que había intentado bajar al suelo todo ese rato, de repente vio que había conseguido lo que quería y empezó a gritar y se aferró a su abuela con manos y pies como si fuera un mono.

—Es de Nikita —susurró él, y ahora fue Nicolette la que sintió que le temblaban las piernas.

—Lo envió antes de morir. —Sin ni siquiera saber qué había dentro, aquella carta póstuma fue como clavarle un cuchillo en el corazón. Sin embargo, al mismo tiempo, estaba ansiosa por saber qué decía—. ¿Qué pone?

Aidan tenía hasta los labios pálidos.

—Dice: «Queridos papá y mamá, no estoy muerta».

—¡Oh, Dios mío! —Nicolette se echó a llorar, al tiempo que abrazaba a Jemi y lo balanceaba hacia delante y hacia atrás—. Dios mío —repitió—. Léela.

Aidan se mojó los labios y, con la voz temblorosa, empezó a leer:

Bueno, supongo que cuando recibáis esto sí que lo estaré, pero si alguna vez tenéis la posibilidad de viajar al año 2005 o los años posteriores, estaré por aquí. Vivo en una pequeña ciudad de Kentucky llamada Pekesville con mi marido, un hombre maravilloso que se llama Knox Davis. Sabotearon mis vínculos y no pude volver. El agente McElroy forma parte de una conspiración de asesinato, pero hagáis lo que hagáis NO intentéis enfrentaros a él. Si tiene que rendir cuentas a la justicia por lo que ha hecho, será mejor que sea porque otros lo deciden. Detesto la idea de que no pague por lo que ha hecho pero lo más importante, y lo que debéis recordar, es que él fracasó y yo no.

Como McElroy le dijo a todo el mundo que estaba muerta porque, por cierto, él realmente cree que no lo estoy, no enviaron a ningún equipo de salvamento y rescate a buscarme. Lamento mucho no poder volver y ahorraros el calvario que sé que estaréis pasando, pero no podría haberme quedado. Este tiempo es mucho más primitivo, claro, pero aquí no me tratan con sospechas ni horror. El hombre que quiero está aquí y a él no le importa mi precaria situación legal. Es más, aquí no tengo que preocuparme por si me encierran de por vida por cómo fui concebida.

Y lo más maravilloso de todo es que, mamá, papá, estoy embarazada. Aquí puedo tener una familia. Soy libre de una manera que jamás habría soñado. Os echo muchísimo de menos, y a Fair, a Connor y a Enya, y anhelo ver a Jemi. Dadle un beso al pequeño torbellino de mi parte y decidle lo mucho que lo quiere su tía Nikita. Espero que esta carta os tranquilice, pero para mí no es seguro volver. Sólo quiero que sepáis que soy feliz y estoy sana, y que os llevaré en mi mente y en mi corazón para siempre.

Vuestra hija, que os adora,
Nikita
P.S.: Espero que lo que os envío os sirva de algo.

Nicolette estaba llorando con tanta fuerza que apenas podía respirar, pero también estaba riendo, abrazando a Jemi y a su marido a la vez. Jemi gritó a modo de protesta, así que lo dejó en el suelo y abrazó a su marido.

—Está viva —dijo, entre sollozos—. Está ahí... doscientos años atrás. Quiero que esté aquí, pero saber... —Se interrumpió porque no podía decir más.

—Lo se, lo sé. —Aidan también estaba llorando—. Ella... Nosotros... Nic, tenemos otro nieto. Puede que más. ¡No sabemos cuántos!

Ella se rió.

—Y ¡todos excepto Jemi son más viejos que nosotros! Tendremos que localizar a nuestros descendientes. Nikita nos ha dado toda la información que necesitamos. Sabemos dónde buscar. No sé lo que nos costará, pero ya nos apañaremos para...

—Nic —dijo Aidan, con la voz ronca. Estaba inusualmente quieto, mirando al suelo.

—Lo sé, me estoy lanzando sin planificar, pero es que...

—Nic —repitió él, esta vez más alto—. Mira.

Ella miró. Le pareció que la habitación daba vueltas a su alrededor y se agarró al brazo de su marido.

—Dios mío —susurró—. Es...

Papel. Paquetes y paquetes de papel, sellados al vacío y perfectamente preservados. Nikita les había enviado papel.

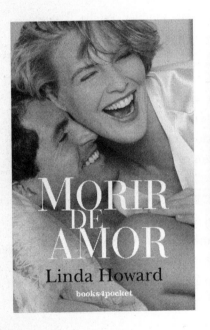
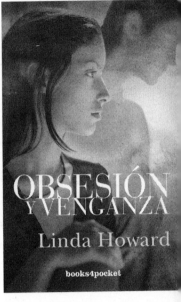

MORIR
POR
COMPLACER
Linda Howard

books4pocket

UN
BESO
EN LA
OSCURIDAD

Linda Howard

books4pocket

☞ www.books4pocket.com ☜

ANDREA KANE
Acosada
Esencia de peligro

CAROL HIGGINS CLARK
Amor en directo
La mujer del collar

KRISTIN HANNAH
Amores eternos

SUSAN DONOVAN
Apuesta por mi

ALLISON BRENNAN
La caza
La presa

SUZANNE BROCKMANN
Contra todas las reglas
Pasiones cruzadas
La hora de la verdad

IRIS JOHANSEN
Marea de pasión